366日
誕生花の本
Birthday Flowers

瀧井康勝 著

　90年代において、地球環境異変、生態系異変は、人類生存のための最も重要な問題だと思う。
これまでのように、人類のために一方的に植物に奉仕させるのではなく、
双方が豊かに共存できる方向へと、21世紀は変わって行くことだろう。
人類は、植物から何を得、何を感じて生きてきたのだろうか。
地球で人類が共存するために、植物はどのようなメッセージを送ってくれているのだろうか。
実際、それはあったのだが、私たちが気づかなかっただけである。
そしてこれからも、植物から人間へのメッセージは、絶えることなく送り続けられるであろう。
古くから人類は、そうして受けとったメッセージを
神話や伝説、民話、詩文などに形を変えて、後世に残してきた。
それに花の形や色、香り、生態などが加わり、
花ことば(*The Language of Flower*)という表現が出来上った。
しかし、それは余りに短く、植物からのメッセージを充分に伝えているとは言い難い。
それは、同じ植物に対し、民族により見方が異なり、感性の違いから、
様々な花ことばが飛び交っていることからも明白である。
本書は、1年366日の誕生花を取り上げ、19世紀に英国で発表された植物を基本に、
その植物にまつわる神話や伝説、その生態などをまとめあげたものである。
いわば、花のひとりごと。
また、花占いは、それぞれの誕生花の生態や、
人々のとらえ方、花ことばなどを総合し、花を人間にたとえて表現した。
植物の生きざまと人間のそれは、基本的に大して変わりはない。
太陽、水、土から恩恵を受けている点など、同じ生物同士、運命を一つにしている。
そのことに気づけば、植物から学ぶべきことがどれほどたくさんあることか、慄然とするほどである。
愛と勇気と知恵をもって、地球環境を考えなければならない時代を迎えて、
植物を理解する一助となれば、幸いである。

CONTENTS

Cooperator/岩田裕子 *Illustrator*/山本久美子 *Designer*/藤田陽一 *Editor*/小野田三実　カバーパターン提供/㈱ベルベ Bellbe

スノードロップ
Snow Drop
花ことば・希望

ヒガンバナ科
原産地：ヨーロッパ

アダムとイヴが、エデンの園から追放された日。あたりは見る間に花が散り、葉がおちて、木枯しが吹き荒れ、あっという間に一面の吹雪となりました。

寒さに凍えるふたりのまえに、天使が舞いおりてきたのです。「春が近いよ」とささやきました。それから、そおっと雪にふれると、雪がとけ出す。雫がこぼれる。そして現われたのは……純白の可憐な花、スノードロップ。

名前の由来は「雪の耳飾り」から。花の形が小さなイヤリングを思わせるのです。イギリスでは「聖母の小ローソク」とも呼ばれ、聖燭日の花となっています。

★花占い

無数の品種のある花ですが、永遠の雪のように白いのがこの花の運命。1月1日に生まれたあなたは、雪にも寒風にも負けないスノードロップのように、辛抱強い性格を持っています。あなたの望みは、いつか必ずかなえられるのです。持って生まれた合理性、まじめさを大切にして、一生を自分らしく貫き通すことです。

この日生まれの著名人

グレゴリウス13世 (1502) 豊臣秀吉 (1536) クーベルタン (1863) 細川隆一郎 (1919)
田端義夫 (1919) 早乙女貢 (1926) 児玉清 (1934) 水野久美 (1937) 香山美子 (1944) 尾崎紀世彦 (1945)
沢田亜矢子 (1949) 夢枕獏 (1951) 役所広司 (1956) 大友康平 (ハウンドドッグ) (1956)
ジミー大西 (1964) 増田明美 (1964)

この日生まれの大切な人

Name

Name

1月

2

黄水仙
Narcissus Jonquilla
花ことば・愛にこたえて

ヒガンバナ科
原産地：南ヨーロッパ

　美少年の悲しい恋ものがたり。舞台は、森の奥の美しい泉です。のどのかわいたナルキソスが、泉にくちびるを近づけると、ドッキリ！ 魅惑的な水の精が、ナルキソスにキスしようとしています。思わず抱きしめようと手をのばすと、からかうように消えてしまいました。そしてまた、顔を見せます。そんなことを繰り返すうちに、ナルキソスは、報われぬ恋にやせおとろえ、ついには死んでしまいました。水面に映っていたのは自分ということに、まったく気がつかないまま。

　やがて泉のほとりには、一輪の美しい花。水仙、ナルキソスが咲きました。

★花占い

　二者択一のむずかしい選択をせまられることが多い人。どちらか一方を選んだら、迷わず、強引と思われるほど、突き進むべき運命にあります。「水仙」の名が、仙人の姿に花が似ているところから来ているように、不可能を可能にする秘めたる力を持っているのです。不可能に見える愛も、大きく花開かせることのできる人です。

この日生まれの著名人

道元 (1200) 柳家小さん (1915) 梶山季之 (1930) 海部俊樹 (1931)
神津善行 (1932) 野末陳平 (1932) 森村誠一 (1933) 立川談志 (1936) 沢たまき (1937) 津川雅彦 (1940)
古谷一行 (1944) 伊吹吾朗 (1946) 岡本信人 (1948) 原田真二 (1959) 斉藤仁 (1961)

この日生まれの大切な人

Name

Name

1 月

3

花サフラン
Spring Crocus
花ことば・悔いなき青春

アヤメ科
原産地：ヨーロッパ

医術に長けて、だれにも慕われていた美青年クロッカス。リーズという名のかわいい少女と恋人同志でもありました。ところが悲劇が始まります。リーズの母である大富豪の未亡人がクロッカスを愛してしまった。報われぬ恋をもてあました夫人は、とうとうクロッカスに矢を放ち、残酷にも殺してしまう。

この悲しいできごとを救いきれなかった女神ヴィーナスが、若い恋人たちの愛を記念し、クロッカスの魂をサフランの花に、リーズの魂を朝顔に宿らせたという――ギリシア・デラシャ島に伝わる、はかない恋物語。

★花占い

一途に恋するクロッカスのように、誠実さこそあなたのポイント。人生も恋も悔いなく生きる人です。計算高さは、あなたには全然似合いません。心の底からわきあがる思いを大切になさいますよう。

この日生まれの著名人
シャルドンヌ (1884) 三遊亭円楽 (1933) 山本学 (1937) 藤村志保 (1939) 天地総子 (1941)
岩下志麻 (1941) ストロング金剛 (1941) 鳥居ユキ (1943) 小堺一機 (1956) メル・ギブスン (1956)
ダンカン (1959) 柳葉敏郎 (1961) ケラ〔有頂点〕(1963) 若村麻由美 (1967)
M・シューマッハー (1969) 吉田栄作 (1969) 川越美和 (1973)

この日生まれの大切な人

Name

Name

ヒヤシンス(白)
Hyacinth
花ことば・心静かな愛

ユリ科
原産地：ヨーロッパ

　ギリシャ神話には美青年がつきもの。
　ハンサムな王子ヒヤシンスは、太陽の神アポロンに、深く愛されている幸せ者でした。このふたりに激しく嫉妬したのが、西風ゼフィロス。ヒヤシンスとアポロンが円盤投げをして遊んでいると、この時とばかり大風を吹かせて、円盤をヒヤシンスの頭にぶつけてしまいました。死んでしまったヒヤシンス。血がしたたり落ちたとき、そこに紫の美しい花が、悲しげに咲き始めたといわれます。この花が、ヒヤシンス。

★花占い

　春が訪れるたびに、ふくよかな香りと共に甦るヒヤシンス。この花を誕生花に持つあなたは、やさしいのんびりタイプといえそう。だけども、勝負強いという特徴もあるのがおもしろい。周囲にせかされて、投げ出したり、あせったりしがちですが、マイペースをくずさないこと。

この日生まれの著名人
グリム兄 (1785) ダイアン・キャノン (1937) 子門真人 (1944)
マリーン (1960) 竹内力 (1964)

この日生まれの大切な人
_____
Name
_____
Name
_____

1月

5

みすみ草(ゆきわり草)
Hepatica
花ことば・忍耐

キンポウゲ科
原産地：ヨーロッパ

「HEPATICA」のギリシャ語の語源は「肝臓」。3つに分かれた葉の形が、肝臓に似ているところから、この名がつきました。

日本では、ハート形を3つ合わせたように葉の先がとがっていることから「三角草」と呼ばれています。

春の訪れをつげるように、雪を割って山地の岩の間や樹木の根もとに小さな花をつけるので、「ゆきわり草」の名前もあります。

★花占い

寒さに強いみすみ草。この花を誕生花に持つあなたは、なにより辛抱強い人。だれからも信頼され、友達にも高く評価されています。

お世辞が大きらい。恋愛には受身的で、自分からアプローチすることは少ないほう。どちらかというと、異性のあこがれの的といえそうです。

この日生まれの著名人
夏目漱石 (1867) 玉置宏 (1934) 宮崎駿 (1941)
ダイアン・キートン (1946) 高田美和 (1947) 高橋三千綱 (1948) 沢松和子 (1951)
渡辺えり子 (1955) 榎本孝明 (1956) 高見恭子 (1959)

この日生まれの大切な人
_____
Name
_____
Name

すみれ(白)
Violet
花ことば・無邪気な愛

スミレ科
原産地：ヨーロッパ・アジア

　天界の王ゼウスは、浮気男として有名。今日は、かわいい河の神の娘イーオーを追いかけ回し、戯れの恋を楽しんでいました。ところが、妻である女神ヘラーに見つかりそうになり、ゼウスはイーオーの姿を、白い牛に変えてしまいます。かわいいイーオーに、雑草ばかり食べさせるのがかわいそうになり、イーオーの美しい瞳をイメージし、可憐な花を一面に咲かせたのだそうです。これが、すみれ。

★花占い

　ひかえめで上品な魅力のある人。ひそやかな恋にあこがれがちです。だけど、危険がいっぱい。気をつけて。無理にめだとうとせず、マイペースにふるまうことが、結局は、いちばんステキに見えます。

この日生まれの著名人
ジャンヌ・ダルク (1412) シャーロック・ホームズ (1854)
T・ルーズベルト (1858) 杉村春子 (1909) 八千草薫 (1931) 松原智恵子 (1945)
中畑清 (1954) チャゲ (1958) 大場久美子 (1960) 木村優子 (1961) 麗美 (1965)

この日生まれの大切な人

Name

Name

1月

7

チューリップ(白)
Tulipa
花ことば・失恋

ユリ科
原産地：ヨーロッパ

青年ファルハッドは、美しい恋人シャーリンが死んだという知らせを受けた。悲しみにひしがれて岩山から身を投げ、死んでしまったのです。ところが、シャーリンは生きていた。ファルハッドが身を投げたときに流れ出た血から、チューリップが咲きそめた——ペルシャに残る伝説です。

チューリップは、だれからも愛される花。16世紀以降、主にオランダで栽培され、世界中に輸出されています。

★花占い

夕陽が沈み、流れ星が輝き落ち、また夜明けがやってくるように、恋をくり返す。あなたの恋は、そんな気配を感じさせます。悲しみは、あなたより恋人の側にあります。神聖な愛を求めて遍歴するのがあなたらしさなのです。

この日生まれの著名人
前島密 (1835) 柳生博 (1937) 吉田日出子 (1944)
ケニー・ロギンス (1948) 沖田浩之 (1963) ニコラス・ケージ (1964)
住田隆 [ビシバシシステム] (1966)

この日生まれの大切な人
_____
Name
_____
Name
_____

10

8

すみれ(紫)
Violet
花ことば・愛

スミレ科
原産地：ヨーロッパ・アジア

花輪にしたすみれを聖母マリアの祭壇に飾るのは、キリストをはりつけにした十字架の影が、この花に落ちたためといわれます。すみれは、悲しみの花。

キリスト教会の葬儀には紫の服。未亡人が身につけるのは紫水晶。どちらもすみれ色からの発想といわれます。

北半球なら、どこにでも咲いているので、とても身近。染料に用いたり、サラダやお菓子にあしらったり、ときには香水に……など活躍。

歌合戦の優勝者に、黄金製のすみれを贈る国もあるという噂。

★花占い

すみれの花と花をからませて、ひっぱりあい、花が残っているほうが勝ちという遊びがありますが、花がかわいそう。この日生まれのあなたは、思慮深く、知恵のあるのが魅力。つまり、不向きなのです。勝負ごとは。

この日生まれの著名人

徳川綱吉 (1646) 堀口大学 (1892) 周恩来 (1898) 森英恵 (1926) 初井言栄 (1929)

エルビス・プレスリー (1935) シャーリー・バッシー (1937) 落合信彦 (1942) 真屋順子 (1942)

角川春樹 (1942) デビッド・ボウイ (1942) 南佳孝 (1950) 門田頼命 (1951) 大迫たつ子 (1952) 小林浩美 (1963)

この日生まれの大切な人

Name

Name

すみれ(黄)
Violet
花ことば・慎ましい幸福

スミレ科
原産地：ヨーロッパ・アジア

　エルバ島に流されたナポレオンの宣言。「すみれの花が咲くころ、また戻ってくる」と。約束どおり、チュイルリー宮殿に舞い戻りました。

　若いときは「すみれ伍長」と呼ばれ、同志を確認するのにすみれの花を使うなど、ナポレオンはすみれを——似合わないようですが——大好きだったようなのです。ブルボン王朝が復活すると、すみれは反逆の印とされました。ところが一転、ナポレオン3世の時代となると、再び人気復活。1873年の今日、ナポレオン3世が亡くなると、その棺は、すみれで編んだ花の布でおおわれたのだそうです。

★花占い

　アメリカンインディアンの若き英雄伝説にも、すみれが登場。勇気・愛・献身のシンボルとなっています。

　臆病や弱気になってはいけませんが、健康に対する心づかいと深い思考力を持って行動すべきです。あなたの持つ勇気・愛・献身に、プラスすれば、鬼に金棒です。

この日生まれの著名人

ボーヴォアール (1908) ニクソン (1913) 森祇晶 (1937) 大林宣彦 (1938)
西田佐知子 (1939) ジョーン・バエズ (1941) ジミー・ペイジ (1944)
岸部一徳 (1947) 榎本了壱 (1947) 宗茂・猛 (1953) 尾崎健夫 (1954)

この日生まれの大切な人

Name

Name

つげ
Box-Tree
花ことば・堅忍

ツゲ科
原産地：ヨーロッパ・アジア

　愛の女神ヴィーナスのお祭に、この木を使うと、ヴィーナスが仕返しとして、男性の生殖機能を奪ってしまうという、恐ろしい神話があります。トルコでは、葬式の木。墓地に植えられていると聞くと不吉ですが、なかなか伸びないことから、「長命」の意にとらえられているようです。

　つげは働き者。古代エジプトの発掘品の中や、「万葉集」にも出てくるつげのくし。材質が固くしまっていることから、極上の品として、姫君たちの髪をときました。その他、印材、ソロバンの珠、将棋の駒、宝石箱、ステッキ、スプーン…つげの木はさまざまに大活躍。庭園では、動物の形に刈りこまれて、かわいい姿を見せています。

★花占い

　無欲、淡白の代表選手のようなあなた。さっぱりした人と皆に好かれますが、すぐあきらめてしまい、チャンスを逃がしてしまう傾向が。もう少し執着心を持つと、愛する人を逃がす不幸はなくなるはず。しつこいくらいで、やっと人並み。

この日生まれの著名人
島村抱月 (1871)　伴淳三郎 (1908)　三遊亭円歌 (1929)　長門裕之 (1934)
浜村純 (1935)　嵐山光三郎 (1942)　小松政夫 (1942)　ロッド・スチュワート (1945)
あおい輝彦 (1948)　マイケル・シェンカー (1956)　財前直見 (1966)

この日生まれの大切な人

Name

Name

1 月

においひば
Arbor-Vitae
花ことば・堅い友情

ヒノキ科
原産地：北アメリカ

16世紀のはじめ。フランスの探険隊が、北米大陸のセントローレンス川を発見したとき。壊血病で瀕死の隊員が、インディアンの作ってくれた「においひば」の煎汁を飲んで、一命をとりとめ、元気を取り戻したといいます。探険隊は「においひば」をフランスへ持ち帰り、ことの仔細を王様に報告、王様はこの木を「アルボル・ビダエ」（生命の木）と名づけたという話。

北アメリカに広く分布しています。木質に芳香性の精油を含み、木を切るたび、ふわりとよい香りが漂うのです。

★花占い

友情を大切にするあなたを慕って、心からの友達になりたいと思っている人が、たくさんいるはずです。しかし、たくさんの人とおつきあいするのは、エネルギーもたいへん。そろそろ、変わらぬ友情を誓い合える、心の友を選ぶ時期が来ています。そのうち、恋人候補も自然に絞り込まれてきます。

この日生まれの著名人

伊能忠敬 (1745) 山岡荘八 (1907) 鈴木善幸 (1911) 岡田茉莉子 (1933)
江利チエミ (1937) ちばてつや (1939) 連城三紀彦 (1948) 輪島大士 (1948)
内海光司 [光GENJI] (1968) 深津絵里 (1973)

この日生まれの大切な人

Name
_____

Name
_____

1月

12

にわなずな
Sweet Alyssum
花ことば・優美

アブラナ科
原産地：地中海沿岸

日本では、なずなに似ているので「にわなずな」と呼ばれている、「スイート・アリッサム」。見かけることの多いのは、「いわなずな」で、英名「アリッサム・サクサチィル」です。こちらはクレタ島の原産。一字違いだから、間違えないよう気をつけて。

「にわなずな」は、春と秋に小さい花を密集して咲かせ、葉が見えなくなるほど。色はローズ、濃い紫、白があり、どれも芳しい香りを放つ。ヨーロッパでは、花壇の周囲の彩りに植えられます。園芸上は、一年草。

★花占い

五代前のおじいちゃん、おばあちゃんの名前を知ってますか。あなたの家系は、代々、優雅な美しさを特徴にしています。自分の中の優雅さを自覚することで、ノーブルな印象を周囲に与えます。幸せな人。

この日生まれの著名人

ジャック・ロンドン (1876) 加藤嘉 (1913) 内海桂子 (1923) 三浦朱門 (1926)
清水一行 (1931) かまやつひろし (1941) 三木たかし (1945) 村上春樹 (1949)
楠田枝里子 (1952) 尾形大作 (1963)

この日生まれの大切な人

Name

Name

1 月

水仙
Narcissus
花ことば・神秘

ヒガンバナ科
原産地：南ヨーロッパ

「ナルキッソス。おまえは不死の神々にも、死ぬ運命を持つ我々人間にも、おどろくほど光輝き、高貴な姿を見せてくれる」ギリシャの詩人、ホメロスはこう唄っている。

地中海周辺、大多数はイベリア半島が自生地。ギリシャ語で「麻酔」の意味から、この名がついたという説と、伝説の美少年「ナルキソス」からつけられたとする説と、ふたつ。

氷を割って咲くと言われ、日本では、3～4月頃、長い花柄にいくつかの小さい花を傘状につけ、強い香りを放って咲きほこる。

中国を経て、江戸時代に渡来し、栽培されるようになりました。リコリン様アルカロイドを含み、はれものや肩こりに効くとされています。

★花占い

傷つくことを恐れて、引っ込み思案になりがちなあなた。このままでは、いつまでたっても、夢みる乙女で終ってしまいます。さあ、勇気を出して。冒険してみましょう。成功の秘訣は、持ち前の素晴しい笑顔をふりまき、周囲を明るくすることです。

この日生まれの著名人
狩野永徳 (1543) 阿刀田高 (1935) 野沢那智 (1938) 伊藤蘭 (1955) 安部恭弘 (1956)
太川陽介 (1959) 秋本奈緒美 (1963) 長山洋子 (1968) グロリア・イップ (1973)

この日生まれの大切な人

Name

Name

シクラメン
Cyclamen
花ことば・内気

サクラソウ科
原産地：ペルシャ

　かがり火花、魔力を封じる花、病気を治す花、聖母の心臓、修道女の花、豚の饅頭…全部シクラメンの別名です。語源は、ギリシャ語で「まわる、まるい」の意味。花茎が旋回することからきているようです。

　温室で栽培されます。クリスマスの花。ヨーロッパでは、お祝いの席や結婚式に飾ると「離別」するとされて、敬遠されているらしい。野性のシクラメンの根は、惚れ薬になるとの噂も。

★花占い

　この日生まれのあなたは、あたたかい心の持ち主。でも誤解されやすい傾向があることに充分気をつけなくてはなりません。ときとして合理性に欠け、猜疑心が前面に出ることがあるので要注意。

この日生まれの著名人

新島襄 (1843)　A・シュバイツァー (1875)　福田赳夫 (1905)
三島由紀夫 (1925)　フェイ・ダナウェイ (1941)　田中真紀子 (1943)　ルー大柴 (1954)　荻尾みどり (1954)
石田純一 (1955)　亜蘭知子 (1958)　松居直美 (1968)

この日生まれの大切な人

Name

Name

1 月

とげ
Thorn
花ことば・厳格

原産地：世界中

ローマ神話。愛の使者、キューピッドが、美しいバラの花を摘み、あまりにもかわいいので、KISSしようとくちびるをよせた。花の中にいた蜂はびっくり。針で、キューピッドをプシュッと刺してしまったのです。痛あいっ！

ヴィーナスがキューピッドをかわいそうに思い、蜂をつかまえるとその針をぬいて、バラの木に植えつけた。それから、バラにはとげがあることに。

棘のある植物は、バラ科に多いのです。カラタチにもあるのは、知られてませんね。東南アジアには刺竹（シチク）と言って、竹にとげのあるものも。刺竹のやぶは、まるで有刺鉄線。動物もよけて通る、おそろしい林です。防風林や泥ぼうよけには、ぴったりなんですよ。

★花占い

あなたは、厳格すぎる人。現代においては、ユニークな個性といえそうです。社会的には、尊敬されるでしょう。ただし、愛する人には、苛酷以外の何ものでもありません。恋人には、少しゆるめて。

この日生まれの著名人

モリエール(1622)　西条八十(1892)　河野洋平(1923)　新珠三千代(1930)
コシノヒロコ(1937)　冨士真奈美(1938)　樹木希林(1943)　落合恵子(1945)
宮崎緑(1958)　石原良純(1962)

この日生まれの大切な人

Name

Name

ヒヤシンス（黄）
Hyacinth
花ことば・勝負

ユリ科
原産地：地中海沿岸

ヒヤシンス狂がひしめいていた18世紀。2000以上の変種を育てたといわれます。たとえば、尖塔のリリー、イギリス王メアリー、青い釣鐘、ハトの首、セントジョージの花、ユニーク、ヒヤシンスの巻き毛etc。

トロイヤ戦争の勇士、アキレウスのヨロイが、ヒヤシンスに関係あるのを知ってました？ 彼のヨロイは、鍛治神ヘーパイストスに与えられたもの。オデッセウスかアイアース、ふたりの戦士のどちらかに、授けられることになりました。結果としては、オデッセウスのものに。

「知恵は勇気に勝る」がその理由。アイアースは、失望のあまり自殺してしまいました。その流れた血の中から、ヒヤシンスが咲いたのです。

花びらをよく見ると、若者の頭文字、A・Jが刻みこまれているとか……あなたのお宅のヒヤシンスは、いかが？

★花占い

いつも自分自身をきたえていないと気がすまない性格です。冷静沈着で、人々のリーダー。でも、愛は与えてつくすもの。きちんとするのも時と場合。情熱的に燃えてみては。

この日生まれの著名人

伊藤整（1905） 藤田敏八（1932） 堀内恒夫（1948） 池上季実子（1959） シャーデー（1960）
斉藤光子〔GO-BANG'S〕（1964） 田村英里子（1973） 宮前真樹〔CoCo〕（1973）

この日生まれの大切な人

Name

Name

すいば
Rumex
花ことば・親愛の情

タデ科
原産地：ヨーロッパ・北半球の温帯

子供のころ、春の野原で遊んでは、スカンポの葉をかじる……古き良き時代の子どものあそびです。知ってました？

蓚酸を含むから、すっぱい味がする。野原に普通にはえてる多年草。道端でみかけるギシギシも、このすいばの仲間なのです。

ゆでて和えたり、酢の物に、漬け物や煮て食べたりしてもおいしい。ただし、生食でたくさん食べると、血液中のカルシウム分を奪うらしい。サラダには気をつけて。

★花占い

愛に出会うたびに、やさしい人になっていくタイプ。心の中に、ダイヤモンドみたいな星がひとつずつきらめく感じです。胸の中が、星空であふれそうになったら、あこがれの王子さまに会えるはず。友情、人類愛、さまざまな愛を知ってこそ、本当の幸せにめぐりあえるのです。

この日生まれの著名人

フランクリン（1706）　村田英雄（1929）　坂本龍一（1952）　山口令子（1955）
ポール・ヤング（1956）　三浦百恵（1959）　泰葉（1961）　工藤夕貴（1971）

この日生まれの大切な人

Name

Name

1月

18

うきつりぼく
Indian Mallow
花ことば・憶測

アオイ科
原産地：南アメリカ

　ブラジル原産の常緑樹。見たことのない人がいたら、細い葉っぱ、葉のわきに一輪ずつ垂れ下がるようにして咲く花を想像してみて。がくは紅、花冠は黄色で、あっとおどろく美しさです。魚を釣るときのウキに似ているところから、この名がついたらしい。

　日本へは、繊維植物として、インドから中国経由で輸入されました。今は荒れ地などに野生状態で生えてる。キリアサ、イチビなどの別名もある。

　果実は、「妖精のチーズ」と呼ばれています。

★花占い

　尊敬できる人を探しましょう。その人の生き方や考え方を学ぶとよいのです。というのも、あなたは、なんでも憶測しがち。しっかりした自分の生き方、愛の表現方法を持つことで、ほとんどが自分の思いすごしであったことに気づくはずですよ。

この日生まれの著名人
モンテスキュー (*1689*)　ケーリー・グランド (*1904*)　ダニー・ケイ (*1913*)　上田利治 (*1937*)
小椋佳 (*1944*)　おすぎとピーコ (*1945*)　モハメド・アリ (*1947*)　衣笠祥雄 (*1947*)　ビートたけし (*1948*)
森山良子 (*1948*)　笑福亭鶴光 (*1948*)　ケビン・コスナー (*1955*)　秋野暢子 (*1957*)　中山忍 (*1973*)

この日生まれの大切な人

Name

Name

松
Pine
花ことば・不老長寿

マツ科
原産地：日本・ヨーロッパ

日本を代表する木。

翁草、千代木、琴弾草、百樹の王……など、別名もめでたく、神の宿る木と神聖視されています。

昔、中国である男が業病にかかり、人に嫌われ、山に捨てられた。男は家族を恨み、友を批難し、一ヵ月ほど泣き暮らしたという。それを哀れに思って、仙人が薬をくれた。みるみるうちに、病いは治った。男は仙人に礼を言い、薬の処方を乞うたといいます。「どこの山にもある松ヤニだ。飲んで不老長寿になるがよい」との答え。さっそくそのとおりにし、百歳になっても歯もかけず、髪は黒々、精気りんりんだったという伝説。やっぱり、めでたい。

★花占い

枯野に毅然と緑濃く立ちそびえている松の姿と、あなたをだぶらせてみると、思い当たるフシはいっぱいあるはず。

過信や高慢から、いばりすぎると、松のたたりをうけるかもしれません。ふつうにしてても、立派に見えるから、大丈夫なのに。

この日生まれの著名人

ワット (1736) ポー (1809) セザンヌ (1839) 森鷗外 (1862) 水原茂 (1909) ジャニス・ジョップリン (1943)
安田春雄 (1943) ドリー・パートン (1946) 丘みつ子 (1948) ロバート・プラント (1949)
金子晴美 (1950) 松任谷由実 (1954) 柴門ふみ (1957) ステファン・エドバーグ (1966)

この日生まれの大切な人

Name

Name

1 月

20

きんぽうげ
Butter Cup
花ことば・子供らしさ

キンポウゲ科
原産地：ヨーロッパ

学名は「ラナンキュラス」。語源は「ラーナ」蛙のことです。蛙がたくさん住んでる場所に、好んで育つことから来る。

英名の「バターカップ」は、この花の色と形からの連想。

「王様の杯」「黄金の盃」「黄金の把い手」「カッコウ（鳥）の坊や」などカッコウいい（？）名前をいっぱい持ってます。

葉が馬の形に似てるから、「ウマのアシガタ」というのもある。ユーモラスですね。キンポウゲ科は、多様な植物で、学問上分類に変化が起きている。植物学者、注目の花なのです。

★花占い

富への欲望が人一倍強いあなた。自尊心が強く、人からは高慢に見えて損です。本来の「子供らしさ」を発揮することが、「勝利」への近道となるのです。

この日生まれの著名人
片岡千恵蔵（1904）　フェデリコ・フェリーニ（1920）　三国連太郎（1923）　いずみたく（1930）
有吉左和子（1931）松尾雄治（1954）太田裕美（1955）桜井賢〔アルフィー〕（1955）
浜尾朱美（1961）南果歩（1964）

この日生まれの大切な人

Name

Name

23

きづた
Ivy
花ことば・友情

ウコギ科
原産地：ヨーロッパ

　ギリシャでは、婚礼の祭壇（結婚を司どる神ヒュメナイオスをまつっている）には、必ずきづたが飾られている。男に守られて生きる愛のシンボルとして、またいつまでも離れずに暮らす意味をこめて、女性から男性に、きづたをプレゼントする習慣があります。

　男性は、きづたの花輪をかぶっていると、よい女と悪い女を見分ける力が授かり、魔女を一発で当ててしまうという不思議。

　きづたは、しとやかさ。そして、何かに頼らなければ身を支えられないその宿命、その美しさによって、詩や小説、戯曲などに昔からよく登場しています。

★花占い

　友愛が深く、誠実なあなたが、よい結婚に恵まれるのは当然です。しかし、執着心も人一倍強いので、ときとして、相手を見誤まり、枯木のような人につかまることにもなりかねません。お互いが青々と繁れるような、そんな結びつきを探しましょう。

この日生まれの著名人

上杉謙信 (1530)　バレンシアガ (1895)　クリスチャン・ディオール (1905)
テリー・サバラス (1925)　久我美子 (1931)　山本亘 (1933)　ジャック・ニクラウス (1940)　竜雷太 (1940)
高田純次 (1947)　三浦洋一 (1954)　ロビー・ベンソン (1956)　京本政樹 (1959)　平尾誠二 (1963)　若花田 (1971)

この日生まれの大切な人

Name
_____

Name
_____

1月

こけ

Moss

花ことば・母性愛

地衣類
原産地：世界中

「苔の衣」とは、修行に励む僧侶の衣を
さしています。お坊さんは、山深い、陽
も当たらぬ修行場で、滝に打たれ、断食
をこころみ、衣にこけがむすほど長い時
間、修行しないと、悟りを得ることはむ
ずかしいという意味。

こけは、柔かなイメージ。母のぬくも
りを思わせる。僧侶も人々をあたたかく
包みこむような、度量のあることが重要。
（例外は認めません！）

こけが、陰湿な植物とみられているの
は「MOSS」の語源が、アングロ・サ
クソン語系の「沼」であるところから。

ヒマラヤの断崖など、想像を絶する苛酷
な環境にも、こけはもちろん耐えている。
幽玄な美しさがあります。

★花占い

周囲をあたたかく包みこむような雰囲
気を持っているあなたは、人の輪の中に
いることが好き。なごやかな自分になれ
るのです。このやさしさが恋人の心をと
らえます。無理に、激しい恋を考える必
要はないでしょう。自然体が、あなたに
いちばん似合うのですから。

この日生まれの著名人

F・ベーコン（1561）　大塩平八郎（1793）　松平康隆（1930）　サム・クック（1935）
湯川れい子（1939）　ジョン・ハート（1940）　鳳蘭（1946）　星野仙一（1947）
高橋恵子（1955）　岡部まり（1963）　ダイアン・レイン（1965）

この日生まれの大切な人

Name

Name

1月

23

がま
Bullrush
花ことば・従順

カヤツメソウ科
原産地：日本・ヨーロッパ

　日本の神話には、がまのつぼみが大地から天上へと生命の種子を運び、そこから神々が生まれたという伝説があります。最後に生まれたのが、イザナギとイザナミの恋人たち。そして、天地創造がはじまりました。

　人々が、イエス・キリストを「ユダヤの王」とあざ笑ったとき、その手に笏として、持たせた植物も「がま」。

　洋の東西を通じて、重要な役割を持っている植物です。

　がまは、昔からあれこれ役に立ってきました。その穂を干して火をつけ、ロー

ソクや松明のかわりにしたり、丸めて寝具に入れ、羽毛のように用いたり、傷薬にも、編んでカゴやすだれにも。食べてた──という記録だってあります。

★花占い

　いつもそそっかしくて、あわてものと言われがちなあなた。せっかちなため、先へ先へと判断してしまうのが、長所でもあり、欠点です。ときどき誤解されて、悲しい思いをすることもありますね。少しだけ、人に素直にしたがってみる気持ち、それを持つと、何もかもがうまくいくはず。

この日生まれの著名人
スタンダール (1783)　マネ (1832)　ハンフリー・ボガード (1899)
ジャンヌ・モロー (1928)　鈴木健二 (1929)　ジャイアント馬場 (1938)
千葉真一 (1939)　吉田照美 (1951)　坂東八十助 (1956)　川村かおり (1971)

この日生まれの大切な人

Name

Name

26

1月

24

サフラン(秋咲き薬用サフラン)
Saffron-Crocus
花ことば・節度の美

アヤメ科
原産地：西アジア

昔、ある国で。美しく、そして賢い娘が王に嫁ぎ、印として、豪華な首飾りをいただきました。ところが、心のやさしいその少女は、乞食に恵んでしまったのです。さあ、大変、少女は手首を切り落とされ、城を追い出されてしまいました。

その後、他国の大商人の妻となりましたが、また……お客さまをもてなす立派なごちそうを、乞食に全部与えてしまったのでした。妻は大商人につめられ、なぜ与えたかを話しました。この国へ嫁ぐ道すがら預言者が現われて、切られた手首をもとに戻し、ひとこと「与えよ」と

告げたとか。そして妻の頭上には、一面のサフランの花を咲かせて祝したという……。話を聞いて、商人も乞食も共に驚きました。だって、昔、妻が首飾りを与えた乞食が大商人で、今、ごちそうをいただいた乞食は、昔の夫、王様のなれの果ての姿だったのです。

★花占い

おごりをいましめ、節度を保つことが大切。使命感を持って生きている、あなたの出番は必ず来ます。人に重んじられるけれど、ストレスがたまりやすい人。解消するコツを身につけて。

この日生まれの著名人

市原悦子(1936)　野際陽子(1936)　ニール・ダイアモンド(1945)　尾崎将司(1947)
里中満智子(1948)　ジュディ・オング(1950)　五輪真弓(1951)　渡辺正行〔コント赤信号〕(1956)　前田日明(1959)
ナスターシャ・キンスキー(1961)　樋口ユータ〔BUCK-TICK〕(1967)　林葉直子(1968)

この日生まれの大切な人

Name

Name

25

みみな草
Cerastium
花ことば・純真

ナデシコ科
原産地：ヨーロッパ・世界中

　耳菜草。葉っぱの形が、ネズミの耳に似てるからみたいです。

　日本全土に野生している多年性の植物。世界中に広く、生えてるなんて、あまり知られていませんね。

　明治時代にやってきた「夏雪草」は、ヨーロッパの生まれ。シロミミナグサと呼ばれる、兄弟どうしです。

　「誰が袖草」は、香りがよいので、優雅な花と喜ばれてる。やっぱり、ミミナグサの仲間。

★花占い

　愛してはいけない人を愛してはいけません。お部屋でぼんやり音楽を聞きながら、涙がこぼれるのは、つらいですから。自分に素直だから、愛してしまった。それがあなたのステキなところ。だけど…もう少し、世の中を広く見ることが先決です。あなたの純粋さを心から愛してくれる、たったひとりの人にめぐり会うためにも。

この日生まれの著名人

モーム（1874）　北原白秋（1885）　石坂洋次郎（1900）　湯川秀樹（1907）　池波正太郎（1923）　西村晃（1923）
コラソン・アキノ（1933）　生島治郎（1933）　石ノ森章太郎（1938）　松本零士（1938）　黒田征太郎（1939）
江守徹（1944）　さとう宗幸（1949）　森田芳光（1950）　巻上公一〔ヒカシュー〕（1956）　レパード玉熊（1964）

　この日生まれの大切な人

Name

Name

1月

26

おじぎ草
Humble Plant
花ことば・感じやすい心

マメ科
原産地：ブラジル

指先で、ほんの少しひょいと触れるだけで、身をよじるように葉を閉じる、恥ずかしがりやのおじぎ草。葉っぱどうしが触れあうだけで、また、風が吹いただけでも、反射的に葉を閉じる。

動物みたいにかわいい。別名は、眠り草。西ドイツのベルリン・グーレム植物園の温室を訪ねたとき、背丈ほどあるおじぎ草が、ドアを開けたとたん、風の気配にふかぶかと身を折りまげておじぎしたのには、正直、おどろいた。

日本に渡来したのは、天保年間。高価な植物として珍重されました。そうでしょうね。

★花占い

素直で鋭いセンスの持ち主。感じやすさがたまらなく魅力的だけど、反面、気の弱さが時としてあらわれる。失望したり、嘆いたり。あきらめず、したいことはする。この積み重ねが大切です。

この日生まれの著名人

マッカーサー (1880) 盛田昭夫 (1921) ポール・ニューマン (1925) 藤本義一 (1933)
小川知子 (1949) 所ジョージ (1955) エドワード・ヴァン・ヘイレン (1957)
山下久美子 (1959) 長嶋一茂 (1966) 宮崎萬純 (1968)

この日生まれの大切な人

Name

Name

ななかまど
Sarbus
花ことば・怠りない心

バラ科
原産地：ヨーロッパ・アジア

雷よけの霊木「ななかまど」。別名は「雷電木」で、魔力を取りのぞく木としても数々の伝説あります。

七つのかまどに入れても燃え切らないと言われるくらい、堅いのです。狂いがないので、ろくろや彫刻によく使われている。かまどにこの木を入れておくと、家が繁盛するといわれた。海鬼や水難よけのおまじないとして、船をつくるとき、どこかにこの木を使うとよいらしい。

高山では、この木の赤い実は、雷鳥の大好物。実や樹皮の汁は、下痢や膀胱の薬になる。染料やお酒にも活躍。

★花占い

自信に満ちているあなたは、他人からみれば、細心の注意を払っている人。大事をとる人。用心深い人と映っていることを、しっかり自覚しましょう。ドジな面をかくさないほうが、人気がでるかもしれません。

この日生まれの著名人
モーツァルト (*1756*)　キャロル (*1832*)　小山明子 (*1935*)
ミハイル・バリシニコフ (*1948*)　清水ミチコ (*1960*)　三田寛子 (*1966*)

この日生まれの大切な人

Name

Name

1月

28

黒ポプラ
Black Poplar
花ことば・勇気

ヤナギ科
原産地：ヨーロッパ

ギリシャ神話では、冥府の女王ペルセポネーゆかりの木。女王は極西の地に、うっそうと茂る黒ポプラの森を持っていたと言われます。

ポプラは、ギリシャ語で「ざわめき」を意味します。ラテン語で「人民」。風にざわざわと音をたてる、そのにぎやかさからの連想です。

キリスト教では、キリストみずからの希望により、ポプラの幹で十字架が作られました。キリスト処刑のとき、聖なる血を浴び、それ以来、ポプラの木全体がぷるぷる震えるようになったとか。ラテン民族がポプラを「聖木」とみなすのは、このためだそうです。

人民の動揺とポプラのざわめき──の連想から、「革命を象徴する木」とフランス革命では呼ばれました。

★花占い

勇気のある人。周囲もあなたを頼りにしています。だけど、ひとりよがりは禁物。じっくりと周囲の意見を聞いてこそ、あなたの勇気が生きるのです。愛する人に「こんな人じゃなかったはず」なんて言わせないためにも。

この日生まれの著名人
コレット（1873） 勅使河原宏（1927） 二谷英明（1930） 小松左京（1931）
笑福亭仁鶴（1937） 川崎のぼる（1941） 福留功男（1942） 和田浩二（1944） 市村正親（1949）
三浦友和（1952） アニセー・アルビナ（1954）

この日生まれの大切な人

Name

Name

1 月

(29)

こけ
Moss
花ことば・母性愛

地衣類
原産地：世界中

「君が代」に「こけのむすまで」と唄われるとおり、こけ類は、樹木や岩石をおおうところから「母が子をかばう」意味に転じ、母性愛が花ことばになっている。

熱帯や高山……世界中に繁殖している植物です。種類は2万とも3万ともいわれ、十分に調査されていない植物のひとつ。こけは、他の植物の根を、激しい暑さによる乾燥や、恐ろしい寒さによる凍結から守り、また、他の植物ならとうてい生きられないやせた土地にへばりつき、その土地を他の植物が生きられるように変えていく。献身的なのです。

★花占い

夢を語り、愛をささやく夜にこそ、あなたらしさが発揮されます。母に抱かれるやすらぎを、愛する人はあなたに感じる。そしてあなたの面影が、胸にやきついて、はなれなくなる……。スローモーといわれながらも着実に前進を続ける人。急激な変化は避けるべきです。

この日生まれの著名人

北畠親房(1293) チェーホフ(1860) ロマン・ロラン(1866) 高橋国光(1940)
キャサリン・ロス(1943) 宮下順子(1950) テレサ・テン(1953) 岡村孝子(1962) 万里洋子(1969)

この日生まれの大切な人

Name

Name

1月
30

りゅうきんか
Mash Marigold
花ことば・必ず来る幸福

キンポウゲ科
原産地：アジア

じめじめした沼地に、すくりと生える
黄色いマリーゴールド。鮮やかなみずみ
ずしさで、「沼のマリーゴールド」と呼ば
れるのが、りゅうきんか（立金花）です。

ある伝説によれば、美青年の愛を得る
ことに失敗した少女が、恋敵への嫉妬の
あまり、気が狂い、死んでしまった。そ
の少女の姿がわりが「りゅうきんか」と
言われてる。

輝くほどの黄色い花と新緑の葉が、雪
どけの水とともに、北国や高原に、遅い
春を知らせてくれます。「りゅうきんか」
は春からの使者。

★花占い

ほら、幸福は、そこまでやってきてい
ます。必ず訪れる幸福を、あせらず信じ
て待つことが大切。

自分勝手に幸福を夢みてはいけません。
周囲の人々が幸福になることで、自分に
もまた、ほほえみのときが訪れる。その
ことを、忘れてはだめ。

この日生まれの著名人

勝海舟 (1823)　F・ルーズベルト (1882)　高見順 (1907)　長谷川町子 (1920)
ジーン・ハックマン (1930)　横山ノック (1932)　バネッサ・レッドグレーブ (1937)
柳ジョージ (1948)　高沢順子 (1955)　石川さゆり (1958)　松本典子 (1968)

この日生まれの大切な人

Name

Name

33

1 月

31

サフラン(黄色)
Spring-Crocus
花ことば・青春の喜び

アヤメ科
原産地：ヨーロッパ

　サフランの語源はアラビア語。「黄色」の意味。めしべの花柱を乾燥させて、スパイスとして活躍してる。南仏料理のブイヤベース、スペインのパエリヤ、イギリスのサフランケーキなどが有名。

　クロッカスの父、ライネルが息子を奪われ、悲嘆にくれて泣いた涙が雪にこぼれた。雪どけとともに咲いた花がクロッカス。使い神ヘルメスの美しい恋人も、クロッカス。晴ればれとした広い雪野原でふたりは遊んでいた。突風にあい、クロッカスが谷底に落ちてしまった。春になり、そこにきれいな花が咲いた。この花がクロッカス。ギリシャ神話には、いくつもいくつも美しく花ひらいています。

★花占い

　春の訪れを告げるかのように、大きな花を咲かせるサフラン。悲嘆とは縁のない、明るい人と見られるあなたは、まさに春の使者。明るくはつらつとしていることが宿命です。悲嘆は似合いません。必ず輝ける愛にめぐりあえます。

この日生まれの著名人
シューベルト(1797)　木暮実千代(1918)　大江健三郎(1935)
成田三樹夫(1935)　伊藤孝雄(1937)　東野英心(1942)　フィル・コリンズ(1951)
石野真子(1961)　石黒賢(1966)　星野伸之(1966)　香取慎吾〔SMAP〕(1977)

この日生まれの大切な人

Name

Name

2 月

さくら草
Primrose
花ことば・若い時代と苦悩

サクラソウ科
原産地：日本・中国・ヨーロッパ

　リスベスはやさしい少女。昔々ドイツの片田舎に、病気の母と暮していました。母をなぐさめようと、野原にさくら草を摘みに出かけた日のこと。花の精があらわれたのです。リスベスに、不思議なことを教えてくれました。「さくら草の咲いている道を行くとお城があるわ。門の鍵穴にさくら草を一本さしこむと、扉が開きます。さあ、お行きなさい！」リスベスがお城に行くと……そこには花の精が特ってててくれた。たくさんの美しい宝物をリスベスにプレゼントしてくれたんですって。リスベスは、お母さんにこの宝物を見せました。お母さんのほほに赤みがさして、病気も治ったそうです。ドイツでは、この花を「鍵の花」と呼んでいるとか。

★花占い

　幼いころは、夢やあこがれでむせかえらんばかりだったあなた。どうして忘れてしまったの？　忘れてはダメ。夢や希望は、かなうまでしっかり持っていて。成功することは、確実ですから。

この日生まれの著名人
子母沢寛(1892)　ジョン・フォード(1895)　クラーク・ゲーブル(1901)
沢村栄治(1917)　ボリス・エリツィン(1931)　海老一染太郎(1932)　渡辺貞夫(1933)　今井通子(1942)
山本譲二(1950)　中村雅俊(1951)　黒田アーサー(1961)　布袋寅泰(1962)　島田奈美(1971)

この日生まれの大切な人

Name

Name

2月

ぼけ
Chaendmeles
花ことば・平凡

バラ科
原産地：中国

初春から早春に咲くのは「寒木瓜」「サラサ木瓜」。

花の緋色なのは「緋木瓜」白いのを「白木瓜」。赤に白がちりちり混じったのが「かいどうぼけ」というぐあい。

他には「長春木瓜」だの「唐木瓜」だの。日本では、ごくポピュラーな庭木たちです。

江戸時代から、お祝いごとには、生けてはならない花とされてる。オニユリやヒガンバナも同じだそうです。

木瓜の実が、黄色に完全に熟す前のまだ緑の頃、長時間酒につけて作る薬酒は、疲労回復に、暑気あたりに効果があるといわれています。試してみましょうか。

★花占い

要領よく立ちまわるというのが苦手。おっとりしてると言われるタイプですね。誘惑するより、されるのを、心の底では望んでいます。誘惑されるドキドキが、情熱に火をつけ、愛に発展するのがパターン。誠実だけど、犠牲的精神を発揮する人ではありません。自分は楽しんじゃうけど、人を楽しませるのは下手。平凡こそステキと信じてる。大失敗はしなくてすむ人。

この日生まれの著名人
橋本左内(1834)　J・ジョイス(1882)
ファラー・フォーセット(1947)　天龍源一郎(1950)
寺尾(1963)　ちわきまゆみ(1963)

この日生まれの大切な人

Name

Name

3

あわなずな(たねつけばな)
Cardamine
花ことば・君に捧げる

アブラナ科
原産地：ヨーロッパ

　英名の「CARDAMINE」は、古代ギリシャでは、心臓病に効くといわれた「カルダモン」から来ています。

　日本では、苗代にまく種もみを水につけ、発芽を促すころに、この花が咲くことから「種漬花」。また、先のほうにまだ花が残っているのに種をつけるので「種子つけ花」ともいわれています。

　水田や小川のほとりに群生。世界中の温帯に広く分布する植物です。

　おいしさに定評が。煮たり揚げたり、酢のものや漬物にと、工夫次第で料理法はいっぱい。生のままサラダにしても、けっこういけます。

★花占い

　情熱的で、不屈の力を持つあなた。でもときどきエネルギー不足になり、投げやりになってしまうことがありますね。「最近、おとなしいね」と言われ始めたら、早くパワーを元にもどして。元気、強気、やる気があればこそ、恋人とも楽しい時間が過ごせるのです。

この日生まれの著名人
メンデルスゾーン (1809)　西周 (1829)　二葉亭四迷 (1864)　壇一雄 (1912)
モーガン・フェアチャイルド (1950)　根岸季衣 (1954)　鳥丸せつこ (1955)　川合俊一 (1963)
エンリケ〔バービーボーイズ〕(1964)　松本小雪 (1966)

この日生まれの大切な人

Name

Name

さくら草(赤)
Primrose
花ことば・顧みられない美

サクラソウ科
原産地：日本・中国・ヨーロッパ

イギリスでは「ペテロの草」、スウェーデンでは「五月の鍵」、フランスでは「最初のバラ」、ドイツでは「鍵の花」、イタリアでは「春の最初の花」と呼ばれる「さくら草」。日本では……もちろん、桜の花に似てるからこの名がつきました。

花は、サラダに飾って食べちゃえます。葉っぱは、傷の膏薬として使われることも。

イギリスには、プリムローズデイという記念日があるのです。保守党であるプリムローズ党の結成された日なのだとか。

★花占い

これが自分の切り開いた運命だと、自分に言い聞かせながら、まだまだ満足していないあなた。今、必要なのは、勢いです。運を勢いにのせましょう。次第に加速がついて、すばらしい人生へと突入します。

この日生まれの著名人

リンドバーグ(1902)　福田繁雄(1932)　加藤剛(1938)　黒沢年男(1944)
森ミドリ(1947)　泉アキ(1950)　喜多郎(1953)　山下達郎(1953)　時任三郎(1958)
石原真理子(1964)　中島恵利華(1965)　小泉今日子(1966)

この日生まれの大切な人

Name

Name

2 月

5

しだ
Fern
花ことば・愛らしさ

シダ科
原産地：世界中

「しだ」にご用心！と昔は言われてたんですって。なぜかというと、ドロボーがお気に入りの草。しだの葉を鍵穴にさしこむと錠がはずれ、扉が開いてしまうと信じられていたからです。足かせの錠もはずれてしまうと言われてた。

別名「馬の蹄鉄はずし」。ヒヒーンとしだの草原に足踏み入れた馬の、蹄鉄があっという間にはずれてしまったのだとか。ぐーぜんじゃないかな。「幸運の手」とも呼ばれるのは、まだ開いていない巻いた状態のしだの葉が、人間の手に似ていて、魔法使いや魔女の呪いよけとされていた

から。

美しい呼び名もあります。「月の草」。

★花占い

あなたのまじめさが、人々にさわやかな感じを与えています。まじめさだけは、まがいものは醜悪。にせものは、すぐにわかってしまいますよ。あなたのは正真正銘。もちろん恋人はあなたのまじめなことばや態度に魅力を感じているはず。そのうえ愛くるしいのだから、あなたは、人気ものですね。

この日生まれの著名人
大河内伝次郎 (1898)　尾崎士郎 (1898)　山田五十鈴 (1917)
ハンク・アーロン (1934)　西郷輝彦 (1947)　弘田三枝子 (1947)　大地真央 (1956)
西田康人〔ビシバシステム〕(1964)　川上麻衣子 (1966)　森脇健児 (1967)

この日生まれの大切な人

Name

Name

いわれんげ
Horse-Leek
花ことば・家事に勤勉

ベンケイソウ科
原産地：ヨーロッパ

　ヨーロッパの高山植物。その栽培の歴史は、紀元前までさかのぼります。

　日本へ渡来した「いわれんげ」は、明治の中頃、米一俵と「いわれんげ」の一株が交換されたといわれるほど、珍重されていました。

　多肉質の葉っぱが、ばらの花のようなロゼット状にならんでいるところが、「蓮の葉」に似てるところから、この名がついたとか。

★花占い

　いつもほがらか、快活な性格のあなたに欠けてるのは、計画性です。多芸多才、恋愛も開放的で、周囲に公言してはばかりません。しかし、一目惚れが多く、深く交際すると面倒くさくなって、すぐ別れる傾向があります。もう少し、真剣に取り組むようにしないと、幸せな恋愛には発展しません。

この日生まれの著名人
アン女王（1665）　ベーブ・ルース（1895）　ロナルド・レーガン（1911）
やなせたかし（1919）　フランソワ・トリュフォー（1932）　寿美花代（1932）　キャシー中島（1952）
ミミ萩原（1956）　大槻ケンヂ〔筋肉少女帯〕（1966）　福山雅治（1969）　アンパンマン（X年）

この日生まれの大切な人

Name

Name

忘れな草
Forget-Me-Not
花ことば・私を忘れないで

ムラサキ科
原産地：ヨーロッパ

　花の名前をつけたのは、アダムという伝説があります。彼がまだエデンの園に住んでいたころのお話。
「チューリップ」とか「なでしこ」とか一通りつけ終わり、花が喜んでるかどうか確かめるためぶらぶら歩いてると、小さな花に声をかけられたのです。「私の名前はなんというの？」「こんなかわいい花を見落とすなんて」とアダムは嘆きました。「二度と忘れないよ。名前は、忘れな草だ」英名もかわいくて「Forget-me-not」。

★花占い

　真の愛を求めるロマン派。神経がこまやかで、純粋、感性豊かなあなたです。そのため愛する人が現われても、現実的な問題を避けがちなので、不倫の相手にされやすい。誘われれば、素直にしたがうのが問題で、少しは人を疑うことも身につけなければ、いつまでたっても結婚は夢。夢は追うものではなく、両手でつかみとるものであることを、認識しましょう。

この日生まれの著名人

モア（1478）　ディケンズ（1812）　S・ルイス（1885）　津島恵子（1926）
ジュリエット・グレコ（1927）　バーブ佐竹（1935）　阿久悠（1937）　小林稔侍（1943）
青島美幸（1959）　香坂みゆき（1963）　豊田樹里〔Babies〕（1975）

この日生まれの大切な人

Name

Name

ゆきのした
Saxifrage
花ことば・切実な愛情

ユキノシタ科
原産地：ヨーロッパ・アジア

名前の多いので有名です。

「雪の下」「雪の舌」「人字草」「大文字草」「奇人草」「岩蔓」「岩蕗」「井戸草」「金銀草」etc.。花の形が、虎の耳に似てるので、「虎耳草」。鳥の舌、牛の舌に似ていて、花が二重なので「二枚舌」ともいわれる。

美しさを増す植物といわれてます。女性におすすめ。昔から、中耳炎、痔、はれもの、小児のひきつけ、腎臓結石をとかすなどの薬効があるといわれます。

若菜はテンプラにして食べるとおいしい。どこにでも育つので、庭のすみなど湿ったところに植えておけば、次々と繁殖していきます。

★花占い

物静かで消極的。ひかえめなので、めだつタイプではありません。無関心をよそおうが、好奇心は旺盛。恋人には、深く誠実に愛を訴えるのだけれど、相手には、気まぐれに思われるのが残念。「私を見向きもしない」と相手に原因を押しつける傾向は、あなたを孤立化させてしまいます。もっと、気楽に物事を考えたほうが、前途が拡がるはずです。

この日生まれの著名人
ジャック・レモン（*1925*）　ジェームス・ディーン（*1931*）
やまもと寛斎（*1944*）　三遊亭楽太郎（*1950*）　本田博太郎（*1951*）　山田詠美（*1959*）

この日生まれの大切な人

Name

Name

ぎんばいか
Myrtle
花ことば・愛のささやき

テンニン科
原産地：南アジア

アダムが楽園を追放されたとき。神が3つの王を持って出ることを許したといいます。果物の王である「ナツメヤシ」、食物の王である「コムギ」、そして香料の王である「銀梅花」。

もうひとつ、血なまぐさい昔話があります。メリクリウスの息子ミュルティロスはペプロスという男に買収され、戦車に細工をして、戦車競争に勝たせました。約束の報償を求めると、ペプロスは悪の素顔をあらわにし、ミュルティロスを海に投げ、殺害してしまいました。父は息子をかわいそうに思い、神に願って、美しい白い花「銀梅花」に変えてもらったということです。

★花占い

神聖な愛こそ唯一と信じているあなた。聖母マリアのように清らかな人といえるでしょう。平和を求め、やすらぎを愛してる。愛のささやきにも、安息を重んじ、おだやかさを大切にします。恋人は、あなたと同じくらい清らかな人を選びましょう。俗っぽいタイプとつき合ってしまうと、あなたが傷つくことに。

この日生まれの著名人
原敬（1856） 双葉山（1912） 織本順吉（1927） ハナ肇（1930） 広岡達朗（1932）
ミア・ファロー（1945） 名高達郎（1951） 真野響子（1952） 中村亘利〔CHA-CHA〕（1970）

この日生まれの大切な人

Name

Name

2 月
10

じんちょうげ
Winter Daphne
花ことば・栄光

ジンチョウゲ科
原産地：ヨーロッパ

　ギリシャ神話にあらわれるじんちょうげ。キューピッドの黄金の矢を胸に打ちこまれた太陽神アポロンは、最初に出会った女性を恋こがれる運命に。そこへ通りかかったのは、森の妖精ダフネです。アポロンはたちまち激しい恋におちました。追いかけるアポロン、逃げまどうダフネ。つかまりそうになり、ゼウスに助けを求めたのです。ゼウスはかわいそうに思いました。そして彼女を花に変えました。もちろん、じんちょうげの花。アポロンは、ダフネが花に姿を変えても、愛を失うことはありませんでした。じん

ちょうげが、高い香りを放つのは、その愛への返答なのかもしれません。

★花占い
　輝かしい前途を持つあなた。不死身ともいえるほど、困難にどんどん立ち向かい、解決していきます。遊び好きなのが、少しだけ欠点。目的達成を遅らせている原因となっています。

この日生まれの著名人

新井白石(*1657*)　平塚雷鳥(*1886*)　田河水泡(*1899*)　ロバート・ワグナー(*1930*)
ミッキー安川(*1933*)　ロバータ・フラック(*1940*)　赤座美代子(*1944*)
高橋英樹(*1944*)　山崎千佳代(*1964*)　知久寿焼[たま](*1965*)　星野由妃(*1971*)

この日生まれの大切な人

Name

Name

メリッサ
Balm
花ことば・同情

シンケイ科
原産地：ヨーロッパ

　心臓病に効くといわれるメリッサ。また、ユダヤには、こんな伝説が残っています。

　聖霊降誕祭の夜、疲れきった旅人が、とある貧乏な農家に助けを求めました。お百姓さんは親切に、貴重なビールを飲ませてくれたのです。旅人は、やっと元気を取りもどしました。お百姓さんはやせて青白く、肺病もちでした。旅人はお礼にと「ビールのつぼにメリッサの葉を3枚ひたし、毎日お飲みなさい」と教えて立ち去りました。お百姓さんは、12日目にして健康になったということです。

　この他、ワインにひたして飲むと、毒へびにかまれたり、狂犬病の犬に襲われたときに効くというエピソードもあるようです。

★花占い

　人の苦しみを救ってあげたい！博愛主義者のあなたは、つねに人の側にたって物事を考えるやさしい人です。あなたの天性の愛を、多くの人に与えてあげて。結局は、あなた自身に幸せがもどってきます。

この日生まれの著名人
エジソン (1847)　池部良 (1918)　バート・レイノルズ (1936)
小野ヤスシ (1940)　唐十郎 (1941)　セルジオ・メンデス (1941)　クロード・チアリ (1944)
清水紘治 (1944)　松岡きっこ (1947)　益田由美 (1955)　リロイ・バレル (1967)

この日生まれの大切な人

Name

Name

2月

12

きつねのまご
Justicia Procumbes
花ことば・可憐美の極致

キツネノマゴ科
原産地：アジア・ヨーロッパ・熱帯

おもしろい名前でしょ。穂の形が、きつねのしっぽに似てる。だけど、小さい草なので「狐の孫」と名づけられたとか。

道端や荒れ地、田畑のあぜみち、どこにでも生えてるから、つい見過ごされがち。熱帯を中心に世界の温暖地帯に広がっている、インターナショナルな植物群です。

くちびるの形をした白い花。うすい紫の花もあります。小さな花蜂が、花冠の中心にもぐりこむとき、花の入り口に揺れる2本の雄しべに触れて、体に花粉がつくのです。虫媒花という。

根ごとぬきとり、陰干し。それを煎じて飲めば、気分が落ちつく。精神安定剤ですね。お酒にひたして飲むと、催眠作用があるとも言われる。たくましい草だから、ぬくときは根こそぎ、ひっぱって。

★花占い

きつねのまごは、力強く雄々しい植物。あなたにふさわしい恋人も、まさしくそのような人でしょう。あなた自身は可憐で清楚。その美しさは、失わないでほしいもの。あなたを守ってくれる、たくましい騎士こそ、生涯の判侶といえるでしょう。

この日生まれの著名人

ダーウィン(*1809*)　リンカーン(*1809*)　直木三十五(*1891*)　佐分利信(*1909*)
山口淑子(*1920*)　豊田泰光(*1935*)　木村太郎(*1938*)　植村直己(*1941*)　岡田奈々(*1959*)

この日生まれの大切な人

Name

Name

2月

13

カナリーグラス（くさよし）
Canarry Grass
花ことば・辛抱強さ

イネ科
原産地：南ヨーロッパ

　日当たりのよい水辺に生えるカナリーグラス。背が高くて、1〜2mにもなる。すっとまっすぐ立っています。

　日本名の「くさよし」は、ヨシに似て、茎が柔らかなところからついた名前。「ヨシ」は、別名「芦」のこと。アシは悪しにつながるので、アシとは呼ばず、「良し」になったという話。カナリーグラスは、「草良し」ですね。

　古代の日本は、ヨシの群生でおおわれていたらしい。なぜなら昔、日本は「豊芦原瑞穂の国」と呼ばれてた。風にゆれる金のヨシの穂。幻想的な景色が、目に浮かびます。

★花占い

　大恋愛に失敗したり、仕事の上でもポカをやったり、思いこんだら一直線のあなただからこそ、落ちこみやすいといえそうです。しかし、その経験は、だれにもできるものではありません。じいっとどこまで耐え切れるか──勝負、勝負。人を見る目を養ってきたのです。素晴しい出会いはすぐそこ。

この日生まれの著名人
渋沢栄一(1840)　内村鑑三(1861)　フランキー堺(1829)　エマニュエル・ウンガロ(1933)
長嶺ヤス子(1936)　小林千登勢(1937)　オリバー・リード(1938)　森本レオ(1943)　佐藤B作(1949)
南こうせつ(1949)　矢野顕子(1955)　南原清隆〔ウッチャンナンチャン〕(1965)　ヒロミ〔B21スペシャル〕(1965)

この日生まれの大切な人

Name

Name

かみつれ
Chamomile
花ことば・逆境に負けぬ強さ

キク科
原産地：西ヨーロッパ

デイジーに似た清純な花。りんごのような芳香のある植物で、エジプトでは、神への捧げものとして、神聖視されてたそうです。

ハーブティーとして有名。欧米では、風邪薬です。乾燥したかみつれの花にお湯をそそぐと、ふんわりよい香りがして、それだけでも気分がよくなる気がします。この他「リウマチ」「おこり」「へびの咬み傷」「強壮剤」「胃薬」として……かみつれは万能と信じられてる。紀元前2000年、古代バビロニアの医学でも使用されてたとか。気が遠くなるようなお話。

★花占い

知性あふれる理想主義者。あなたの目からみると、家庭も社会も気にいらないことばかりでしょう。友情にあつく、人より先のことを考えて行動しますが、人から見ると、先走りすぎて、変人扱いされかねません。苦しいでしょうけど、今のままでいて。必ず理解してくれる人が現われますから。

この日生まれの著名人

モネ (1840)　大坂志郎 (1920)　ビック・モロー (1932)　林与一 (1942)
秋野太作 (1943)　海老名美どり (1953)　マルシア (1969)　酒井法子 (1971)

この日生まれの大切な人

Name

Name

2 月

杉の葉
Ceder
花ことば・君のために生きる

マツ科
原産地：トルコ西部

　正確にいうと「レバノン杉の葉」。

　日本には、明治初期に渡来し、新宿御苑や赤坂離宮などにそびえています。

　「幸運の木」といわれる。ソロモンの神殿や3000年前の遺跡から発掘された聖者の像にも使われているように、古代社会では、神聖な木として尊ばれていました。

　「死者からの生命」という別名もある。大英博物館におかれた「ミイラ」の棺も、このレバノン杉でつくられている。

　そう、永遠の――象徴なのです。

★花占い

　規則正しく、厳格な態度があってこそ、人類は発展するはず。あなたのような人こそ、真のリーダーといえるのです。理解されたいタイプ。大丈夫。もうすぐあらわれます。心から愛し、尊敬してくれるだれかが。そのときこそ、「君のために生きる」と花ことばのように、ささやいて下さい。

この日生まれの著名人
ガリレオ (1564)　井伏鱒二 (1898)　白土三平 (1932)
近藤正臣 (1942)　清水章吾 (1943)　わたせせいぞう (1945)　ジェーン・シーモア (1951)
立川志の輔 (1954)　浅田美代子 (1956)　堀ちえみ (1967)

この日生まれの大切な人

Name

Name

月桂樹
Victor's Laurel
花ことば・名誉

クスノキ科
原産地:南ヨーロッパ

　古代ギリシャの象徴ともいえる月桂樹。葉がよくしげり、香りのよいところから、霊気を放つと尊ばれてきました。だから、旅のお守り、魔よけ、雷よけ、預言者を助ける……などおめでたさの象徴。

　小枝や茎を編みこんで、丸くつくったのは「月桂冠」。シーザーが凱旋するたび、人々は月桂冠を頭上にのせ、その勲功をたたえた話は有名です。得意そうな顔が目に見えるよう。時代が下ると、競技の勝者、将軍などばかりでなく、詩人や音楽家にも与えられるようになったとか。

　乾燥した葉っぱはローレル。大活躍の

スパイスですね。果実は、薬用に使われています。

★花占い

　誰にもまけない知識と才能、そして行動力。周囲からリーダー的存在と見られているのがあなたです。恋愛経験も豊富ですね。ただ、プライドの高さから、相手を傷つけてしまうことも。そこだけ気をつければ、栄えある名誉は、あなたの頭上に。

この日生まれの著名人

日蓮 (1222) 荻生徂徠 (1666) 大隈重信 (1838) 高倉健 (1931)
こまどり姉妹 (1938) 逸見政孝 (1945) ウィリアム・カット (1951) 多岐川裕美 (1951)
藤木三郎 (1955) ジョン・マッケンロー (1959) 中村由真 (1970)

この日生まれの大切な人

Name

Name

2 月

17

野の草
Wild Flowers
花ことば・自然のなつかしさ

原産地：世界中

野の草？　なんてバカにしてはだめ。
聖書にだって、登場するのだから。
創世紀第一章を、ひもときましょう。
神が語る。人間を前にして。
「全世界におけるすべての草、すべての
種ある、実を結ぶ樹木を、そなたたちに
与えよう。食卓をゆたかに、にぎわすた
めに」哲学者プラトンの著作「ティマイ
オス」にも、「神々は人間の食糧として、
人間とは別種の生き物をつくられた。そ
の生き物とは、果物や種子を持つ植物た
ち。かつては野の草だった。現在は、人
間の手によって栽培されている」とある。

野の草に感謝します。私たちを生かし
てくれてるのだから。

★花占い

人がよいだけに、悩みのつきないあな
た。思い出にふける時間が長すぎます。
もともと実利性を大切にする方なのだか
ら、それに徹した方が幸せになれます。
BLUEな気分は、早めに追い出すのがいち
ばん。

この日生まれの著名人

マルサス (1766) シーボルト (1796) 島崎藤村 (1872) 長内美那子 (1939)
坂口征二 (1942) 竹脇無我 (1944) リリィ (1952) 服部まこ (1961) 早坂あきよ (1962)
奥居香〔プリンセスプリンセス〕(1967)

この日生まれの大切な人
_____

Name
_____

Name
_____

2月

(18)

きんぽうげ
Butter Cup
花ことば・子供らしさ

キンポウゲ科
原産地：ヨーロッパ

春の野を彩る可愛い花たちの中でも、ひときわのスターが「金鳳花」。

花びらの黄色が、キラキラ光って、お星さまのようです。だけども、この花びらがデンジャラス。口に含むとピリッと辛く、家畜の餌にもなりません。

古代では、毒の花。種子を矢先に塗りたくり、憎い相手にひゅっと放った。だけども毒は薬にもなる。ペストの治療に使われたとか、下剤や嘔吐剤にも用いられたといいます。

★花占い

子供のころから学校のスター。やさし

さと向上心が、あなたをひときわ輝かせています。周囲の人望を集めてきた人。だけど今、勝利＝富の獲得なんて考え始めていませんか。だとしたら、危険信号。不変の愛を誓った恋人にも、今のままだと逃げられてしまいます。

この日生まれの著名人
奥村土牛 (1889) 越路吹雪 (1924) 中村梅之助 (1930)
オノ・ヨーコ (1933) 中村敦夫 (1940) 奥村チヨ (1947) 鈴木康博 (1948) 吉川なよ子 (1949)
松原千明 (1958) マリアン (1962) マット・ディロン (1964) 斎藤雅樹 (1965)

この日生まれの大切な人

Name

Name

かしわ
Oak
花ことば・愛想のよさ

ブナ科
原産地：ヨーロッパ・アジア

「OAK」は、強さの象徴です。

雷神の木とも呼ばれるほど。

他の木に比べ、雷に打たれる確率が高い。天帝ゼウスが、人間に警告を与えるために、最も固く、力強いOAKを選んで、思いっきり激しく稲妻を落とすのだと言われています。

妖術使いが秘密のおまじないを唱えるのが、この木の下。天使が舞いおりてくるのも、この木の近く。OAKの根は、深深く、深く、地獄まで伸びているという。

カラスが留まり、「死人が出るぞ」とカアカア鳴くので、別名「弔いの木」。

古代の農民が、神々の仕打ちに対する腹いせに植えたという話もあります。

★花占い

快活で自由奔放なあなた。激しい恋に燃える人です。ひとめぼれが多いため、「八方美人では」と誤解されて損をする。持ちまえの明るさに知的な魅力がプラスされれば、誰からも一目置かれる存在に。

この日生まれの著名人
コペルニクス (1473) アンドレ・ジード (1896) リー・マービン (1924)
ジャン・ルイ・シェレル (1935) 藤岡弘 (1946) 財津和夫 (1948) 藤島親方〔貴ノ花〕(1950)
村上龍 (1952) 如月小春 (1956) 薬丸裕英 (1966) かとうれいこ (1969) 森且行〔SMAP〕(1974)

この日生まれの大切な人

Name

Name

カルミア
Kalmia
花ことば・大きな希望

ツツジ科
原産地：北アメリカ

パラソルみたいな花が咲くカルミア。「KALMIA」の名は、植物分類学の祖といわれるリンネの高弟、ピーター・カルムから来ています。

日本では、「アメリカシャクナゲ」、「ハナガサシャクナゲ」。

湿った土が好き。半日陰を好んでいる。そんなところが、「クライ奴」と思われてしまったのか、アメリカではかわいそうに嫌われている。この実を食べた小鳥は、絶対に食べないというほど。きれいな花なのに。

アメリカ東部にある「ロングウッド・ガーデン」は、世界的に有名な植物園ですが、そこにもカルミアが花ざかり。ピンク色が、青空に映えて、なんとも美しかった。

★花占い

「逢いたい」気持ちが、恋のはじまり。「何かをしたい」と切に願う。そこからすべてが始まるのです。ドラマ。人生。

野心家と言われようと、望みは大きく持つことが大切。逃げ出してはいけません。本当の愛を得るためには、勇気を捨てないで。

この日生まれの著名人
志賀直哉 (1883) 石川啄木 (1886) ユーベル・ド・ジバンシィ (1927)
黛敏郎 (1929) 長嶋茂雄 (1936) 山藤章二 (1937) アントニオ猪木 (1943) 志村けん (1950)
かとうかずこ (1958) 真嶋昌利 [ブルーハーツ] (1962) 遊佐未森 (1964) 石野陽子 (1968)

この日生まれの大切な人

Name

Name

2月

ネモフィラ
California Blue-bell
花ことば・愛国心

ハゼリソウ科
原産地：アメリカ

　女がいた。永年の恋がかない、好きな男と結ばれた。ところが、その新婚の夜、恋する男は連れ去られた。冥界の神によって。夫は、この恋さえ成就するなら、死んでもいいと神に祈っていたのだった。神は願いどおりにふたりを結んだが、また夫の死んでもいいという誓いも忘れなかった。女は、はるかな冥界の青白く燃える、地獄の炎の入口まで、夫を訪ねたが、扉は閉ざされたまま。会うこともできない。泣きくずれる女を見て、神はその姿を一輪のネモフィラの花に変えたという。ギリシャ神話です。

　北米原産ネモフィラの花が、初めてヨーロッパに渡ったのは、1848年。この話がネモフィラとは、おかしい、という識者の意見があります。別の花をさしているのかもしれないが、どの花かは不明。

★花占い

　愛国心あつく、家族思いの人。そして、はじめたことは必ず成功させる自信を持っています。先祖霊に護られているのです。だからうまく行く。感謝の気持ちを忘れないで。でないと、恋人との運命の糸も切れてしまう。

この日生まれの著名人
石垣りん (1920) サム・ペキンパー (1975) 早野凡平 (1940) 大前研一 (1943)
前田吟 (1944) 坂田明 (1945) 井上順 (1947) クリストファー・アトキンズ (1961) 伊藤つかさ (1967)

この日生まれの大切な人

Name

Name

2 月

むくげ
Rose of Sharon
花ことば・デリケートな美

アオイ科
原産地：南ヨーロッパ・インド

　朝、花ひらき、夕方までの命の「むくげ」。英名の「シャロンのばら」は、パレスチナにあるシャロン平原に咲く美しい花……という意味。十字軍がシリアからヨーロッパに持ち帰った植物です。

　枝の多い低い木。繊維質で折れにくく、生け垣によく使われます。

　お茶がわりに飲むとよく眠れるらしい。エキスを水虫に塗ると効くとか、下痢、眼病、月経不順、胃腸カタルに効くとか言われていますが、まだ成分分析がなされていません。不思議のむくげ。

★花占い

　何とも言いようのない美しさのある人。あなたに説得されると、相手はなんだかわからないうちに納得してしまいます。

　話が上手なわけでもなく、理論的でもなく、社交家でもないのに、相手があとで考えると、めちゃくちゃな話！と思うのに、仕方がないか、と思わせてしまうのは、あなたの不思議な魅力です。恋の勝者。あなたにことばはいりません。

この日生まれの著名人
ワシントン (1732) ショパン (1810) 谷啓 (1932) 財津一郎 (1934) 大藪春彦 (1935)
都はるみ (1948) ニキ・ラウダ (1949) 売野雅勇 (1951) イッセー尾形 (1952) 椎名桜子 (1966)
鈴木早智子〔ウインク〕(1969) 菊池健一郎 (1972)

この日生まれの大切な人

Name

Name

2月

23

あんずの花
Prunus
花ことば・乙女のはにかみ

バラ科
原産地：アジア

早春。葉が出るより先に、雲のようにふわふわした、ピンクの花を咲かせるあんず。

万葉集にも詠われたほどだから、中国から渡来したのは、かなり古い時代にさかのぼるはず。それなのに、異国の匂い。

可憐なのに色っぽい。清純だけど、早熟な女の子のイメージ。桜が姫君なら、あんずは、さながら曲馬団の花形。国籍もはっきりしない……華やかだけど、どこか淋しげ。

国籍ならぬ、その産地は中国・河北省の山岳地帯から、東北地方の南部、ペルシャからヒマラヤにかけた、かなり広い地域といわれている。

中国の農家では、この花の咲くのが、春の作業を始める合図とか。

★花占い

両親に大切に育てられたにもかかわらず、社会の荒波をのりこえて、たくましく生きているあなた。甘えんぼうですが、不屈の精神の持ち主なのです。そんなあなたに、不思議と浮いた噂がたちません。派手なようでも恋は苦手なタイプ。愛する人を見つけるためには、はにかみやは卒業しなくてはなりません。

この日生まれの著名人
ヘンデル(1685) 池田満寿夫(1934) 内海好江(1936) ピーター・フォンダ(1939)
大宅映子(1941) 北大路欣也(1943) 宇崎竜童(1946) 月亭八方(1948) 中島みゆき(1952)
中嶋悟(1953) 野口五郎(1956) Bro.Tom〔バブルガムブラザーズ〕(1956) 皇太子殿下(1960)
飯干恵子(1963) 相田翔子〔ウインク〕(1970)

この日生まれの大切な人

Name

Name

57

2月

(24)

つるにちにち草
Periwinkle
花ことば・楽しい思い出

キョウチクトウ科
原産地：地中海沿岸

　思想家のジャン・ジャック・ルソーが植物好きだったなんて、あまり知られていませんね。ある日、その彼がこの草を見つけたとたん、30年も昔を思い出したというのです。悲しい恋の相手ド・ワレン夫人と、野原を散歩した日の幸せ。花ことばの通り。

　この草には、不思議がいろいろ。

　男と女が、たったふたりでこの葉を食べると、突然、愛が生まれるという。口にふくむと鼻血がとまる。歯痛もとまる。そんな噂。

　別名は「大地のよろこび」「魔女のすみれ」そして「死の花」。

★花占い

　友情を大切にするあなたは、生涯にわたり、よい友人に恵まれます。初恋の人との思い出を、死ぬまで持ち続けるロマンティストでもあります。一生、青春まっただなかのような人。あなたをパートナーとする人は、本当に幸せです。

この日生まれの著名人
グリム弟 (1786) 山村聡 (1910) 淡島千景 (1924) ミッシェル・ルグラン (1932)
佐久間良子 (1939) 草野仁 (1944) 松本留美 (1949) 秋吉久美子 (1955) アラン・プロスト (1955)
太平サブロー (1956) 飛鳥涼 (1958) 山本陽一 (1969)

この日生まれの大切な人

Name

Name

58

2月

25

じゃこうばら
Musk Rose
花ことば・きまぐれな愛

バラ科
原産地：南東ヨーロッパ

　神秘の動物、麝香鹿のようにかぐわしい香りのするばらです。雪白の花びら。一重のと、八重のとがある。

　天国にあるばら園のお話をしましょう。じゃこうばらをはじめ、さまざまなばらの咲き乱れる美しい庭。

　小さな子が亡くなったとき、親たちはすぐに窓の外へ駆けよるとよいそうです。子供の魂が家をぬけ出し、天国にたどりつき、ばらの園で、美しい花たちをつみ取る……様子を目に出来るとか。一瞬。

　花どろぼうはできません。天国のばら園には、頑丈な扉がある。そこをこじあけようとでもするなら、手足を失うという神罰がくだる。

★花占い

　恋の予感をたよりに、きまぐれな愛へと駆られやすい人。楽しい思いは、何度でもくり返したいものですから、あなたは正直なのでしょう。

　でも、恋の吐息は、本当に愛する人のためだけにとっておいて。心がゆらぐだけでなく、相手を尊敬できるような、すばらしい出会いがきっとあるはず。あせらないことが大切。恋のやけどは、なかなか治りません。

この日生まれの大切な人

Name

Name

福寿草
Adnis
花ことば・思い出

キンポウゲ科
原産地：ヨーロッパ・アジア

　黄金の草花。日本では、新年を祝う花として、松竹梅とともに親しまれています。黄金色だから、富と栄光と幸せの象徴。王様の手がふれると、すべてが黄金になってしまう──そんな昔話がありましたが、福寿草の別名を見ていると、すべてが幸せになってしまう──そんな王女さまに触れられたかの、おめでたさ。

　福づくし。「福人草」やら「福徳草」「福神草」。長寿にあやかり、「長寿草」「長春菊」「長寿菊」他にも「富士菊」「賀正蘭」「満作草」「元日草」……。

　幸せの似合う植物なのに、毒を含んでいるという。病魔除けにも使われるとか。やっぱり、正義の味方。

★花占い

　愛の船出に旅立とうとしているあなた、永遠の幸せが約束されています。今までの道のりは、長く、苦しくもあったでしょう。でも、信じた道をつらぬき通し、幸運をつかみとることができたのです。まだ、愛を見つけられないあなた、信じる道を早く見つけて。幸福行きの船が、あなたを待ってるのですから。

この日生まれの著名人
ユーゴー(1802) H・ドーミエ(1808) 与謝野鉄幹(1873) 岡本太郎(1911)
竹下登(1924) ファッツ・ドミノ(1928) 五社英雄(1929) 山下洋輔(1942) 門田博光(1948)
渡辺和博(1950) 桑田佳祐[SAS](1956) 南美希子(1956)

この日生まれの大切な人

Name

Name

2月
(27)

おおあまな
Star of Arabia
花ことば・純粋

ユリ科
原産地：ヨーロッパ

「ベツレヘムの星」は、イエス・キリスト生誕のとき、天に輝いた星のひとつ。
　東方の三博士と牧人たちを飼葉桶へ導き、流星のように飛び散った。そして、野原の花となった。この花が「おおあまな」。聖ヨセフが明け方、両手にいっぱい摘みとった。そして馬小屋に戻り、聖マリアのひざ掛けに眠る、みどりごにやさしくふりまいたという。
「ごらん。東方の空から星がこぼれ落ち、神様の贈り物になったのだよ」
　この花は星の形をしてる。6枚の白い花びら、可憐です。

★花占い

　純粋なゆえに招く誤解。真実の愛を語れば語るほど、深まっていく心の溝。苦悩に明け暮れる日々。でも、あなたには大切なものが、はっきりと見えているのです。不器用なのは、純粋すぎるため。あとは何ができるかを、行動でしめすしかないでしょう。

この日生まれの著名人
スタインベック（1902）長谷川一夫（1908）エリザベス・テーラー（1932）
夏木陽介（1936）高田賢三（1939）大楠道代（1946）新沼謙治（1956）徳永英明（1961）富田靖子（1969）

この日生まれの大切な人
Name

Name

61

2月

28

わら
Straw
花ことば・一致協力

イネ科
原産地：世界中

紀元前数千年のころ、すでに栽培されていたという。気が遠くなるほど、歴史あるイネとムギ。その茎を干したのが、ワラですね。重要なだけに、さまざまな表現に使われる。暗号にもなりそうです。
「折れたワラ」……紛争、契約の決裂。
「ワラを折る」……争い。
「ワラ束」……経済。
「火のついたワラ」……財産の喪失。
「ぬれたワラ」……牢獄。
「わらの女」は、カトリーヌ・アルレーのミステリー。男と女が愛し合い、化かし合い、わら束が燃えあがるような、最後。「わらの男」は、サム・ペキンパーの名画。ぬれたわらがくすぶるほどの、じわじわと近づく恐怖。

★花占い
指導力、統卒力にひいでているあなたは、どのような集団にあっても、必ず頭角をあらわします。指導的存在になれる要素は持っているのですが、自分のことになると、とたんに判断を誤まるタイプ。仲間の助力が必要。高慢な態度は厳禁。わきあいあいと暮らすことで、あなたの良さが発揮されます。

この日生まれの著名人
モンテーニュ (1533) 佐久間象山 (1811) 高村光雲 (1852) 菅井きん (1926)
兼高かおる (1928) 押阪忍 (1935) 原田芳雄 (1941) 村下孝蔵 (1953) 田原俊彦 (1961)
山本淳一〔光GENJI〕(1972)

この日生まれの大切な人
_____
Name
_____
Name

2月

29

はまかんざし
Armeria
花ことば・心づかい

イソマツ科
原産地：ヨーロッパ

海辺の植物。花の姿が、かんざしに似ているところから、この名がつきました。

今は、英名のアルメリアのほうが、有名。春たけなわ、公園の花壇でよく見かけます。

根ぎわの葉が、深く波状にきれこんでいる。茎を囲むように、淡いピンクの小さな花が、まあるく咲きほこります。ピンクッションに似てる。ヨーロッパには、「レディス・クッション」の別名があります。

★花占い

こまやかな心くばりのある人。あなたには当たり前でも、他の人には真似できません。ですから、あなたが誰かを愛し、いつも以上に気を使ったりすると、相手には負担になってしまう危険性も。自然がいちばん。そのままで、愛されますよ。

この日生まれの大切な人

Name

Name

3 月

1

房咲き水仙
Narcissus
花ことば・自尊

ヒガンバナ科
原産地：ヨーロッパ

　マホメットの教えに、この花が登場するのは、あまり知られていないでしょう。「二片のパンを持つものは、その一片を水仙の花と交換せよ。パンは、肉体に必要だが、水仙は、心に必要なパンである」

　イスラム教では、水仙が重要な役割を果たすという。

　水仙は、なぜだか宗教と縁の深い花。

　古代ギリシャでは、この花が寺院を飾り、葬儀用にも使われたとか。紀元前1500年ころの遺跡には、水仙を描いた壁画も残っています。これも、ギリシャ。

★花占い

　もしもあなたの愛が受け入れられないとしたら――それは相手が自分自身だけを愛しているからに他なりません。そのような人を愛しても、愚か。何を待っているのですか。人を変えることはむずかしい。行く手を信じて、元気に旅立ちましょう。

この日生まれの著名人
芥川龍之介 (1892) デビッド・ニーブン (1910) 有島一郎 (1916)
ハリー・ベラフォンテ (1927) 南田洋子 (1933) 加藤茶 (1943) 川崎麻世 (1963)
相楽晴子 (1968) 中山美穂 (1970) 西川弘志 (1970)

この日生まれの大切な人

Name

Name

3 月

2

花きんぽうげ
Butter Cup
花ことば・美しい人格

キンポウゲ科
原産地：ヨーロッパ

おうし座か、さそり座の季節。日が欠け始めるころに、この花を首にすりこむと、効くという伝説があります。何にって――きちがいに。

花きんぽうげは、3種類あって、18世紀にトルコからヨーロッパに入ったのが「ペルシャ系」。18世紀後半、トルコからオランダに入ったのが「フレンチ系」、そしてトルコの宮廷で改良されたのが「トルコ系」。チェーホフの三姉妹のように、それぞれ個性的な美しさを誇っています。

別名、「ハナキツネノボタン」。

★花占い

あなたが魅惑的なのは、その純潔な心のせい。「やさしい人」と誰かに言われても、あなたは自然にしてることなので、恥ずかしくなるかもしれません。友人の恩、親の恩を忘れない人。異性からも愛されることが多いのではないでしょうか。恋人の気持ちに甘えることなく、向上心を持ち続けて。幸せは確実にやってきますから。

この日生まれの著名人
ラブレー(1496) スメタナ(1824) ジェニファー・ジョーンズ(1919) M・ゴルバチョフ(1931)
藤木悠(1931) ルー・リード(1944) カレン・カーペンター(1950) 吉沢京子(1954)
イアン・ウーズナム(1958) 島崎和歌子(1973)

この日生まれの大切な人

Name

Name

3

れんげ草
Astragalus
花ことば・私の幸福

マメ科
原産地：アジア

うす紅のれんげ草の原っぱ。

この花畑で遊んだ思い出のある人は幸せ。指輪や花輪、腕時計をつくったり、おままごとのご飯のかわりにしてみたり、れんげ草畑が身近にあった少年少女は、それこそ毎日、うす紅にそまって暮らしていたのです。好きなあの子にもらった花輪が、夕方、家へ帰るころになると、茶色くしおれて見るかげもなくなってしまう。生まれて初めて感じた、わけもない悲しさ。けだるい思い出。野に咲き乱れてこそ、れんげ草は、たまらないほど美しい。摘んで花びんに飾ったとしても、それは、れんげ草のハク製でしかありません。

★花占い

清潔感にあふれ、思慮深い人。約束を守り、実直なあなたは、誰からも愛され、信頼されています。ただ、大人の魅力は少々足りないかもしれません。交際の輪を広げることで、自然に身につくはず。心配はいりません。友人をふやし、さまざまな出会いを経験することで、あなたのもとに幸福がやってきます。

この日生まれの著名人
A・ベル (1847) 正宗白鳥 (1879) 天知茂 (1931) トーマス・ミリアン (1937)
米田哲也 (1938) ケント・デリカット (1955)
栗田貫一 (1958) マッハ文朱 (1959) 刀根麻理子 (1962)

この日生まれの大切な人

Name

Name

3 月

きいちご
Raspberry
花ことば・愛情

バラ科
原産地：ヨーロッパ・世界中

　春に花が咲き、6月頃には実が熟す「木苺」。今とちがい、果実が少なかった時代の代表的なフルーツ。オレンジがかった黄色の実は、小さな粒々が集まって、ひとつの実となっています。

　もしこの木がなかったら、朝の食卓がどんなに味気なくなったでしょう。ヨーロッパでは、ラズベリー。赤紫のおいしいジャムの原料です。

★花占い

　人の意見を素直に聞く人。そのため、周囲から人望を集めています。あなたに愛された人は、幸せ。人を大切にする心、思いやりをどんなときにも失わず、困難にも勇敢に立ち向かうので、人生を有意義に過ごすことができます。今のまま、自信をもって過ごしましょう。

この日生まれの著名人
賀茂真淵 (1697) 有島武郎 (1878) ポール・モーリア (1925) 中条きよし (1946)
順みつき (1948) 山本リンダ (1951) 山本達彦 (1954) 五十嵐浩晃 (1957) 浅野温子 (1961)
中條かな子 (1973)

この日生まれの大切な人

Name

Name

5

やぐるま草
Corn Flower
花ことば・幸福感

キク科
原産地：ヨーロッパ

　ドイツの国花。古くから「カイゼル皇帝の花」と呼ばれ、プロシャ(古いドイツ)の皇室の花でもありました。可憐なたたずまいなのに、いかめしいイメージです。

　こんなエピソードがあるのです。ナポレオンが、プロシャに攻め入ろうとしたとき。ルイーズ皇后は逃げまどい、子供たちを連れて、穀物畑に難をのがれました。王子たちの興奮を静めるため、皇后は、花冠をつくって飾ってあげたそうです。その花が矢車草。

　王子のひとりは、長じてウィルヘルム皇帝となりました。彼がナポレオン3世を打ち破ったとき、矢車草を皇室の紋章に決めたのです。宮廷の庭も、一面にこの花が咲いていたとか。

★花占い

　輝くほどの情熱の持ち主。誰からも好かれ、敵をつくらない人です。人に寛大なのも特徴。それが、ときには情のもろさとなり、裏切られたり、だまされたりしてしまうこともあります。変だな……と感じたときは、少し気をつけたほうが安全です。

この日生まれの著名人

メルカトール(1512) 川上眉山(1869) ピエロ・パオロ・パゾリーニ(1922)
湯原昌幸(1947) 榊原るみ(1951) BON〔米米クラブ〕(1960)

この日生まれの大切な人

Name

Name

3 月

6

ひなぎく
Daisy
花ことば・明朗

キク科
原産地：ヨーロッパ

　ローマ神話のひなぎく。

　美しくて可愛い森の妖精ベルデスがヒロインです。ある日恋人のエフェギュスと芝生で楽しく踊っていると、果樹の神ベルタムナスが通りかかったのです。そしてベルデスに一目ぼれしてしまいました。ベルタムナスがあまりにしつこくつきまとうので、ベルデスは、天に助けを求めました。神は、ベルデスの恋人への愛をかわいそうに思い、ひなぎくに姿を変えたというお話です。

★花占い

　天使のように明るくて無邪気。ものごとをすべて、素直にとらえる純真な人です。策を労されると、簡単にだまされやすいほう。愛してるふりをよそおって近づいてくる人をしっかりと見ぬき、自分を守らなければなりません。さもないと天使の羽根もそのうちボロボロに。天真らんまんなのが魅力のあなたですが、ときには疑うことも必要です。

この日生まれの著名人
ミケランジェロ (1475) シラノ・ド・ベルジュラック (1619) 大岡昇平 (1909)
宮本輝 (1947) 宇都宮雅代 (1948) 髙橋真梨子 (1949) 田中健 (1951)
春風亭小朝 (1955) 柳沢慎吾 (1962) ハイセイコー (1970)

この日生まれの大切な人

Name

Name

たねつけばな
Cardamine
花ことば・燃える思い

アブラナ科
原産地：ヨーロッパ・温帯

　春、たね籾を水につけ発芽をうながすころ、花をつけます。下部の花が果実となっても、先のほうにはまだ花が残っていることから「種子つけ花」とも呼ばれています。

　果実が熟すと、ぱちんとはじけ、あたりに種をまきちらす。その瞬間を見られた人はラッキーですね。

　この花の仲間には「崑崙草」や「エゾワサビ」があり、食用としておいしいらしい。水田、湿原、溝、河川など、どこにでも見かける雑草です。

★花占い

　ひかえめで、もの静かな性格。内面的には、反対に熱い思いを胸にひめてる情熱家です。燃えはじめると、軽はずみな行動へとかられがち。そのため、恋人に失望を与え、別離を招く結果となります。結婚相手とは、冷静に交際することが必要でしょう。

この日生まれの著名人
中江藤樹 (1608) モンドリアン (1872) ラヴェル (1875) 安部公房 (1924)
河内桃子 (1932) 上条恒彦 (1940) オール阪神 (1957) イワン・レンドル (1960)
広田玲央名 (1963) ATSUSHI〔BUCK-TICK〕(1966) 柳沢超〔忍者〕(1967)

この日生まれの大切な人

Name

Name

3 月

8

栗の花
Castanea
花ことば・真心

ブナ科
原産地：ヨーロッパ・アジア

　英国には、樹齢一千年を超える栗の古木が今も大切にされているという。イタリアでは、幹の太さが21mにもなるという「100人乗りの木」というのがある。ヨーロッパの栗の木は、尊敬と親しみの象徴。その実は神聖な食べものとして、「聖シモンの日」「聖マルタンの日」「万聖節」などにごちそうとして食卓に並べられるとか。

　日本でも、栗は聖の木。貧しく死んだ人間の霊魂にささげるとされています。

　葉っぱは、うるしかぶれや、やけどに効くと伝えられている。

★花占い

　多才で行動力のある人。はっきり物を言いすぎるため、誤解をうけやすい傾向があります。自信家ながら、反面、淋しい孤独な人です。誠意や真心をもって人に接するようにしましょう。相手の立場が理解できるようになれば、愛も力強いものとなるのです。

この日生まれの著名人
水上勉（1919）水木しげる（1922）高木ブー（1939）宮尾すすむ（1940）はらたいら（1943）
篠ひろ子（1948）鮎川いずみ（1951）佳那晃子（1956）大橋秀行（1965）

この日生まれの大切な人

Name

Name

3 月

9

から松
Larch
花ことば・大胆

モミ科
原産地：ヨーロッパ

　白秋の詩にもうたわれた美しい落葉松。

　葉の形が、中国の松に似ているところから「唐松」の名がついたそうです。

　高さ30m以上と、威風堂々。

　春、明るい緑にけむるから松林が、風にさやさや揺れる様子は、実に優美。そして秋、黄金に色を染めかえた、その華麗さなど、樹木の王者と呼びたくなるほどの風格です。

　ヨーロッパでは、多くの街路樹がこのから松。美しい建築材として、電柱や鉄道の枕木にも使われます。

★花占い

　愛と勇気にあふれているあなたは、時として、大胆なことをしては、周囲を驚かせます。しかし、あなたの大胆さは、計算され尽くしたもの。現実をきちんとふまえた上なので、たいていの場合は成功します。生活力が旺盛な人。陽気で、遊び人に見られやすいのですが、本当は、愛する人を求めてやまないロマンティストです。

この日生まれの著名人
H・ミラボー (1749) 梅原龍三郎 (1888) アンドレ・クレージュ (1923)
ロイ・ジェームス (1929) 篠田正浩 (1931) 桂三木助 (1957) MIE (1958)
木梨憲武〔とんねるず〕(1962)

この日生まれの大切な人

Name

Name

3月

10

にれの木
Hackberry
花ことば・高貴

ニレ科
原産地：ヨーロッパ

昔々。まだ人間が一人も生まれていないころ。三人の神、オーディン、ヘニール、ロドウールが、荒涼とした地上を旅していました。三神は、ある日、二本の老木を見つけ、人間を作る材料にしようと決めたのです。神の姿になぞられて、男女の人形ができあがった。オーディンがふっと息を吹きかけました。「生命の息」。ヘニールは「知性と魂」を、ロドウールが「情熱と愛情」を与え、人間が誕生したのです。世紀の一瞬！　女の着物をにれの葉で作ったので女をエンプレ（にれの意）、男をアース（大地の意）と呼んだという。北欧神話です。

フランスで「にれの木かげで待ってて」というのは「あてにしないで」の意味を含むとか。「にれの葉」を恋人に贈るのは、「会いに来て」という暗号。

★花占い

視野の広い人。自分だけでなく、人類全員で繁栄しようと目ざしている人。世界的な指導者になれるかもしれません。しかし、愛する人に出会うまで、時間のかかる星の人。いつかは必ずめぐり会いますから、あせらずに待って下さい。

この日生まれの著名人
P・サラサーテ(1844) 山下清(1922) 渥美清(1928) 安孫子素雄〔藤子不二夫〕(1934)
古今亭志ん朝(1938) 大空真弓(1940) 徳光和夫(1941) ツトム・ヤマシタ(1947)
熊谷真実(1960) 松田聖子(1962) 藤谷美和子(1963) 鈴木大地(1967)

この日生まれの大切な人

Name

Name

3月

11

にがな
Ixeris
花ことば・質素

キク科
原産地：ヨーロッパ・アジア

「にがな」は「苦菜」。

葉や茎にある白い乳液の苦さからこの名がつきました。山や野原で、可憐な黄色い花を咲かせてる。

田んぼのあぜ道に生えるのは、「野にがな」。乾きの早い河原などには「かわらのにがな」、岩の上に、はって割れ目に根をおろすのは「いわにがな」、海岸で砂の上に花を咲かせるのが「はまにがな」、高山には「たかねにがな」、みんな親戚。

かわいくて、ガマン強いのが家風。

★花占い

忍耐強く、慎重派のあなた。人に対しても深くつき合うタイプなので、親友も多いといえそうです。好きな人ができると、冷静に観察してしまう人。結婚を意識してしまうからでしょう。なかなかアタックしないので、周囲のほうが気をもみます。もうすこし気軽におつきあいしてみませんか。遠くから観察してるだけでは、異性を見る目もつきません。愛は神秘的。冷静に計算したからといって、失敗しないとはかぎらないのです。

この日生まれの著名人

ボッティチェリ (1444) 和辻哲郎 (1889) 北村和夫 (1927) 中村芝翫 (1928) 梅宮辰夫 (1938)
オースマン・サンコン (1949) ドミニク・サンダ (1951) 竹田和夫 (1952) BORO (1954)
小宮孝泰〔コント赤信号〕(1956) 織田哲郎 (1958) 中井美穂 (1965) 高木延秀〔忍者〕(1970)

この日生まれの大切な人

Name

Name

3 月

(12)

やなぎ
Weeping Willow
花ことば・愛の悲しみ

ヤナギ科
原産地：ヨーロッパ・アジア

　長野と富山の県境、黒部地方の伝説です。昔、山深い峡谷に、二株の柳の木がありました。「夫婦柳」と呼ばれてた。ある日、そのうちの一本を切り倒すことになった。近くの村の木こりが16人がかりで、やっとのこと。直後に、ひとりがバタリと倒れた。原因不明の気持ちの悪さ。そして全員がもがき始めた。近くの山小屋で休んでいると、美しい女がどこからともなく現れ、ニタニタと笑いながら、寝ている男たちをまたいで闇に消えたのです。木こりたちは、血を吐き、気が狂い、そして死んでしまいました。

　村人は、「夫婦柳」のたたりだといって、この峡谷を「16人谷」と呼ぶようになったとか。

★花占い

　ささいなことも気に病むあなた。ナイーブな神経の持ち主です。ロマンティックに夢の世界を漂い、プラトニックに愛を追い求める、恋の放浪者ともいえるでしょう。悲しみに負けない覚悟が必要。現実を見ることも覚えて、大人の愛を味わう勇気を。自分自身を傷つけるような無意味な嘆きは、今日で終わりにしませんか。

この日生まれの著名人

志村喬 (1909) 大平正芳 (1910) 江崎玲於奈 (1925) 林家こん平 (1943)
ライザ・ミネリ (1946) ジェームズ・テイラー (1948) 奥寺康彦 (1952)
池波志乃 (1955) 響野夏子 (1963) 勝俣州和〔CHA-CHA〕(1965)

この日生まれの大切な人

Name

Name

野かんぞう
Day Lily
花ことば・愛の忘却

ユリ科
原産地：ヨーロッパ・アジア

　小川のふちや、原野などやや湿った場所に生える清楚な草。朝に開花したものは、夕方にしぼみ、夕方に開花すると、翌朝しぼむという寿命の短さ。英名のとおり、一日だけの美しさです。

　若葉はやわらかく、ヌタなどにして食べることもできる。新芽はまるごと煮物やてんぷらに、ゆでて酢の物に、花はサラダにしてもおいしい。

　漢名の「諼草」「萱草」は、詩経や杜甫の詩、万葉集にも見られます。身につけていると「憂いを忘れる草」といわれる。涙がこぼれそうな日に、この花を摘みに

いってはいかがですか。

★花占い

　愛する人に媚びたり、しつこくしてしまう傾向があります。結局は利用されてしまう危険もなきにしもあらず。失恋するたびに、心の傷となり、また同じことを繰り返す悪循環。愛する人には、もっと自信をもって接するようにしましょう。見る目をくもらせずにすみます。

この日生まれの著名人

高村光太郎（1883）柳家金語楼（1901）大山康晴（1923）吉永小百合（1945）デボラ・ラフィン（1953）
佐野元春（1956）高橋慶彦（1957）田中義剛（1958）コロッケ（1960）シンボリルドルフ（1981）

この日生まれの大切な人

Name

Name

(14)

アーモンド
Almond
花ことば・希望

バラ科
原産地：西アジア

　ギリシャのトラキア海岸に、難波船がながれつきました。乗っていたのは、トロイの戦士デモポアン。

　トラキア王の娘フェリスと恋におち、結婚を誓ったのです。王の力で船が直り、デモポアンは用事を片づけるため、故郷のアッテカに戻ることになりました。「すぐ帰るから」と姫君に告げて。ところが故郷に帰ったデモポアンは、別の娘を愛してしまいます。浮気なヤツ！　フェリスは、帰らぬ恋人を待ち続け、毎日海辺を眺めて暮らし、待ちくたびれて、とうとう死んでしまいました。

　神々は、娘をかわいそうに思い、その体を美しいアーモンドの木に変えました。

　デモポアンがトラキアに戻ったときは、すでに遅し。彼が罪を後悔し、アーモンドの木を抱いたとき、娘は彼の涙を美しい花にかえ、「許す」の合図をおくったという……。

★花占い

　愛の会話が上手とはいえないタイプですね。馬鹿なことを言ってしまった、と後悔することも多いはず。しかし、あなたの印象は悪くありません。誠実な人柄が相手に伝わるからでしょう。

この日生まれの著名人
シュトラウス父（1804）アインシュタイン（1879）芦田伸介（1917）赤木春恵（1924）
クインシー・ジョーンズ（1933）片岡孝夫（1944）栗原小巻（1945）五木ひろし（1948）杉真理（1954）

この日生まれの大切な人

Name

Name

どくにんじん
Conium Macutatum
花ことば・死も惜しまず

セリ科
原産地：ヨーロッパ

茎に斑点があり、見るからに気味悪い。ケイレン毒を含んでいるので、毒蛇でさえ、葉っぱ一枚見ただけでも逃げ出すとか。古代エジプトでも、恐れられてたと文献にあります。

ギリシャの哲学者ソクラテスが死刑を宣告されたのは、399年。そのとき飲まされた毒薬が、この草だと言われています。足がしびれ、下半身がしだいに冷たくなり、呼吸困難となって……ああ、おそろしい。

ヨーロッパでは、魔女の持ち物といわれてた。「悪魔の花」の別名も。ところが聖なるイメージの呼び名もあるのが、おもしろいところ。「聖母の刺繍」「アン王女のレース」ですって。花はやっぱり美しいのです。毒はあっても、なくっても。

★花占い

愛する人のためには死もいとわないほど、一途なあなた。なんて愛らしく、魅力的な人なのでしょう。だからといって「あなた・命」と入れ墨をするなど、出過ぎた行為はつつしんで。夢中になると、思わぬことまで実行してしまいそうなあなた。そんなことをすると、せっかくのイメージもこわれてしまいますよ。

この日生まれの著名人
P・ハイゼ(1830) 五味川純平(1916) 関根潤三(1927) 平岩弓枝(1932) ヨネヤママコ(1935)
西部邁(1939) 井上堯之(1941) 朝比奈マリア(1962) 武豊(1969)

この日生まれの大切な人
_____
Name
_____
Name
_____

3 月

はっか
Mint
花ことば・美徳

シソ科
原産地：アジア東部

　よい香りのするミント。葉っぱからと
るハッカ油は日本産がいちばん質がいい。
主成分メントールを最も多く含んでるか
らで、合成メントールができるまで産出
額は世界一。各国に輸出してました。湿
地や小川のへり、原野に広く自生してた。
北海道に、たくさん咲いてます。

　はっかの生の葉で目をこすると、目の
中がすーっと涼しくなって、眼病に効く
といいます。「メグサ」の別名もあるほど。

　他に胃腸にもよいらしい。

　ペパーミントは、セイヨウハッカの葉
っぱです。

★花占い

　人望のある人。人柄のよさは、誰もが
認めるところです。なにごとにもおごら
ない謙虚なところが、あなたの長所。損
をすることもありますが、今までどおり
努力を積み重ねて下さい。苦しくてもそ
こから逃げてはいけません。きっと、あ
なたと同じくらい性格のよい、愛する人
が現われます。

この日生まれの著名人
オーム (1787) ゴーリキー (1868) 鳳啓助 (1923) 京塚昌子 (1930)
浅利慶太 (1933) ベルナルド・ベルトルッチ (1940) 渡辺二郎 (1955)
鳥越マリ (1965) 安芸ノ島 (1967) 小比類巻かほる (1967)

この日生まれの大切な人
Name

Name

3 月

17

豆の花
Beans
花ことば・必ず来る幸福

マメ科
原産地：世界中

　もしも豆がこの世になかったら、私たちは恐るべきたんぱく質不足に、日夜悩んでいたかもしれません。豆の歴史は紀元前8000年以上も前、人類がはじめて農耕を試みたといわれるメソポタミアまでさかのぼります。

　大麦、小麦と共に豆が栽培されたのは、穀類と豆とで、不足しがちなアミノ酸を相互に補い合うからとか。今から1万年以上もまえ、私たちの祖先はなぜだか自然にそのことを知っていたらしい。うれしいMAGIC。

★花占い

　開放的で楽天家。何にでも興味を持つタイプ。話題も豊富で話術がたくみ。人をあきさせることがありません。一目ぼれしやすいけれど、人を見る眼があるので、つっ走らない慎重派。今のままいけば、理想の相手にめぐり会える日は、すぐ近くまできています。

この日生まれの著名人
ダイムラー (1834) 横光利一 (1891) ボビー・ジョーンズ (1902)
三木武夫 (1907) ナット・キング・コール (1917) 山本陽子 (1942) 松尾嘉代 (1943)
甲本ヒロト〔ブルーハーツ〕(1963) ロブ・ロー (1964) 新田恵利 (1968)

この日生まれの大切な人

Name

Name

3月

18

アスパラガス
Asparagus
花ことば・無変化

ユリ科
原産地：南ヨーロッパ

世界には300種以上のアスパラガスがあるらしい。多年草の植物で、秋には茎や葉は枯れてしまう。翌春、根株から太い若茎が出てくる。この部分こそ、あのおいしいアスパラガス。

缶詰用に白くするには、盛り土をする。ホワイトアスパラガス。盛り土をしないのが、グリーンアスパラガスで、生で食べても、ゆでても、いためても。栄養はこちらのほうがはるかに豊富です。

冷たい空気が好きな野菜。日本では、北海道・長野・青森。故郷のベスト3です。

★花占い

「生まれつきついてないんだ」失敗したり、失恋するたび、運命のせいにするあなたは、傷つきやすい人。でも、悲しめば悲しむほど、あなたは成長していくのです。その天分があるからこそ、神から試練が与えられているのだと考えて。恋人と遠く離れることがあっても、あなたなら耐えていけます。つらいこともあったからこそ、本当の愛をつかみとれるのです。

この日生まれの著名人
リムスキーコルサコフ(1844)　ディーゼル(1858)　小池朝雄(1931)　フランク永井(1932)　ワダエミ(1937)
横山やすし(1944)　奥田瑛二(1950)　因幡晃(1954)　島崎俊郎(1955)　田中幹保(1955)
ステンマルク(1956)　洞口依子(1965)　芳本美代子(1969)

この日生まれの大切な人

Name

Name

3月

くちなし
Cape Jasmine
花ことば・とても、うれしい

アカネ科
原産地：中国・南アフリカ

くちなし伝説。

昔、ガーデニアという美女がいました。この人は、なによりも白い色が好き。ドレスも家具も、アクセサリーも、なにもかも白に統一していたのです。ある日、天使が会いにきました。ひとつの植物の実を与え「天国だけに咲く花です。鉢で育て、大きくなったらKISSしなさい。一年後にまた来ます」と言って去りました。

ガーデニアは、心をこめて植物を育てました。一年ほど立ち、花ひらいたのです。純潔そのもの。白い花びら。優雅なものごし。そして、約束どおり天使が現れた。「君こそ愛する人」とささやき、美しい若者に変身したのです。二人は結婚し、幸せに暮らしました。

天使の持ってきたこの花こそ——地上に咲いた、最初のくちなし。

★花占い

高貴なイメージのある人。汚れない心身を保つことで、喜びと幸福を感じることができるのです。邪悪な考えが生まれないよう、気をつけて暮らしたい。一度自分を甘やかしたら、あとが大変。

この日生まれの著名人
D・リビングストン(1813)　森田草平(1881)　ウルスラ・アンドレス(1936)
朱里エイコ(1948)　ブルース・ウィリス(1955)　尾崎亜美(1957)　いとうせいこう(1961)

この日生まれの大切な人

Name

Name

3 月

20

チューリップ(紫)
Toulipa
花ことば・永遠の愛情

ユリ科
原産地：西アジア

　恋する人にチューリップを贈るときは、花の色で気持ちを表わすことができます。

　赤・白・黄色の花なら「私は、あなたの美しさに夢中」の意味。紫や黒のチューリップなら、「私の心臓は、恋焦がれて炭になっている」。はじめから紫を選ぶと、相手を驚かせるかもしれません。紫の場合、結婚の申し込みの意味もあります。遊び半分でプレゼントしたりしたら、後悔するはめに。この花は「ラーレ・L A L É」と呼ばれている。「非のうちどころのない恋人」の意味。チューリップの完璧な美しさには、そんな印象があります。

★花占い

　二人だけの永遠の世界を求めてさまよう宇宙の放浪者、「愛は輝く方舟」そんな愛を探しながら、次々と恋をしてしまいます。しかし、たいていの場合「砂の方舟」と気づいてしまう虚しさ。永遠の愛を運んでくれるのは、あなたが紫のチューリップを捧げる人。その人は感性豊かです。似合いのカップルになるためにも知性や教養をみがきましょう。

この日生まれの著名人

イプセン(1828)　雪村いずみ(1937)　君原健二(1941)　上岡龍太郎(1942)　倉田保昭(1946)
景山民夫(1947)　新藤恵美(1949)　ウィリアム・ハート(1950)　三上寛(1950)
竹内まりや(1955)　竹中直人(1956)　郭泰源(1962)

この日生まれの大切な人

Name

Name

3 月

㉑

さくららん
Honey - Plant
花ことば・人生の出発

カガイモ科
原産地：熱帯アジア

花は桜に、葉っぱは厚手で蘭に似てる。それは、ただ似ているだけで、桜とも蘭とも分類学上、なんの共通点もないのが不思議です。

葉っぱは濃い緑だけど、光沢があるので、明るい緑に見える。葉のまわりに、白い斑点が入ったのもあります。小花が集まって「まり」の形に見えるところから「毬蘭」の名も。

近頃、人気の観葉植物。栽培も盛んになってきています。

★花占い

率直に思いを話せば、恋はこわれずにすんだのに。大切なときにも、ことばを飾ってしまうあなた。本音しか相手に伝わらないのです。素直に、自分の気持ちを表現しさえすれば、淋しさとはもう無縁。さあ正直になって。

この日生まれの著名人
バッハ(1685)　ムソルグスキー(1839)　宮城まり子(1927)　九重佑三子(1946)
加藤和彦(1947)　残間里江子(1950)　チョー・ヨンピル(1950)　岩城晃一(1951)　友里千賀子(1957)
アイルトン・セナ(1960)　マシュー・ブロデリック(1962)　川嶋みき(1967)

この日生まれの大切な人

Name _____

Name _____

22

ぜにあおい
Mallow
花ことば・恩恵

アオイ科
原産地：アジア

　ココアに浮かべると、しゅわっと溶けていくマシュマロ（MARSH MALLOW）。沼の葵という意味です。他愛ないお菓子だけど、ほんの一滴、あおいの根っこの成分を含んでいる。あおいは、体にいいとされているので、ちょっとした薬として作られたのだそうです。

　ぜにあおいには、不思議な力があるとされてた。朝摘むとその日一日、病気から守ってくれる。その青葉は、魔法をかけられた人間を正気に戻す力があるとか。おまじないばかりでなく、のどや消化器の炎症、歯痛や眼病にも薬効があると言われています。

★花占い

　母の姿に感謝しながら、日々を暮らしているあなた。家族の結びつきが強い人ですね。見かけ以上に温厚な性格は、そのような家庭環境によるものです。信念を持った強い人が現われたとき、より充実した人生が歩めるようになるでしょう。

この日生まれの著名人
A・ファン・ダイク（1599）　ヴィルヘルム I 世（1797）　ミリカン（1868）　中山晋平（1887）
マルセル・マルソー（1934）　大橋巨泉（1934）　古手川伸子（1962）
フラッシュ金子〔米米クラブ〕（1964）

この日生まれの大切な人

Name

Name

3 月

(23)

グラジオラス
Gladiolus
花ことば・情熱的な恋

アヤメ科
原産地：南アフリカ

ラテン語で「剣」という意味のあるグラジオラス。空をつきさすようなその姿から、世界各地で戦闘的な別名をつけられています。「剣状の葉をもった百合」または「剣士」それから「騎士」「武士」「競技者」といった具合。

日本へは、江戸時代に一時期渡来したといわれていますが、本格的に栽培されるようになったのは、明治初期のころ。

グラジオラスを贈るときは気をつけて。秘密の恋人にプレゼントする花とされているのです。何本贈るかによって、密会の時刻が決まる。9本なら、「9時に会いたい」12本なら、ミッドナイトのデートです。花屋さんが贈り先を間違えたら…とんだ悲喜劇です。

★花占い

不倫の恋、三角関係、恋のもつれに巻きこまれやすい人。情熱的なのだけど、そのためトラブルは日常茶飯事。いつも苦しくてたまりません。あなたにとっての魔除けは、ほほえみ。明るくにっこり微笑していれば、楽しい恋にめぐりあえます。

この日生まれの著名人

マルタン・デュ・ガール (1881)　黒澤明 (1910)　川上哲治 (1920)　犬塚弘 (1929)
戸川昌子 (1933)　浅田彰 (1957)　佳村萌 (1960)　出光ケイ (1961)　松村和子 (1962)
大沢逸美 (1966)　七瀬なつみ (1967)　沢松奈生子 (1973)

この日生まれの大切な人

Name _____

Name _____

3 月

24

はなびし草
California Poppy
花ことば・希望

ケシ科
原産地：北アメリカ

アメリカ・カリフォルニア州の州花。だから、「カリフォルニア・ポピー」です。

若者たちの恋占いの花。

花のつぼみがほんの少しふくらみ始めたころ、折りとって、こぶしにのせる。もう一方の手でつぼみをたたき、ポンとよい音がしたら、恋人の気持ちはあなたのもの。鳴らなかったら、悲しい結末。

はなびし草は華やかです。陽気なカリフォルニアによく似合う、輝くほどのゴールデンイエローです。野原一面に咲いている様子は、まさに、燃えたぎる「炎の台地」。

★花占い

あなたが死んだら、泣いてくれる人はいますか。誰かが死んだら、あなたは何人のために泣くでしょう。いろいろな愛があります。どんな愛でも、それは心の底からわき出てくるもの。少しいきづまると、すぐに投げ出してしまいそうになるあなた。自分の気持ちに素直になること。そのとき、本当の愛に出会えます。

この日生まれの著名人
W・モリス(*1834*)　スティーヴ・マックィーン(*1930*)
梶芽衣子(*1947*)　島田紳助(*1956*)　タケホープ(*1970*)

この日生まれの大切な人

Name

Name

(25)

つる性植物
Climbing Plant
花ことば・美しさ

原産地：世界中

　ぶどうや朝顔、時計草、やまふじ、ア
イヴィー、ホップなど、つるのある植物
は思ったより多いもの。他のなにかに頼
らなければ身を支えられないことから、
しとやかな女性にたとえられ、永遠の愛
の象徴として詩や文学によく登場します。
　つる性植物の代表は、「生命の樹」「保護
や庇護のシンボル」とされてきたぶどう
です。ぶどう酒にアイヴィーを浸して煮
ると、火傷やただれの特効薬になるとい
われます。

★花占い

「縁」は積極的に求めるもの。あなたは、

その機会を遠ざけてるのではないでしょ
うか。あなたに見とれる観客がいなけれ
ば、舞台は始まりません。裏方になって
くれる人を大切にしましょう。自分のス
テージを持つことで、あなたの美しさに
みがきがかかるのです。

この日生まれの著名人

樋口一葉(1872)　バルトーク(1881)　京マチ子(1924)　志茂田景樹(1940)

李麗仙(1942)　アレサ・フランクリン(1942)　佐藤オリエ(1943)

エルトン・ジョン(1947)　橋本治(1948)　ジャンボ鶴田(1951)　嘉門達夫(1959)　毬谷友子(1961)

この日生まれの大切な人
_____
Name
_____
Name
_____

3月

26

さくら草(白)
Primrose
花ことば・初恋

サクラソウ科
原産地：ヨーロッパ

　イギリスでは、かつて人間の形をして
いたとして、尊重されている花。

　プリムローズが昔、人間だったころ、
その名をパラリンスといいました。花の
女神と生殖の神の息子。ある日、深く愛
しあった恋人が心がわりした。パラリン
スは気が狂うほど悲しみ、嘆き、そのま
ま死んでしまったという。神々は、純情
な彼の死を憐れんで、その姿をプリムロ
ーズに変えたのだそうです。

★花占い

　幼いころの初恋が、今も胸をしめつけ
るあなた。清らかな思い出は、エメラル

ドより美しいあなたの一生の宝物です。
だけどそのため、現実の愛を見つけるこ
とができません。人生を振り返ることは
危険です。きらめく思い出は、心の奥底
にしまっておいて。真実の愛を見つける
ため、新しい恋に挑戦しましょう。だか
らといって、行き当たりばったりでは、
傷ついてしまう。慎重に、信じられる人
を探し求めていれば、必ず素晴しい出会
いがあります。

この日生まれの著名人

E・エンゲル(*1821*)　今東光(*1898*)　ウィリアムズ(*1911*)　柴田錬三郎(*1917*)

ダイアナ・ロス(*1944*)　緑魔子(*1944*)　中本マリ(*1947*)　いしだあゆみ(*1948*)　桜木健一(*1948*)

加納竜(*1956*)　ジェニファー・グレイ(*1960*)　後藤久美子(*1974*)

この日生まれの大切な人

Name

Name

3 月

(27)

きんちゃく草
Calceolaria
花ことば・援助

ゴマノハグサ科
原産地：南アメリカ

「巾着草」と書く。花の形が、巾着に似ているところから、ついた名前。

英名の「カルセオラリア」は、ラテン語でスリッパの意味。こちらも形から、連想してつけられたもののようです。

花の色は、黄色にオレンジ、赤、ピンク、白とカラフル。配色をあれこれアレンジして鉢に植えると、庭先が夢のように明るく輝く。にぎやかな花。

原産は、ペルーやチリのアンデス高地とか。この花色の鮮やかさと、アンデスの織物のくっきりした色あいとどこか共通点が、ありそうです。

★花占い

心変わり。誰にでも、ある日突然起こりうること。ところが、あなたの一途な性格は、そういう事実を信じられません。あなたは、愛したら最後、命までもささげたいと思いつめてしまうからです。

だけど、世の中には浮気症の人が少なくありません。あなたにそれを見ぬく力はないでしょう。人を見る目のある友人を持つこと。数多くの友人がいれば、きっとあなたを守ってくれます。

この日生まれの著名人

レントゲン(1845) 佐藤栄作(1901) 小沢栄太郎(1909) 遠藤周作(1923) 金子信雄(1923)
高峰秀子(1924) 田辺聖子(1928) 岸洋子(1935) 小林克也(1941) 宮本信子(1945) 上村香子(1946)
左時枝(1947) 高中正義(1953) 山口良一(1955) 松本孝弘〔B'z〕(1961) オグリキャップ(1985)

この日生まれの大切な人

Name

Name

90

3月

28

はなえんじゅ
Robinia Hispida
花ことば・上品

マメ科
原産地：北アメリカ

　ニセアカシアの近い親戚。アメリカ合衆国の中部に分布する植物です。

　淡いピンクや紫がかった花色が優美。そのわりに高さは2mほどあり、スラリとした、ファッションモデル型の美姫。

　もともとは中国産ですが、日本になじみが深く、建築材としてもポピュラー。薬としても、止血剤や痔に効くとして、庶民の味方でした。

★花占い

　愛することがこわくなったら、それは危険信号です。そしてあなたが、相手の人に劣等感を抱き始めた証拠。冷静に考えれば、そんな必要もないのだけど、愛してしまった弱味。どうしても恋人を過大評価しがち。「あの人を不幸にするだけ」というような上品すぎる思いこみは、ふたりの愛を殺してしまいます。愛が始まったからには、ふたりは平等。それを忘れるのは、不幸のはじまり。

この日生まれの著名人
ラファエロ(1483)　ジョージⅠ世(1660)
邱永漢(1924)　利根川裕(1927)　藤巻潤(1936)　九重親方(1942)　バーバラ寺岡(1945)
伊武雅刀(1949)　呉明月(1949)　的場浩司(1969)

この日生まれの大切な人

Name

Name

91

3 月

(29)

ごぼう
Arctium
花ことば・いじめないで

キク科
原産地：ヨーロッパ・アジア

ヨーロッパでは、ビタミンCたっぷりの薬草と考えられてる。野菜と見ているのは日本くらいです。中国から渡来した当初は、やはり薬用と考えられていました。ごぼうにも、当然、花が咲きます。紫がかった赤い花色。アザミの花に似ています。種子をまいてから、一年くらいたたないと咲かないので、なかなか見る機会がありません。

★花占い

ぐちも言わず、涙も見せず、ただただつくしとおす人。そのけなげな姿は、まわりの人の感動さえ誘います。愛ひとすじのあなたですから、相手の人も必ずこたえてくれるはず。ただし、精神面でつくすのはよいけれど、金銭面や暴力に耐えるのなどは、考えものです。冷静さを失わず、よい選択をして下さい。

この日生まれの著名人
トムソン (1853) 羽仁五郎 (1901)
柴田国明 (1947) 野沢直子 (1963) ジェニファー・カプリアティ (1976)

この日生まれの大切な人

Name

Name

3 月

30

えにしだ
Broom
花ことば・清楚

マメ科
原産地：ヨーロッパ

　BROOMの語源は「ほうき」。

　魔女が空を飛ぶときに乗るほうきは、えにしだの木で作るそうです。

　聖母マリアとイエスの居場所を、ヘロデ王の軍隊に教えたのが、この木。

　キリストを探し求める人々も、この木を持ち歩いて諸国を歩き回ったとか。キリスト教と縁の深い植物。

　フランスの王子が罪を悔いて、毎晩この小枝を手に、懺悔したという伝説もあり、なかなかいわくありげです。

　アーモンドに似たよい香り。昔は、料理に使われたり、ビールの味つけにも活躍したそうです。

★花占い

　なにより清らか。宗教的なほど清廉潔白なあなたです。人にいばるのがきらい。とても謙虚なタイプです。平和な時代の新しいリーダー。今こそ、あなたの生かされるとき。恐れずにつき進みましょう。協力者も、愛する人も、あなたをほおってはおきません。

この日生まれの著名人

ゴヤ (1746)　ヴェルレーヌ (1844)　ゴッホ (1853)　中条静夫 (1926)　堤清二 (1927)
ウォーレン・ビーティー (1937)　島倉千代子 (1938)　エリック・クラプトン (1945)
石黒ケイ (1958)　RIKACO (1966)　坂本冬美 (1967)

この日生まれの大切な人

Name

Name

3 月

くろたね草
Nigella Damascena
花ことば・夢路の愛情

キンポウゲ科
原産地：南ヨーロッパ

種子が黒いから、この名。わかりやすいですね。ヨーロッパでは、古くからポピュラーですが、日本へは江戸時代後期に渡来したといわれます。

白、紫、赤とカラフルな花色。鉢植や切花はもちろん、ドライフラワーにしても美しさが変わりません。

ヨーロッパでは、薬草の役割。利尿剤として、腸カタルに効くなど、人々に親しまれていたとか。

★花占い
初恋の幸せと苦しみに酔ってしまった経験のあるあなた。甘い恋を夢みながら

も、傷つくのをこわがっているのではありませんか。時は待っていてくれません。愛する人は、自分で見つけなければならないのです。夢みる時間は終わりました。愛したいのなら、行動するべき。消極的な気持ちはふきとばし、失敗をおそれず、船出するのです。

この日生まれの著名人

デカルト（1596）　ハイドン（1732）　無着成恭（1927）　大島渚（1932）
毒蝮三大夫（1936）　村松英子（1938）　クリストファー・ウォーケン（1943）　舘ひろし（1950）　戸川純（1961）
鶴久政治〔チェッカーズ〕（1964）　小川直也（1968）　筒井道隆（1971）

この日生まれの大切な人

Name

Name

94

アーモンド
Almond
花ことば・真心の愛

バラ科
原産地：西アジア

ワーグナーのオペラ「タンホイザー」では、アーモンドが重要な役割を果たします。吟遊詩人タンホイザーが、絶世の美女に誘われ、山奥の洞穴に足を踏み入れるところから、物語が始まります。

そこはけんらん豪華、夢幻の境地の美しさ。愛の女神ヴィーナスの館ですから当然。タンホイザーは、夢うつつに享楽の日々を送ります。やがて遊ぶのにもあきあきし、外界へ戻りたくなりました。

聖母マリアにお願いし、元の世界へ帰れたのはよいけれど、司祭や教皇は、遊びにふけったタンホイザーを許してくれません。「お前の罪を許すなどしたら、私の手の杖から芽がふき、花咲くだろうよ」教皇は冷たく皮肉に言い放ちました。

彼が再びマリアに祈りをささげると——突然、教皇の杖にアーモンドの花が咲いたのです。神の審判が寛大なことを悟り、教皇もタンホイザーを許しました。

★花占い

知的好奇心が旺盛なあなた。恋愛においても、会話を楽しむクールな恋がお得意です。冷静すぎて、相手を批判しがちなのが欠点。少しくらい感情に溺れてみてもよいのでは。幸せはそこにあります。

この日生まれの著名人

親鸞（*1173*）　プレヴォー・デグジル（*1697*）　ビスマルク（*1815*）　ラフマニノフ（*1873*）
三船敏郎（*1920*）　塩沢とき（*1928*）　ザ・ピーナッツ（*1941*）　鰐淵晴子（*1945*）　林真理子（*1954*）
相原勇（*1967*）　鷲尾いさ子（*1967*）　桑田真澄（*1968*）　伊藤智恵理（*1971*）

この日生まれの大切な人

Name

Name

アネモネ
Wind Flower
花ことば・期待

キンポウゲ科
原産地：ヨーロッパ

アネモネに関しては、こんなドイツの伝説があります。

春の女神クロリスの宮廷に、かわいい乙女が仕えていました。その名は、アネモネ。西風の神ゼフィールが彼女に恋をしたのです。ところが、春風の誤解。クロリスは、ゼフィールの思う人を自分だと勘ちがいし、求婚を待ちわびていました。それがアネモネだと知ったときの怒り！　アネモネを宮廷から追放してしまいました。クロリスの嘆きがあまりに深いので、ゼフィールは心を動かしました。アネモネのことは忘れることにしたので

す。そして別れのとき、かわいい乙女をゼフィールは、花の姿に変えたという。

早春、いちばんに吹くおだやかな春風の言いつけで開くことから「風の花」とも呼ばれるアネモネ。イギリスでは、「ゼフィールの花」の名前もあります。

★花占い

つまらないことに心を奪われ、孤独の世界にひたりがちな人。それでは恋人を遠ざけてしまいます。一人より二人、三人と…友達を少しずつ増やして下さい。積極的に人の輪をひろげることで、恋愛も仕事もうまくいきます。

この日生まれの著名人
カール大帝 (742)　ジェファーソン (1743)　アンデルセン (1805)　ゾラ (1840)
アレック・ギネス (1914)　浅茅陽子 (1951)　忌野清志郎 (1951)　岡本綾子 (1951)　伊藤咲子 (1958)

この日生まれの大切な人
Name

Name

4 月

3

ラッパ水仙
Daffodil
花ことば・尊敬

ヒガンバナ科
原産地：ヨーロッパ

折しも見いでたる一群れの
　　黄金色に輝く水仙の花
································

わが心は喜びに満ちあふれ
　　水仙と共に踊る

　18世紀、イギリスが生んだ偉大な詩人、ワーズワースがうたっているのは、ラッパ水仙。

　ラッパみたいに花びらがとんがった黄色いこの花は、水仙の中でもなじみが深いといえるでしょう。別名「まがい水仙」。なんて失礼なんでしょう。有名詩人にも愛された花というのに。

　N．ヒスパニクスという種が、ラッパ水仙の先祖。現在のこの花の99％が、この種の子孫といわれています。

★花占い

　活動的でまじめな人。社会的に成功する素質を持っています。人々にも尊敬されているでしょう。しかし、野心とか名誉欲を持ちはじめると、思いこみが激しいため、反発される危険性も。恋愛に関して、激しく燃えるタイプ。失恋すると落ちこみが大きいので、立ち直るのに時間がかかります。慎重に相手を選んで。

この日生まれの著名人
アーヴィング（1783）　金田一春彦（1913）　ドリス・デイ（1924）
マーロン・ブランド（1924）　前田武彦（1929）　有馬稲子（1932）　橘家円蔵（1934）　芳村真理（1935）
大谷直子（1950）　霧島（1959）　エディー・マーフィー（1961）　瀬能あづさ［ＣｏＣｏ］（1973）

この日生まれの大切な人

Name

Name

4 月

4

アネモネ(赤)
Wind Flower
花ことば・君を愛す

キンポウゲ科
原産地：ヨーロッパ

アネモネは、ヴィーナスの花。こんなお話があるんです。

美少年アドニスは、狩りが好きで仕方がなかった。ヴィーナスの捧げる愛に目もくれず、毎日イノシシと格闘しています。ある日、手負いのイノシシに牙で脇腹をつかれ、アドニスは殺されてしまいました。これを知ったヴィーナスが、ぽろぽろと涙を流した。その涙がアネモネの花になったとか。

古代ギリシャ、ローマの人々は、アネモネの花を集めてヴィーナスの祭壇を飾ったという。死者に贈る花輪もアネモネ。

キリスト処刑の日の夕方、カルヴァリの丘に生えていたアネモネに、イエスの血がしたたり落ちた。それ以来、アネモネは赤くなったという噂。

★花占い

あなたがひかえめすぎるから、別れが来てしまうのです。やさしいあなたに、冷たい秋風はつらすぎる。もっと積極的に、本音をことばにしなければ、他の誰かに恋人を取られてしまいますよ。

この日生まれの著名人
中里介山 (1885)　山本五十六 (1888)　エルマー・バーンスタイン (1922)
アンソニー・パーキンズ (1932)　和田誠 (1936)　あき竹城 (1951)
松田弘 [SAS] (1956)　桑野信義 (1957)

この日生まれの大切な人

Name

Name

98

4月

5

いちじく
Fig-Tree
花ことば・豊富

クワ科
原産地：ギリシャ・シリア

「ＦＩＧ」の語源は着物です。アダムとイヴはいちじくの葉をつないで、「エプロン」と「半ズボン」を作ったという——旧約聖書のお話ですね。

いちじくの実がたくさんなる方法を、農民たちに教えたのは酒の神バッカス。彼の祭日には、女性たちは皆いちじくの実をつなぎ、首飾りにして激しく踊り狂うとか。

いちじくの下で眠ると、修道女の幽霊に起こされ「ナイフを取るのだあ!!」とおどされる。刃のほうをつかめば殺されてしまう。運よく柄のほうをつかむと、

幸せをさずけられるという伝説もあります。間違えないようにして下さいね。

いちじくの葉には、血圧降下作用があるとされます。

★花占い

お話しするのが大好きな人。議論をしても理屈っぽいとは思われない得なタイプです。それはあなたが、会話の大切さをよくわかっているため。あなたのそうしたところは、人生を成功させる大きな秘訣となっています。

変なところに執着心が強いのが、玉にキズ。気がついたら、治すようにして。

この日生まれの著名人
ホッブス (1588)　カラヤン (1908)　グレゴリー・ペック (1916)
板東英二 (1940)　ファイティング原田 (1943)　原田大二郎 (1944)　田辺靖雄 (1945)
吉田拓郎 (1946)　木原光知子 (1948)　谷口浩美 (1960)　杉浦幸 (1969)　千堂あきほ (1969)

この日生まれの大切な人

Name

Name

福寿草
Adnis
花ことば・永久の幸福

キンポウゲ科
原産地：ヨーロッパ・アジア

アイヌの伝説をお話しましょう。

天界にクノンという名の実に美しい女神がいました。父の神はクノンの婿を探したところ、「もぐらの神」を候補に決めた。広い領土を持ち、武勇の誉れ高い男。だけども、あきれるほどの醜男。クノンは、「もぐらの神」をきらい、何かと理由をつけて逃げ惑う。父の神は、約束が守れず、業を煮やして、娘を「福寿草」に変えてしまったのだそうです。

だから福寿草は、あんなにも美しいのでしょう。

★花占い

恋人のいるあなた。風が吹こうが、嵐が来ようが、何も恐れることはありません。愛の絆はあくまで強く、ふたりを結んでいるのです。

幸福のパスポートを手に入れるのに、弱気になってはいけません。まだ決まった人のいないあなた。この人と決めたら、強気で押しまくりましょう。きっとうまくいきます。

この日生まれの著名人
J・ミル(1773)　小沢昭一(1929)　ヘーシンク(1943)　横山道代(1936)　上月晃(1942)
伊東ゆかり(1947)　ジャネット・リン(1953)　秋山幸二(1962)　宮沢りえ(1973)

この日生まれの大切な人

Name

Name

アジアンタム
Adiantum
花ことば・上機嫌

シダ類
原産地：熱帯

「孔雀シダ」とも呼ばれるのは、葉の形が、羽根を広げた孔雀の姿のように美しいため。黒褐色のぬれたような葉の色が、実に優雅な印象です。

「乙女の髪」の名がついたのは、黒く輝く細い茎から来た連想。

伝説によれば、この草の束を手にすると、魔女を見破れるという。

アマゾンのジャングルに植物調査に行ったとき、道なき道を歩きながら、このシダ類を見つけた。その形に異様な迫力を感じ、何かもっと不思議な力があるような気がしてなりませんでした。

★花占い

いつも上機嫌で、愛嬌があり、社交的な人。逆にいえば、あなたのまじめな姿を見たことがないと友人は思っているかもしれません。楽しい会話も、度をこすと「悪ふざけ」になってしまいます。愛には、バランスが大切。もう少し節度を持つよう意識すれば、あなたの明るさが今以上に魅力的に映るでしょう。

この日生まれの著名人

法然(1133)　フランシスコ・ザビエル(1506)　パーシー・フェイス(1908)　ビリー・ホリデー(1915)
團伊玖磨(1924)　ジェームズ・ガーナー(1928)　竹村健一(1930)　フランシス・コッポラ(1928)
甲斐よしひろ(1953)　ジャッキー・チェン(1954)　カルロス・トシキ(1964)　ミスターシービー(1980)

この日生まれの大切な人

Name

Name

えにしだ
Broom
花ことば・博愛

マメ科
原産地：ヨーロッパ

イギリスには血なまぐさい話がいろいろありますが、えにしだに関するこんなエピソードもそのひとつ。昔々、アンジュー家のフルクは、家督を相続するため、兄を暗殺してしまいました。権力は手にしたけれど、自責の念がつのるばかり。とうとう城をとび出して、罪ほろぼしのため、エルサレムへ巡礼に出かけたのです。旅の途中、えにしだの枝にひっかかったのを、自分に対する鞭と考えて、毎晩えにしだの枝で自分の体をぶったという。罪がつぐなわれたのか、フルクの孫がプランタジネット王朝の祖、ヘンリー2世となりました。

イギリスにおいて、えにしだの紋章をはじめて公式に使ったのは、リチャード1世。フランスでは、ルイ9世が王紋に用いるなど、王室ゆかりの植物のひとつです。

★花占い

温和な人。まるで仙人のようです。現実をきちんととらえ、すべての人々にやさしく接することができる。バランス感覚がすぐれているので、みんなの人気ものです。愛する人と結婚できます。夫婦そろって、社会に貢献して下さい。

この日生まれの著名人
釈迦（BC 564） 露口茂（1932） 黒川紀章（1934） 生田悦子（1947） 千昌夫（1947）
桃井かおり（1952） 萩原流行（1953） 泉麻人（1956） 幸田シャーミン（1956） 田中好子（1956）
森下愛子（1958） ジュリアン・レノン（1963） 松本明子（1966）

この日生まれの大切な人

Name

Name

9

桜
Cherry
花ことば・精神美

バラ科
原産地：日本

　小説「桜の森の満開の下」は、坂口安吾の不朽の名作。桜の化身のように美しい女と、むくつけき盗賊の、倒錯した愛の世界を描いています。女は、人の首をほしいという。男は夜ごと、首を狩る。今日は姫の首。明日は子供の。そして、ある日、満開の桜の下で、男は、美女の正体を見る。

「桜の樹の下には死体が埋まっている」と書いたのは、梶井基次郎。

　飲めや歌えのお花見の狂気。日本中が桜に化かされてしまったかの騒ぎ。昔々は貴族や文化人だけに許された特権でした。庶民のものになったのは江戸時代から。当時のようすは、落語「長屋の花見」に、くわしく描かれています。

★花占い

　人間的な細やかな気配りと、大胆な行動力を兼ねそなえている人。くじけず前進していく姿に、あこがれている人は多いはずです。あなたはバランス人間の典型。アンバランスとは最もあい入れません。強烈な個性をもった相手を、あなたはささえきれないでしょう。

この日生まれの著名人
ボードレール（*1821*）　佐藤春夫（*1892*）　大川橋蔵（*1929*）　広中平祐（*1931*）
ジャン・ポール・ベルモンド（*1933*）　セベ・バレステロス（*1957*）　天宮良（*1962*）

この日生まれの大切な人

Name

Name

⑩

つるにちにち草
Periwinkle
花ことば・楽しき思い出

キョウチクトウ科
原産地：地中海沿岸

月の満ちる夜、この花を採ると、病魔除け、狂気を治すといわれていました。アングロサクソン人の間では、毒ヘビにかまれた傷もなおると信じられていました。

イタリアでは「死の花」。常緑で不死のシンボルなのですが、死んだ子供をこの花で飾るところから、この名がついたという話。

つるとつるがしっかりとからみ合い、毎日毎日花ひらくので「つるにちにち草」。わかりやすいですね。

花は、トランペットの形。

この花をかむと、渋い味がする。そのためか薬草とされてきました。

★花占い

あなたの内気さが、愛を後退させてしまうのです。教養がじゃまをするのかもしれません。そんなことでは、この先も後悔ばかりですよ。全力を尽くして、恋を貫きましょう。必ず素晴らしい結果となります。

この日生まれの著名人
グロティウス (1583)　M・ベリー (1794)　淀川長治 (1909)　永六輔 (1933)
オマー・シャリフ (1933)　グレン・キャンベル (1938)　水島新司 (1939)　村松友視 (1940)
和田アキ子 (1950)　さだまさし (1952)　広沢克己 (1962)

この日生まれの大切な人

Name

Name

11

はなしのぶ
Blemonium Coeruleum
花ことば・来て下さい

ハナシノブ科
原産地：ヨーロッパ

　紫色の可憐な花。高さ2mほどの多年草です。日本への渡来は江戸時代。北海道の礼文島へ6月に遊びにいくと、この花の満開が息をのむほど美しいとか。

　別名「JACOB'S-LADDER」(ヤコブのハシゴ)。天使がのぼりおりするハシゴ。登れば天国まで行ける。茎から葉っぱが交互に生えてる様子が、ハシゴに似ており、この名がついたということです。

★花占い

　悲しいとき、さびしいとき。星降るように心の中で涙をながす。そんなあなたを、人は誰も知りません。なぜなら、い

つでも笑顔だからです。恋人だけはわかってくれます。「来て下さい」と星に祈れば、その人は必ず現われます。

この日生まれの著名人
マルグリット(*1492*)　三木のり平(*1925*)　すぎやまこういち(*1931*)
中西太(*1933*)　加山雄三(*1937*)　猪俣公章(*1938*)　武田鉄矢(*1949*)
しばたはつみ(*1952*)　川野太郎(*1962*)　森高千里(*1969*)

この日生まれの大切な人

Name

Name

桃の花
Peach
花ことば・恋の奴隷

バラ科
原産地：中国

　桃は聖なる果実。たとえば、古事記のエピソードです。イザナギの命が黄泉の国へ、恋するイザナミを迎えにいったときのこと。イザナミの死体の中にすくっていた八柱の雷神、多数の醜い女神たちが、イザナギを追いかけてきたのです。ロマンティックな夢からさめ、命からがら逃げるイザナギ。野ぶどうの実を投げました。次には筍を。でも、撃退できません。最後に桃の実を三つ投げたところ、雷神たちはやっと消え去ったということです。

　桃には、邪気払いの霊力があるのです。

　「桃の節句」は女の子のお祭。桃の実の美しい曲線が、女体を思わせるからでしょうか。

　弥生時代の遺跡から、桃の種が発見されたという。桃と日本のかかわりは、本当に長いのです。

★花占い

　性格がよく、表情ゆたかなあなたは、周囲の人気もの。しかし、理論より感情で動く人なので、ときとしてやりすぎて引くに引けなくなってしまい、失敗することが少なくありません。そんなところも魅力的。あなたに夢中の人はたくさん。

この日生まれの著名人
ムニエ (1831)　ハービー・ハンコック (1940)　園まり (1944)　金田たつえ (1948)
デビッド・キャシディー (1950)　田中康夫 (1956)　森川由加里 (1963)

この日生まれの大切な人

Name

Name

4月

13

ペルシャ菊
Golden Wave
花ことば・競争心

キク科
原産地：北アメリカ

学名は、ギリシャ語で「南京虫に似た」という意味。なんて失礼なんでしょう。果実の形が、南京虫に似ているところから、名づけられたということです。この他「ダニの種子」なんて、悲しい別名も持っています。

今でも野生種が見られるのは、アメリカ・ルイジアナ州、ミネソタ州、カリフォルニア州など。カリフォルニア州にあるカランチョ・サンタアナ・ボタニカルガーデンは、ソ連などの植物標本の収集で有名。ここを訪れたとき、このペルシャ菊を飾って、パーティーを開いてくれ

たのが、なんとも美しかった。

★花占い

ひとめぼれしやすい人ですね。性格は明るく、つねに上機嫌です。楽観的でのんびりしてるようですが、けっこう負けずぎらい。最後までがんばる粘り強さも持ち合わせています。目が肥えてきて、ひとめぼれもむずかしくなってきているのではないですか。「負けるが勝ち」と自分の価値基準を変更する必要が。

この日生まれの著名人

吉行淳之介 (1924)　宮尾登美子 (1926)　モーリス・ロネ (1927)　藤田まこと (1933)
西城秀樹 (1955)　森口祐子 (1955)　萬田久子 (1958)　牛島和彦 (1961)　西崎幸広 (1964)
リッキー・シュローダー (1970)　つみきみほ (1971)

この日生まれの大切な人

Name

Name

あさがお(白)
Morning-Glory
花ことば・喜びあふれ

ヒルガオ科
原産地：ヨーロッパ・アジア

「朝顔」とは、朝の美女をさすことば。フランスでは、「真昼の美女」と呼ばれ、これに香りが加わったら、完璧とさえたたえられています。

「朝顔の花、一時」という日本のことわざは、若いときの輝くばかりの美しさを現わしている。なにしろ命の短い花です。そのわりに、ヨーロッパでは「勇気とエネルギーの象徴」。支えを求めて空をさまよう、太いつるの生命力からこの連想となったのでしょう。

★花占い

勇気とエネルギーにあふれたあなた。愛する人を早めに見つけて、しっかり人生を歩む人です。自信家のため、気取ってると思われがちですが、情が深いので人に好かれます。はかない恋を経験しますが、すぐ忘れることです。喜びあふれる生涯が約束されています。

この日生まれの著名人
ロッド・スタイガー(1925)　佐木隆三(1937)　リッチー・ブラックモア(1945)　乱一世(1952)
桜田淳子(1958)　冴木杏奈(1963)　今井美樹(1964)　工藤静香(1970)　瀧井ハナ子(1986)

この日生まれの大切な人

Name

Name

4 月

（15）

はくさんちどり
Fen Orchid
花ことば・素晴しい

ラン科
原産地：ヨーロッパ・アジア

「白山千鳥」は、淡い赤紫の可憐な花。直径1cmほどの花びらが千鳥の形。茎に8羽ほどとまっています。野生とは思えないほどの美しさ。

アラスカや、日本の中部以北の高山に自生しています。

千鳥だけあり、湿った、水分を含んだ土地によく咲く。

葉っぱに斑点が、汚れたように浮いているところから「汚れたラン」の別名もあります。

★花占い

家柄を大切にする人。次の世代に伝えるために、努力を始めていることでしょう。幸せな愛をはぐくみ、幸せな家庭をつくる。それをバトンリレーのように繰り返してきた、恵まれた家系なのです。あせらないほうが、失敗せずにすみます。

この日生まれの著名人
レオナルド・ダ・ヴィンチ（*1452*）　T・ルソー（*1821*）　田原総一朗（*1934*）
クラウディア・カルディナーレ（*1939*）　篠原勝之（*1942*）　釜本邦茂（*1944*）　范文雀（*1948*）
酒井和歌子（*1949*）　兵藤ゆき（*1952*）　坂崎幸之助〔アルフィー〕（*1954*）

この日生まれの大切な人
_____
Name
_____
Name
_____

4月

16

チューリップ
Tulipa
花ことば・美しい瞳

ユリ科
原産地：ヨーロッパ

プラトの神の娘にチューリップという美しい乙女がいました。ほがらかで、この世のものとは思えないほどの美女。その肌は、桜色に輝き、金の髪は、そよ風にたわむれてるかのようでした。ある日、秋の神ヴェルツーヌが、彼女をひと目見て、激しい恋におちてしまった。追いかけて、逃げられ、いつまでたってもつかまえられない。業を煮やした秋の神が、どんな手段を使っても……と決心したとき、チューリップは貞操の神ディアーナに願い、一輪の花に変えてもらいました。その花がチューリップ。ローマ神話です。

★花占い

野に咲く花のように、美しいあなた。孤独をのりこえ、永遠の愛にめぐりあえます。愛する人をがっかりさせないように、心を清純に保ち、感性をみがいて下さい。

この日生まれの著名人
ライト兄(*1867*)　チャールズ・チャップリン(*1889*)　ピーター・ユスチノフ(*1921*)
ヘンリー・マンシーニ(*1924*)　坂上二郎(*1934*)　水谷良重(*1939*)　団しん也(*1944*)　片山敬済(*1951*)
なぎら健壱(*1952*)　ジョン・クライヤー(*1965*)

この日生まれの大切な人

Name

Name

4月

17

ドイツ菖蒲
German Iris
花ことば・素晴しい結婚

アヤメ科
原産地：南ヨーロッパ

昔、すべての花が集まる花祭に、エメラルドの冠をかぶり、青い服を着た気品のある少年が現われた。花々の人気は、この少年ひとりに集中。そのとき、美しい虹が出て、少年の青い服に照り映え、それはもう美しかったということです。花たちは、この少年を「虹の使者」と呼びました。この少年が、アイリスの花の化身という言い伝えが残っています。

名前のわりに、ドイツ原産ではないらしい。香りのよい花で、この根は、化粧水や香水の原料とされるほど。すみれに似た香りとされます。別名「匂いアイリス」。イタリア・フィレンツェ地方が、この花の産地として有名です。

★花占い

小さいときから、約束をきちんと守る子。両親のしつけがよかったおかげです。同じように人柄のよい人と結ばれることでしょう。この日生まれなのに、自分はルーズだという人。今からでも遅くありません。気をつけるようにすれば、幸せは必ずやってきます。

この日生まれの著名人

板垣退助（1837）　ウィリアム・ホールデン（1918）　小川宏（1926）　畑正憲（1935）
市川森一（1941）　オリビア・ハッシー（1951）　高見沢俊彦［アルフィー］（1954）
リカルド・パトレーゼ（1954）

この日生まれの大切な人
_____

Name
_____

Name
_____

111

18

れんげ草
Astragalus
花ことば・感化

マメ科
原産地：中国

　イギリスでは、この草を羊が食べると、乳がふえるといって「ミルクのスズメノエンドウ」。

　粗たんぱく質やビタミン類が多く、栄養的にもすぐれています。だから、れんげ草を食卓に。煮たり、炒めたり、酢のものにしたり、おいしいですよ。

　この花の蜜は、ミツバチの大好物。

　民間薬としても、全草を乾燥させて、利尿・解熱などに利用されている。

　そのれんげ草畑が今はなかなか見られなくなってきた。緑肥や飼料、作物としての価値が少なくなってきたからと言わ

れていますが、美しいこともあり、見直される日も近いかもしれません。

★花占い

　保守的。そして責任感の強い人。恋人を喜ばせるようなテクニックは少ないかもしれません。知的で、冷静な人というイメージがあなたにつきまとっています。愛に溺れることは少ないほう。友達をふやし、人に感化されてこそ、自分の足らないところが見えてくるでしょう。

この日生まれの著名人
ズッペ (1819)　岸田智史 (1953)　宅麻伸 (1956)
エリック・ロバーツ (1956)　小宮悦子 (1958)　長原茂樹 (1964)

この日生まれの大切な人

Name

Name

4 月

19

ひえん草
Larkspur
花ことば・清明

キンポウゲ科
原産地：ヨーロッパ

　ギリシャの英雄アイアスが、戦利品の分け前の少ないことに腹を立て、羊を剣でつきまくったといいます。落ちつきを取り戻したアイアスは、その行為を恥じ、自殺してしまいました。アイアスの流した血から、この花が咲いたという。花びらには、アイアスの名A・I・Aの模様が入っているとのこと。

　日本では、「飛燕草」。また、花びらの形から、ひばりにちなんだ名の多いのが特徴です。「ひばりのかかと」「ひばりの足指」「ひばりの爪」「ひばりの蹴爪」etc。

　ドイツでは「騎士の拍車」という名も。

★花占い

　自信と誇りにみちているあなた。文句のつけようがありません。愛する人も現われ、家庭にも恵まれ、素晴しい人生を送れるでしょう。しかし、一歩間違えると、尊大で傲慢な人と、誤解されがち。少しは謙遜の気持ちを持つようにしたい。あなたの魅力が深まります。

この日生まれの著名人
源氏鶏太(1912)　村野武憲(1945)　ダドリー・ムーア(1945)
遠藤一彦(1955)　根本りつ子(1959)　小沢なつき(1972)

この日生まれの大切な人

Name

Name

梨
Pear
花ことば・和やかな愛情

イバラ科
原産地：ヨーロッパ

エジプトの伝説です。

バイチとアスプは、仲のよい兄弟。兄と弟は、かつてバイチの妻であった裏切り者の王妃に復讐の計画をたてた。牛に変身したバイチをアスプが王妃の前へ連れていった。「私がバイチだ」と牛が囁く。王妃はその牛を殺してしまう。流れた2滴の血の跡に、一晩で2本の梨の大木が生えた。そして再び王妃に囁く。「私がバイチだ」。王妃は、その木々を切り倒した。

そのとき、梨の実の一片が王妃の口に飛び入った。そのまま王妃は身ごもってしまう。その子が大きくなり、王位につ

くと、母である王妃を処刑し、叔父であるアスプを皇太子にたてたという。

ドイツのウンステルベルグ山の古い梨の木は、萎れることで国のおわりを告げ、新しい国が出現しそうだと生気を取り戻し、実をつけるとか。

★花占い

「本当に心をなぐさめられます」と人に言われたことはありませんか。明るく、愉快な性格を持つあなた。人にやすらぎを与えるような愛情表現が得意です。今のままのあなたで、恋人に喜ばれます。自信を持ちましょう。

この日生まれの著名人
ナポレオン3世（1808）　大養毅（1855）　ミロ（1893）　辰巳柳太郎（1905）
大養道子（1921）　富永一朗（1925）　ライアン・オニール（1941）　ジェシカ・ラング（1949）
西川忠志（1968）　遠藤直人〔忍者〕（1969）　大沢樹生〔光GENJI〕（1969）

この日生まれの大切な人

Name

Name

4 月

21

やなぎ
Weeping Willow
花ことば・わが胸の悲しみ

ヤナギ科
原産地：ヨーロッパ・アジア

「好いた水仙、好かれた柳」。水仙は花の形から男を意味し、柳は美人をさしています。相思相愛をこのように表現。昔のことばはきれいですね。

柳が風にひるがえる様子は、上品な女性によくたとえられる。日本だけではないようです。たとえば、ギリシャ神話。

太陽神アポロンの二輪車からパエトンという乙女が落ちて、死んだ。妹のヘリアデスが、その死を悼み、パエトンの姿を柳に変えたといいます。柳から垂れる長い緑の枝は、パエトンの悲しい涙。

柳の木が湿気を好むのは、この涙のせいだとか。

★花占い

繊細な心の持ち主。傷つきやすい人ですね。ある程度のことは〝柳に風〟と受け流す力量が必要。そのほうが、恋愛も明るく楽しく進行するはず。

この日生まれの著名人
C・ブロンテ (*1816*) アンソニー・クイン (*1915*) エリザベス女王 (*1926*)
須藤豊 (*1937*) 輪島功一 (*1943*) 保積ぺぺ (*1958*)

この日生まれの大切な人

Name

Name

4月

22

えぞ菊
China Aster
花ことば・信ずる恋

キク科
原産地：中国

　恋占いに、適している花です。

　「好き。きらい。好き。……」と花びらをちぎる。

　「今年。来年。5年後。できない。……」と自分の結婚の時期を占う。最後の花びらは？　ドキドキする一瞬。

　秘密を教えましょうか。

　「愛してる」から始めると、結果はたいてい、うれしい「愛してる」。理由はかんたん。花びらの数は、80〜90%の確率で、奇数の場合が多いのです。

　残りの10〜20%に当たった人が「愛してない」の宣言を受ける。やっぱり、ド

キドキしてしまいますね。

★花占い

　愛の勝利は、必ずあなたのもの。その秘訣は、恋人と感情をひとつにしてしまうことです。相手の変化する心の動きにうまく対応しながら、ふたりの愛を高めていきます。小さなトラブルは後で解決すればよいのです。まずは、恋人の気持ちをつかまえてしまうこと。一途なあなただからこそ、失敗はありません。

この日生まれの著名人
フィールディング (1707)　カント (1724)　レーニン (1870)
新藤兼人 (1912)　冨田勲 (1932)　古葉竹識 (1936)　ジャック・ニコルソン (1937)
三宅一生 (1938)　メリル・ストリープ (1949)　新井春美 (1953)

この日生まれの大切な人

Name

Name

4 月

23

ききょう

Balloon-Flower

花ことば・優しい温かさ

キキョウ科
原産地：日本・中国

臈(ろう)たけた青紫の花色。

ふっくり丸みのあるつぼみが、やわらかく、しとやかに花ひらき、姿勢正しく起立している姿は、まさに楚々とした和風美人の風情です。

梅雨のころ咲くのは「五月雨桔梗」。そぼ降る雨に立ちすくむ。色っぽい花。

そのイメージにはそぐわないけれど、根っこは漬け物や山菜として意外なほどおいしいのです。薬としても役立ち、扁桃炎、せき、はれものなどに効果があるとか。

★花占い

あなたのやさしさが、周囲の人をどんなにあたためていることか。その人々の中から、変わらぬ愛をあなたにささげる素敵な恋人が現われるのです。しかし、その人を見分ける力が必要。この世の中、にせものが多いのですから。まずは人を見る目をつけましょう。

幸せをつかまえる最短距離です。

この日生まれの著名人

プロコフィエフ(*1891*)　中村嘉葎雄(*1938*)　リー・メジャース(*1940*)
河島英五(*1952*)　国広富之(*1953*)　日蔭温子(*1954*)　平野文(*1955*)
叶和貴子(*1956*)　前田亘輝〔ＴＵＢＥ〕(*1965*)

この日生まれの大切な人

Name

Name

4 月

24

紋天竺あおい(ゼラニウム)

Geranium

花ことば・決心

フウロソウ科
原産地：南アフリカ

ヨーロッパやアメリカでは、垣根や道ばたなど、どこにでもこのゼラニウムを見かけます。ベランダを彩る花として、世界的に人気があるといえるでしょう。

ギリシャ語では「コウノトリのクチバシ」。果実が、そう見えるからだとか。

日本名の「紋」は、葉っぱに輪のような紋が見えるから。「天竺」は外国から渡来した珍しい植物に、ついつけてしまったようで、別にインド産でもなんでもありません。「あおい」科の植物でもない。これも、あの徳川家の御紋「あおい」に似てるからついたようです。

江戸時代、オランダ船で運ばれてきました。

★花占い

決定するまで、とにかく慎重に考える人。いやになるほど考えた末、やっと決心するタイプです。真剣なだけに、その決定に間違いはありませんが、手遅れになってしまうという悲劇も。誰かを好きになった時くらい、軽率になってみたら。

この日生まれの著名人

ハロルド・ロイド(1893)　シャーリー・マクレーン(1934)　バーブラ・ストライサンド(1942)
つかこうへい(1948)　ジャン・ポール・ゴルチエ(1952)　海和俊宏(1955)
山咲千里(1962)　大鶴義丹(1968)

この日生まれの大切な人

Name

Name

4月

(25)

ばいも
Fritillaria Thunbergii
花ことば・威厳

ユリ科
原産地：中国・ヨーロッパ

中国大陸に野生する多年草で、漢字では「貝母（ばいも）」日本には、江戸時代享保年間に中国から渡来しました。別名「母栗」。神秘的な黒百合と、同じ属の不思議な形の花です。

この植物の鱗茎と葉っぱが、内と外に重なりあって、貝殻を合わせたような形をしてる。日本では、その合わせた形が栗に似てると思われたのでしょう。

漢方薬として、この「ばいも」はけっこう有名なのです。咳を鎮めたり、痰を取り去り、熱をさます……など風邪薬の実力派。

★花占い

頼れるのは自分だけ。自立心旺盛な人。自信のあるのはよいのですが、度を越して、誇大妄想的になってしまったら、成功はおぼつきません。あなたに似合うのはさわやかな恋。激しすぎる恋は、あなたには少し危険かもしれません。

この日生まれの著名人

O・クロムウェル (1599)　エラ・フィッツジェラルド (1918)
西本幸雄 (1920)　三浦綾子 (1922)　アル・パチーノ (1940)　タリア・シャイア (1946)
坂東玉三郎 (1950)　鳥羽一郎 (1952)　ＲＹＯ・Ｊ〔米米クラブ〕(1959)　児島未散 (1967)

この日生まれの大切な人

Name

Name

119

みずたがらし
Cardamine lyrata
花ことば・燃える愛情

キンポウゲ科
原産地：ヨーロッパ

この草をかむと口がひりひりするので、「辛し」とついたという説と、田んぼの中にはびこって稲を枯らすので「田枯し」とする説があります。後者のほうが、無理がないかもしれません。

水田や湿地に、ごく普通に生えてます。花は「キツネノボタン」に似ているけど、それより少し小さく、茎が太いのですぐわかる。

イギリスでは「キングカップ」、フランスでは「サカズキそっくり」どちらも花の形からの連想なのでしょう。

キンポウゲ科には、プロトアネモニンという刺激性の毒が含まれている。皮膚がただれるほど強力。そのため「牛殺し」「冷笑の草」などマイナーな別名で呼んでいる国もあります。

★花占い

好奇心が強く、勉強家。不屈の精神で何事にもチャレンジする人です。ただし決断するのに少し時間がかかるほう。

心は熱く燃えているのに、決断が遅かったため、恋を取りにがす傾向が。だれかを好きになったときくらい、素直になったほうがよいですよ。愛することに勉強などいらないのです。

この生まれの著名人

マルクス・アウレリウス (121)　シェークスピア (1564)　ヒューム (1711)　ドラクロア (1798)
ルー・テーズ (1916)　井筒親方 (1929)　フランシス・レイ (1932)　佐藤孝信 (1948)
風間杜夫 (1949)　大橋純子 (1952)　栗山英樹 (1961)　河口純之助〔ブルーハーツ〕(1961)　中西清起 (1962)

この日生まれの大切な人

Name _____

Name _____

4月

27

すいれん
Water Lily
花ことば・清純な心

スイレン科
原産地：ヨーロッパ・アジア

エジプトでは「ナイルの花嫁」。残された古代の壁画を見てみると、この花がさまざまに登場するのにびっくり。酒宴のときの花冠、女性のアクセサリー、祭壇の飾りつけ。太陽神に関係の深い花なので、葬式の花にもなっています。

朝早く、雪のような花びらを開き、夕方、眠るように閉じてしまう、その神秘。「睡蓮」と書かれることもあるようですが、これもまたぴったりくるようですね。

その他「水の百合」「池の百合」「白鳥の花」「妖精の花」「海のばら」どの名をとっても、妖しいほど美しい響き。

「ひつじ草」と日本で呼ばれるのは、ちょうど未の刻にぽっかりと花開くので、この名に。

★花占い

気立てがよく、きれいな水のように美しい心のあなた。幸運の星のもとに生まれてきた人です。多少の苦労は待ちうけていますが、それも自分自身を磨く試練のようなもの。さらりとクリアすれば、素晴しい人生が待っています。

この日生まれの著名人

モールス（*1791*）　U・グラント（*1822*）　アヌーク・エーメ（*1934*）　ジョージ秋山（*1943*）
マイク真木（*1944*）　柴俊夫（*1947*）　加藤昌也（*1963*）　吉村禎章（*1963*）
松野朋美（*1968*）　間下このみ（*1978*）

この日生まれの大切な人

Name

Name

4 月

(28)

さくら草(赤)
Primrose
花ことば・顧みられない美

サクラソウ科
原産地：ヨーロッパ・アジア

　ふつうは5枚の花びら。

　もしも花びらが6枚ある「さくら草」を見つけたとしたら、近いうちに恋人が現われるはず。そんな言い伝えが、ヨーロッパに今も残っています。

　文学的には、悲哀をあらわす花とされてる。シェークスピアの「冬の物語」に出てくる「さくら草」は、嫁入りしないで死んでしまう処女の悲劇を表現しています。なぜかといえば――。

　咲き始めるのは早春。それもまだ冬に近いころ。しかも夏になる前に枯れてしまう。虫もあらわれず、実も結ばないところから、このような連想が生まれたのではないでしょうか。

★花占い

　人に影響されることなく、思ったことを着実に成し遂げていく人。独力でなんでもできてしまうのです。その分、人まえで長所を発揮する場面があまりありません。「あなたにこんな能力があったとは！」とあとで驚かれたりするタイプです。あなたの恋人も、結婚してから、あなたの隠れた美点をたくさん発見することでしょう。

この日生まれの著名人
島津斉彬 (1809)　佐伯祐三 (1898)　アン・マーグレット (1941)
竹本孝之 (1965)　生稲晃子 (1968)　松下里美 (1972)

この日生まれの大切な人

Name

Name

4月

29

つばき
Camellia
花ことば・魅力

ツバキ科
原産地：日本

　小デュマの小説「椿姫」。高級娼婦マルグリットと青年アルマンの悲しい恋物語。社交界の花、マルグリットは、いつも椿を身につけているので「椿姫」と呼ばれています。ある日、純真な青年アルマンと出会い、真実の恋にめざめる。しかし、アルマンの父に、身をひいてほしいと頼まれ、マルグリットはアルマンを裏切ったふりをする。怒りに震え、去っていくアルマン。事実を知ったアルマンが戻ってきたとき、彼女はすでにこの世を去っていた。

　小説が発表されて5年後、作曲家ヴェルディがオペラに仕立てたこともあり、この物語は世界的に有名になりました。それ以来、カメリアには「罪を犯す女」「ぜいたくでおしゃれな商売女」の意味が託されるようになったとか。

　日本でも、花が首からポトリと落ちる様子を、縁起が悪いときらう人がいます。

★花占い

　いつも誠実で明るいあなた。異性から見ても充分魅力的です。でも、時として優越感をひけらかしてしまう悪い癖が。恋人の前でいいかっこうしたりすると、せっかくの魅力も半減してしまいます。

この日生まれの著名人

デューク・エリントン(1899)　昭和天皇(1901)　中原中也(1907)　安倍晋太郎(1924)
岸田今日子(1930)　宝田明(1934)　田中裕子(1955)　ダニエル・デイ・ルイス(1957)
ミシェル・ファイファー(1958)　和由布子(1959)　アンドレ・アガシ(1970)　相川恵里(1972)

この日生まれの大切な人

Name

Name

きんぐさり
Golden-Chain
花ことば・淋しい美しさ

マメ科
原産地：南ヨーロッパ

黄色の花が房のように垂れている。別名「きばなふじ」。その名のとおり、黄金の鎖のように華やかなので、復活祭の飾りつけにもよく使われます。

この花を形容して「太陽が沈みゆくような美しさ」と言った人がいる。

ただの美しさではなく、どこかに淋しさ、もの悲しさが漂う。見る人をセンチメンタルな気分に誘う花。

日本では、ほとんど見かけないけれど、イギリスなどでは、代表的な春の花として、庭園などあちこちに植えられています。

★花占い

知的なセンスを持ち、クールで行動的な人。理知的なタイプです。見ためより、甘えたがりや。自分を本当に理解してくれる人を求める愛の放浪者といえるでしょう。ところが、隙がない人だけに、相手は今一歩踏みこむことができないのです。「すてきだけど手の出ない人」と思われてる。もっと本音を出しましょう。

この日生まれの著名人
メアリー2世（1662）　ガウス（1777）　レハール（1870）
ウィリー・ネルソン（1933）　ジル・クレーバーグ（1944）　沖直美（1959）

この日生まれの大切な人

Name

Name

①

さくら草(カウスリップ)
Cowslip
花ことば・若い時代と悲しみ

サクラソウ科
原産地：ヨーロッパ

　黄色の陽気な花。フランス、ドイツでは「さくら草」ですが、日本では、仏塔の九輪に似ていることから「きばなのくりんざくら」との名称も。

　英名は「牝牛のくちびる」。イギリスの詩など読んでいると、この花は、牛が糞をしたあたりに咲くので「COW-SLOPPE (牝牛の糞)」という呼び名さえつけられている。

　名前のイメージとはちがい、新鮮な香りのする美しい花。ヨーロッパでは、サラダの飾りつけなどにもよく登場し、食卓をにぎわしているという。それにして

も、あんまりな名前。それだけ親しみを感じているということでしょう。

★花占い

　若いころは、愛の別れに悲しまなければならない人。その胸の痛みに耐えてこそ、これから出会う恋人と本当に愛し合えるのです。お互い別の環境で育ってきているのですから、くいちがうこともある。幸福とは、その苦しみを乗りこえ、ふたりが心を合わせたとき、やってくるのです。

この日生まれの著名人
円山応挙(1733)　ウェリントン(1769)　グレン・フォード(1916)
北杜夫(1927)　阿木燿子(1945)　雉子牟田明子(1968)

この日生まれの大切な人

Name

Name

きんぽうげ
Butter Cup
花ことば・子供らしさ

キンポウゲ科
原産地：ヨーロッパ・アジア

　世界中に広がっている、きんぽうげの親戚たち。ちょっとご紹介しましょうか。

「はいきんぽうげ」は北半球。日本では東北より北。

「おおうまのあしがた」は、日本では関東より西。そして台湾まで。

「みやまきんぽうげ」は、ひっそりと高山に住む。

「きただけきんぽうげ」は、南アルプスに華やぎを加えている。そして北岳にも。

「やつがたけきんぽうげ」は、その名のとおり、八ヶ岳の主。

「くもまきんぽうげ」は、北極で、りんと咲く。そして高山。雲の間から顔を出している。

「いときんぽうげ」は、北半球の亜寒帯。

「きんぽうげ」は、北半球の花。

★花占い

　淡白な、魅力に富んでいる人。愛情運は安定しており、収入面でも確実に上昇傾向にあります。かげひなたのないあなたの態度は、異性を充分ひきつけます。ただし、あきっぽい性格の恋人につかまると、逆に利用され、世間を騒がすような恋愛問題に巻きこまれる可能性が。

　それもいいけど…。

この日生まれの著名人
エカテリーナ2世 *(1729)*　ビング・クロスビー *(1901)*　なべおさみ *(1939)*
鮎川誠〔シーナ＆ロケッツ〕*(1948)*　夏木マリ *(1952)*　秋元康 *(1956)*　関口誠人 *(1959)*

この日生まれの大切な人

Name

Name

5月

3

たんぽぽ
Dandelion
花ことば・思わせぶり

キク科
原産地：アジア

　葉っぱのギザギザが、ライオンの歯に似てる。だから、「ダンデライオン（ライオンの歯）」ですって。

　風に散る寸前のたんぽぽの綿毛を手にとって、「良い」「悪い」……と繰り返しながら、最後の1本のことばで決断する……そんな占いに真剣になれた時代もあったらしい。

　身近なだけに、子供のおもちゃ、腕時計やかんざし、風車……遊び方はいろいろあります。

　薬用効果があり、利尿剤やら健胃作用によく使われたといいます。サラダやお

ひたしとして、生のままでも食べられます。

★花占い

　頭脳明析なあなた。ものごとをむずかしく考えるため、ときとして、大きなチャンスを見逃しがちなところがあります。推理小説など、謎を解くのが大好きですね。軽い気持ちで、広く交際することによって、幸福の信号を見つけられるでしょう。その信号こそ、愛のシグナル。

この日生まれの著名人
マキアヴェリ(1934)　ジェームズ・ブラウン(1934)　橋幸夫(1943)
岩井友見(1951)　三宅裕司(1951)　松尾伴内(1963)　野村宏伸(1965)　リカちゃん

この日生まれの大切な人
_____
Name
_____
Name
_____

いちご
Strawberry
花ことば・尊重と愛情

バラ科
原産地：南アメリカ

北欧神話の女神フリッカに捧げられていた果実。

キリスト教の時代になってからは、聖母マリアに捧げられました。

マリアは、いちごが大好き。生えているいちごは、全部自分のものと思っていた。だから、もし、天国の門を訪れた人間が、いちごの汁などを口もとにつけたままだと、いちご畑のどろぼうと思われ、地獄へ投げ落とされるのだとか。

天国に召された子供たちが、地上に戻る時は、いちごに姿を変えているという……。

★花占い

流れに身をまかせたまま、人生を過ごしてはいけません。恋に酔うのはいいけれど、それだけでは時間のムダ。人格的にもすぐれているのですから、自信を持って行動しましょう。人は、そんなあなたを尊敬します。あなたには育ちのよさがあります。愛する人を得ることで、いっそう魅力がひきたつはず。

この日生まれの著名人
笹川良一（1899）　森繁久彌（1913）　スタルヒン（1916）　田中角栄（1918）
オードリー・ヘップバーン（1929）　溝口和洋（1962）　菊池桃子（1968）

この日生まれの大切な人
_____
Name
_____
Name
_____

すずらん
Maylily
花ことば・繊細

ユリ科
原産地：ヨーロッパ・アジア

恋人に捧げる花。パリの風習では、5月1日にこの花を人に贈ると、幸福が訪れるといいます。結婚式では、花嫁に贈る花。春の女神オスタラが、すずらんの守護神です。別名「聖母の涙」。

すずらんは、香水でも有名。聖なる香りと言われ、恋しい人にふりかけると、自分になびいてくれるという、うれしい言い伝えも。

こんなかわいい花なのに、毒をもつというのが意外。強心作用が強く、血液の凝固作用があり、その成分を多く口にすると、心不全で死んでしまうとか。

★花占い

自己表現に自信がない人ですね。内気な自分にいや気がさして、投げやりになることもあるでしょう。しかしあなたは繊細なだけではありません。本質的に、大胆なところがあります。信念をもって行動すれば、山ほどの幸福が訪れるでしょう。愛の獲得は、大胆さから始まるのです。

この日生まれの著名人
小林一茶 (1763) 高野長英 (1804) キルケゴール (1813) カール・マルクス (1818)
金田一京助 (1822) タイロン・パワー (1913) 地井武男 (1942) デイブ・スペクター (1954)
工藤公康 (1963) 森川美穂 (1968) 忍者ハットリ君

この日生まれの大切な人

Name

Name

あらせいとう
Stock
花ことば・永遠の美

アブラナ科
原産地：ヨーロッパ

　ローマ神話に、ストックのエピソードがあります。

　その昔、ある美しい姉妹が、競技の勝利者にささげる花冠や、祭壇の花飾りを作っていたのだそうです。ふたりは、心のやさしい兄弟と知り合い、二組の美しい恋人たちとなりました。ところが、横恋慕した悪人たちが、よってたかって兄弟を殺してしまいます。姉妹は悲しみに耐えきれず、後を追って自殺しました。プリヤップの神が二人をいとおしみ、娘たちの魂を黄色い花に宿らせた。それが、ストック。

★花占い

　逆境も明るくはねとばす強い人。淋しさを知っているからこそ、そんなに強くなれたのです。あなたのやさしさは、周囲の人の尊敬を勝ち得ています。今のままで、充分ステキ。

この日生まれの著名人
フロイト (1856) 井上靖 (1907) オーソン・ウェルズ (1915) コロンビア・トップ (1922)
白木みのる (1934) 林海峰 (1942) 中野良子 (1950) 荒木大輔 (1964)

この日生まれの大切な人

Name

Name

いちご(葉)
Strawberry
花ことば・愛と尊敬

バラ科
原産地：南アメリカ

いちごはおいしい。誰でも大好き。

ところが、その昔、ヨーロッパでは、果実を食べる習慣はなかったとか。花を見るため、作られていたのです。

日本へは、江戸時代に渡来しました。当時は「木苺」と区別するため「オランダいちご」「西洋いちご」と呼ばれていました。

いちごの果実は、初めのうち緑で固い。熟すと赤く、やわらかになる。そして、あの甘さ。恋人ともそうなりたいという思いが高じてか、恋の神に捧げられたという話もあります。

★花占い

なんとなく貴族的な雰囲気のある人。周囲からチヤホヤされやすく、受身の人生を送ることに。知的レベルも高く、教養もありますが、本質的に消極的です。あなたに積極性が加われば、どんな望みも思いのまま。愛する人もあなたに尊敬のまなざしをおくることでしょう。

この日生まれの著名人
本居宣長 (1730) ブラウニング (1812) ブラームス (1833) チャイコフスキー (1840)
ゲーリー・クーパー (1901) 萩本欽一 (1941) ジャニス・イアン (1950)

この日生まれの大切な人

Name

Name

5 月

8

すいれん
Water Lily
花ことば・清純な心

スイレン科
原産地：ヨーロッパ・アジア

　ドイツの伝説。

　人気のない静まり返った気味悪い沼には、水の魔物に守られて、水の精が住んでるといいます。人が近づくと、水蓮に化け、通り過ぎると、元の妖精の姿にもどる。水蓮を手折ろう（たお）とする者は、水魔によって溺死させられるか、長い茎に惑わされ、水中にひきこまれてしまうとか。気分を節制する力があると思われてきた花。浮気女の情熱を消す。また、水蓮を身につけていれば、媚薬を盛られても効かないそうです。

　見ているだけで、頭痛やめまいが治る

など、この花はかなり信頼されている。白い水蓮に潜む魔力のせいでしょうか。

★花占い

　純粋。素直が、あなたのキーワード。横道に誘い込もうとする人がいっぱいいるので、気をつけて。あなたの明るさがうらやましいのです。自分を正しく見つめ、人に惑わされないことです。

この日生まれの大切な人

Name

Name

5月

9

やえざくら

Prunus

花ことば・しとやか

バラ科
原産地：日本

　京都御所のサトザクラ、平安神宮のベニシダレ、どちらもみごとな八重桜です。

　上高地には、こんな伝説が残ってる。

　昔、若い狩人が、獲物のうさぎを求めて、山奥深く迷いこんでしまいました。必死で歩き回っていると、突然、爛漫と咲いた桜の花が現われたのです。

　木の下には美しい娘が立っていて「帰る道を教えてあげます。そのかわり願いを聞いて」とささやきました。それは、甘美な響きでした。女は帰り道を教えると、すーっと消えていきました。「明日、必ず会いに来て」のことばを残して。

　若者は夢うつつの有頂天。だけども、ふっと我に返ると、恐怖にぞっとしたのです。約束は守りませんでした。

　若者は村から消えました。そして数日後、散りゆく桜の花びらに埋もれ、死んでいたということです。

★花占い

　ためらいがちに語るあなたは、淋しげな印象。愛に臆病で何も知らないように見えるので、異性からは人気があります。ただひとりの人を待っているのですね。あなたのその忍耐強さが、幸福の扉をひらきます。

この日生まれの著名人
J・M・バリー(*1860*) 森光子(*1920*) 松岡直也(*1937*)
キャンディス・バーゲン(*1946*) ビリー・ジョエル(*1951*) 掛布雅之(*1955*) 小高恵美(*1972*)

この日生まれの大切な人

Name

Name

133

5月

花しょうぶ
Flag Iris
花ことば・優雅な心

アヤメ科
原産地：日本・ヨーロッパ

「菖蒲狩り」は梅雨の風流のひとつ。日本では500年以上も前から、菖蒲を栽培していました。「江戸菖蒲」「肥後菖蒲」「伊勢菖蒲」の種類があります。花姿のあでやかさは、甲乙つけがたいといえるでしょう。

「Iris」の語源は、ギリシャ神話の虹の女神イリスから来ています。イリスは神々の使者。虹は、彼女が天と地を往復するためのかけ橋です。この花の色が、虹のように色数豊富なことから、連想されたのかもしれません。

「アイリスの葉は剣、ユリは騎士の花」

と言われるように、そのキリリとした容姿から、「騎士の花」とも呼ばれています。

★花占い

高貴でしとやかな、本来のあなたらしさを、引き出す努力が必要です。眠っている素質をひき出すことで、幸福の女神がやってくるのです。気品は、あとから身につくものではありません。生まれつき持っていることを喜んで下さい。

この日生まれの著名人
フレッド・アステア(1899) 橋田壽賀子(1925) 扇千景(1933) 山口洋子(1937)
高橋伴明(1947) 山口果林(1947) シド・ヴィシャス(1957) 小松辰雄(1959)

この日生まれの大切な人

Name

Name

りんご
Apple
花ことば・誘惑

バラ科
原産地：ヨーロッパ・アジア

りんごのおまじない。こんなにたくさんあるって、知ってました？

その1です。

りんごの皮をむき、その皮を投げる。落ちたりんごのむき皮の形が、結婚する相手の頭文字を表わします。

その2。

りんごの種を数粒用意。ひとつひとつに恋人候補者の名を書き込みます。自分のおでこに貼りつけて、一番長く貼りついてた種はどーれだ。そこに書いてあるのが、あなたの結婚相手。

その3。

水をはったボウルに、りんごと銀貨を入れておきます。そのどちらかをくちびるで取りあげた人が、幸運に恵まれる。

そして、その4。

ローソクに火をつけて部屋に入り、鏡のまえに座ってりんごを食べると、未来のフィアンセが肩ごしに鏡に映るとか。

★花占い

自分を信じて待ちましょう。あなたの心をいちばん動かしているのは、だれ？その人はあなたを本当に愛しています。愛されて過ごすことで、あなたは最高の能力を発揮できるようになるでしょう。

この日生まれの著名人

ユスティニアヌス I 世（483）ダリ（1904）山東昭子（1942）泉谷しげる（1948）
新浦寿夫（1951）高橋洋子（1953）マリ・クリスチーヌ（1954）久保田早紀（1958）
松尾貴史（1960）浜田雅功〔ダウンタウン〕（1963）

この日生まれの大切な人

Name

Name

5月

ライラック
Lilac
花ことば・愛の芽生え

モクセイ科
原産地：ペルシャ

　フランス語では、Lilas(リラ)。フランス映画「リラの門」は、プー太郎してる中年男の、切ない恋のお話でした。

　別名「王子の羽根」。

　冷たく乾燥している土地に適し、北の花として有名。日本では、北海道のライラック畑に止めを刺す。札幌の花。甘い香り漂うライラック祭は、毎年6月上旬頃、市民をあげて祝われます。

　「リラの花咲く頃」は、一年中でも最高の気候をさしていることば。

★花占い

　愛のない人生なんて、あなたには考えられません。運命的な出会いに胸をときめかせたことが、すでに何回かありますね。常日頃は、礼儀正しいあなた。でも、愛してしまったら、謙遜などもういりません。本来の自分自身を、ありのままに表現しましょう。そうすれば、うまくいきます。

この日生まれの著名人

ナイチンゲール (1820) フォーレ (1845) 武者小路実篤 (1885)
草野心平 (1903) バート・バカラック (1928) 川津祐介 (1935) 萩尾望都 (1949)
西川のりお (1951) 秋川リサ (1952) 風吹ジュン (1952) 余貴美子 (1956) EPO (1960) 渡辺徹 (1961)

この日生まれの大切な人

Name

Name

さんざし
Hawthorn
花ことば・唯一の恋

バラ科
原産地：アジア

さんざしは 5 月の花。雷よけ、嵐よけ、魔女よけに効くといわれています。

キリストが処刑されたとき、その冠はさんざしの枝で作られていたとか。そのため、「聖なる木」とされてる。何世紀も枯れていたのが、あるとき花ざかりとなり、葉を茂らせる。そんな伝説が数多く存在します。

天帝ゼウスの妻ヘラーは、軍人の神アレースと青春の女神ヘーパーの子。ただし、その橋わたしとなったのが、さんざしで、ヘーパーは処女のまま受胎したという。

日本に渡来したのは、江戸時代。八代将軍吉宗のころ。薬用植物として、朝鮮から取りよせたとのこと。食中毒に効き、胃腸を整える働きがあるそうです。

★花占い

すべての感性がぴたっと一致する人。あなたの求めているのは、そんな恋人です。条件なんか気にしないほう。実力派のあなた、成功をひたすら待つなんて、似合いませんよ。恋のしかけ人は、あなた自身です。

この日生まれの著名人
マリア・テレジア (1717) A・ドーデ (1840) 笠智衆 (1904) 由利徹 (1921)
中村メイコ (1934) スティービー・ワンダー (1950) ピーター・ガブリエル (1950)

この日生まれの大切な人

Name

Name

5 月

(14)

おだまき
Columbine
花ことば・勝利の誓い

キンポウゲ科
原産地：ヨーロッパ

「Columbine」とは、ラテン語で「鳩のような」。花の形が似ているといわれます。昔は「ライオン草」とも呼ばれました。ライオンがこの葉を好きで、だからあんなに強いのだという話。また、葉っぱのギザギザが、ライオンの歯に似ているという説もあります。

日本では、「苧環（おだまき）」。紡いだ麻糸を巻いて玉のようにしたものを、こう呼びますが、形が似ているのでしょう。

アメリカでは尊重されている花で、コロラド州の州花ともなっています。

★花占い

あなたの辞書には「敗退」も「失恋」もないのです。ただ、勝利あるのみの人生。しかしそのために、人知れない苦労をしてる。人の5倍も10倍も努力しているのですね。そんなあなただから、未来は輝かしいのです。今の調子で、勝利へ向けて、一歩一歩進んで下さい。

この日生まれの著名人
北条時頼 (1227) ゲーンズボロ (1727) オーウェン (1771)
斉藤茂吉 (1882) ジョージ・ルーカス (1944) デビッド・バーン (1952)
古尾谷雅人 (1957) ダニー・ウッド〔New Kids On The Block〕(1969)

この日生まれの大切な人

Name

Name

5 月

15

忘れな草
Forget-Me-Not
花ことば・真実の愛

ムラサキ科
原産地：ヨーロッパ

14世紀、ヘンリー4世が、自らの紋章として選んだ花。この花を身につけていると、恋人から決して忘れられないという言い伝えがあります。

「私を忘れないで」というロマンティックな名前。それだけに、この花に関する伝説は、ドイツ、イタリア、イギリス、ペルシャなど世界中に伝わっているとか。人々の想像力を刺激する花なのでしょう。

もうひとつの呼び名は「さそり草」。

花の形が、さそりの尾の形とよく似ているので連想されました。さそりの毒を消す植物と、信じられていたそうです。

★花占い

愛し、愛され、燃えつきる──そんな情熱的な愛を待っているのですね。あなたの理想とする人は、なかなか現われません。待っているだけではだめ。もっと自分をアピールしましょう。あなたには早婚が似合っています。でないと自分を「暗い運命」と思いこみ、落ちこんでしまうでしょう。

この日生まれの著名人
シュニッツラー(1862) 市川房枝(1893) 大竹省二(1920) 瀬戸内寂聴(1922)
伊丹十三(1933) 美輪明宏(1935) ミレーユ・ダルク(1938) 美川憲一(1946)
江夏豊(1948) 長谷直美(1956) 大森うたえもん(1959)

この日生まれの大切な人

Name

Name

5月

16

柳たんぽぽ
Hieracium
花ことば・宣言

キク科
原産地：北半球

たんぽぽそっくりの花。そして葉っぱが柳に似ているところから、この名がつきました。

高原の日当たりよく、やや湿った土地に咲く多年草。

絵筆のようにまっすぐ立つ様子がきれいなので「えふでたんぽぽ」とも呼ばれます。アメリカでは「女神の絵筆」。発想は同じですね。

とにかく、よく増える。あまり増えすぎるので、日本ではきらわれているかもしれません。

★花占い

鋭敏な観察力のある人。すぐ人を判断してしまいます。目に見える部分に関しては、あなたの考えたとおりです。でも目に見えない部分は、そうかんたんにわりきれるものではありません。人の心は複雑なのですから。そのへんを考慮することができるようになれば、あなたの人格はいっそうみがかれることに。だれがすてきな恋人になるか、見ぬけるようにもなります。

この日生まれの著名人
ヒューズ(1831) ヘンリー・フォンダ(1905) 佐々木功(1942) 北の湖敏方(1953)
デブラ・ウィンガー(1955) トレイシー・ハイド(1958) ジャネット・ジャクソン(1966)

この日生まれの大切な人

Name

Name

5月

17

チューリップ(黄)
Tulipa
花ことば・愛の表示

ユリ科
原産地：ヨーロッパ

チューリップはトルコから始まる。栽培されたのは16世紀初めごろです。トルコ語で「トルバー」。あの頭に巻く布、ターバンをさします。花の形がなんとなく似ているからでしょう。

ヨーロッパに渡ったのは、同じ世紀の中頃との記録があります。熱狂的に迎えられ、それ以来、花の女王となりました。

オランダのチューリップ産業を築いたのは、C・クルミウス。ライデン大学の植物学教授です。

400年にもわたるチューリップの歴史。珍種もいろいろあり、中には1株3〜500万円もする高価なものもあったとか。

★花占い

相手を恋におとしいれて、知らん顔する人の悪いところがあります。あなた自身、そんな自分に気づいてないようですね。あなたに恋した人は不幸。浮気な人ともとられかねません。もう少し態度に気をつけないと、あなた自身がほれこんだ人からも、いい加減なヤツだと誤解されます。

この日生まれの著名人
ジェンナー(1749) バルビュス(1873) ホメイニ(1900) ジャン・ギャバン(1904)
松尾和子(1935) デニス・ホッパー(1936) 島田陽子(1953) 城之内早苗(1968)
ジョーダン・ナイト〔New Kids On The Block〕(1970)

この日生まれの大切な人

Name

Name

さくら草(オックスリップ)
Oxlip
花ことば・初恋

サクラソウ科
原産地：南ヨーロッパ

　さくら草のMAGICたち。
A 小さな切り傷をつけたとき、この花を
あてがうと、もう手当ては不要。きれい
に治ってしまいます。
B さくら草を煎じて飲むと、不眠症にか
からない。
C 花びらを乾燥させて、お茶として5日
目に飲む。精神病が治ります。
D 記憶喪失にきく。
E 脳を活発にする。
　どれひとつとっても、人間に有益な植
物といえる。ところが、アメリカから有
毒だという報告が。温室のさくら草が悪

いガスを発散して、顔や手に発疹ができ
たという話です。油断は禁物ということ
でしょう。

★花占い
　愛の世界をかいま見る鍵は、初恋でし
たね。でも、その扉はまだ半分しかあい
てない。まだ、そのあたりで迷っている
のでしょう。せっかく人から好かれるタ
イプなのに、愛に関しては内気。さあ、
決心して。その気になれば、アクティブ
になれる人だから。すばらしい世界があ
なたを待ちわびています。

この日生まれの著名人
ペリー・コモ *(1912)* ピエール・バルマン *(1914)* 寺尾聰 *(1947)*
リック・ウェイクマン *(1949)* 東尾修 *(1950)* カルメンマキ *(1951)*
チョウ・ユンファ *(1954)* 尾崎直道 *(1956)* 飯島真理 *(1963)*　槇原敬之 *(1969)*

この日生まれの大切な人

Name

Name

はくさんちどり
Aristata
花ことば・美点の持主

ラン科
原産地：ヨーロッパ・アジア

　蘭の花は美しいけれど、そのわりによいエピソードがありません。たとえば、こんな話です。

　神サンチェロスと妖精の間に生まれたオルキス。わがままな上、父親ゆずりの好色男です。酒を飲んでは、体のほてりをもて余して騒ぐので、周囲から厄介者扱いされてきました。バッカスの祝祭日、とうとう一人の女司祭に挑みかかり、みんなに取りおさえられて、バラバラに殺されてしまいました。父サンチェロスは、いくらなんでもひどすぎると、神に祈った。神は、死刑は当然でも、バラバラはかわいそうだったとして、「オルキス（蘭）」という花に姿を変えたのだといいます。

　しかし、花になっても、オルキスの性格は治らず、その根を食べると淫乱粗暴な状態になると伝えられている……。

★花占い

　天性、人に愛される雰囲気を持っています。それはあなたが、見えないところで努力をつんでいるから。これからも今のままでいて。怠け心は、破滅のもとです。

この日生まれの著名人
フィヒテ(1762) 西田幾多郎(1870) ホーチミン(1890) ポル・ポト(1928)
ジェームズ・フォックス(1939) 松浦宏明(1966)

この日生まれの大切な人

Name

Name

かたばみ
Wood Sorrel
花ことば・輝く心

カタバミ科
原産地：南アフリカ

もっともありふれた雑草。

「酸いものぐさ」の別名があるとおり、葉と茎に蓚酸を含むので、酸味のある植物です。ギリシャ語の学名「オキサリス」もすっぱいという意味。

南ヨーロッパでは、「ハレルヤ」と呼ばれる。毎年、復活祭の坂にこの花が咲くからだとか。フランスでは、カッコウが現われる頃に実をつけるので、「カッコウのパン」と名づけられている。

いつの間にか、家のベランダの鉢の中にちょこんと生えているかたばみ。私たちの最も身近な自然——それはかたばみなのかもしれません。

★花占い

生涯を共にする伴侶と出会う——そんなとき、あなたの心はいちばん輝いているものなのです。

喜びを得るためには、輝いてなくてはいけません。そして素直に心から、「一生あなたのそばを離れません」と言わなくてはならないのです。もし、そのことばが出てこないとしたら、まだ心がくもっている証拠。邪心を捨てて、自分を見つめて。

この日生まれの著名人
バルザック(1799) ジェームズ・スチュワート(1908) 猪谷千春(1931) 王貞治(1940)
シェール(1946) 真理アンヌ(1948) ラルフ・ブライアント(1961) 高橋一也〔男闘呼組〕(1969)

この日生まれの大切な人

Name

Name

21

ひえん草(淡紅花)
Larkspur
花ことば・自由

キンポウゲ科
原産地：ヨーロッパ

　昔、ギリシャのエリシタン海岸に、オルトープスという若者がいました。心やさしく、正義感の強い男。魚を釣るのが好きで、暇を見つけては、海に釣り糸を垂らしていたそうです。ある日、巨岩から足をすべらし、海に落ちた。助けてくれたのが、イルカ。それからというもの若者とイルカはすっかり気持ちが通じあい、毎日のように海辺でたわむれあいました。そんな時、漁師たちが、イルカを一網打尽にしようと相談をはじめたのです。若者はイルカたちをはるか海洋まで逃がしました。そして漁師たちに殺され、

彼の死体は海に投げ捨てられたのです。

　イルカたちは深く悲しみ、若者の魂が花に宿るよう神に訴えました。神はその友情を喜び、若者をひえん草の花に変えたのだといいます。

　この花の学名を、ギリシャ語で「イルカ」といいます。

★花占い

　いやなことがあっても、くよくよしない性格。深く考えないで自由に生きるのが宿命です。でも、愛する人が現れたら、今までのような八方美人はやめましょう。浮気者とあきれられます。

　　　　　この日生まれの著名人
デューラー(1471) アンリ・ルソー(1844) 北林谷栄(1911) サハロフ(1921)
中村泰士(1939) 松山政路(1947) 原田貴和子(1965) 岡本健一〔男闘呼組〕(1969)

この日生まれの大切な人

Name

Name

つりうき草(フクシャ)
Ear Drops
花ことば・熱烈な心

アカバナ科
原産地：南アメリカ

魚釣りの浮子のように垂れさがって咲くことから「釣浮草」と名づけられました。そのつぼみが、ひょうたんに似ているところから「瓢箪草」とも呼ばれます。

冬の寒さには強いけれど、夏の暑さに弱く、日本ではすぐ枯れてしまう。

冬あたたかく、夏涼しいという条件を満たす地方では、10m以上の大木になることもあるらしい。カリフォルニア州の北部などには、熱狂的なファンが多く、つりうき草愛好会なども盛んに活動しているとか。吊り鉢栽培にも向いている。窓辺やベランダに、よく飾られています。

★花占い

趣味を数多く持っているか、何かに打ちこんでしまっているか、どちらかでしょう。忙しくても、何とか時間を見つけてしまう人です。愛にも熱狂的になるタイプ。見つけた恋を神聖なものと大切にし、迷わずのめり込む人です。

この日生まれの著名人
ワーグナー(1813) コナン・ドイル(1857) 坪内逍遙(1859) ローレンス・オリビエ(1907)
シャルル・アズナブール(1924) 佐野洋(1928) 江田五月(1941) 中村吉右衛門(1944) 大竹まこと(1949)
森末慎二(1957) 栃乃和歌(1962) 嶋大輔(1964) 錦織一清[少年隊](1965)

この日生まれの大切な人

Name

Name

23

草の芽
Leaf Buds
花ことば・初恋の思い出

原産地：世界中

草木は、生命の基本。

「生きる」という漢字の古い形は「㞢」です。屮＝㞢で、土の中から草木の芽が崩え出ずる様子をそのまま形に表わしています。

草の芽が、土を破って地上に顔を出す瞬間は、まさに生命力そのもの。

「生じる」という概念は、ヨーロッパで「GROW」。GRASS、GREENと語源を同じくしているのは、やはり植物からの発想なのではないでしょうか。

★花占い

思い出を大切に胸にしまっているあなた。それをバネに、未来へ飛び出そうとしていますか。自分中心に、殻に閉じこもりがちなあなたは、周囲から利己主義者と見られがちです。愛がうまく伝わらないのは、そのせいかもしれません。もう少し、心の扉をひらいてみませんか。

この日生まれの著名人
リンネ(*1707*) リリエンタール(*1848*) サトウハチロー(*1903*)
ジョーン・コリンズ(*1933*) 西川峰子(*1958*)

この日生まれの大切な人
_____
Name
_____
Name

ヘリオトロープ

Heliotorope

花ことば・愛よ永遠なれ

ムラサキ科
原産地：南アメリカ

「ヘリオトロープ」の語源は、ギリシャ語で「太陽に向く」という意味。

ペルーでは「愛の薬草」。ドイツでは「神の薬草」、フランスでは「恋の草」と呼ばれています。品のよい紫色で、ここちよい香りのする花。日本では「香水草」という優雅な呼び名がつけられました。「ヘリオトロープ」という名は、花よりも香水としてのほうが有名でしょう。この花の株から香油を取ったものですが、現在は化学的に同じ香りを合成して売られています。

ギリシャ神話では、水の精クリティア の変身した花とされています。太陽神アポロンと王女レウコテアの熱い仲をうらやみ、自分に気をひくため、密告してしまったクリティア。この花のように、優雅でさびしげな美少女だったのではないでしょうか。

★花占い

「あなたのためなら何もかも捨てる」それほど一途な恋のできる人。仕事に献身的になってしまうと、婚期を遅らすことになります。さあ、恋の幸せを無視しないで。あなたほど情熱的なら、必ずすてきな人に愛されます。

この日生まれの著名人
マラー(1743) ヴィクトリア女王(1819) ショーロホフ(1905)
鈴木清順(1923) 加藤武(1929) ボブ・ディラン(1941) 小沢一郎(1942)
田村亮(1946) 哀川翔(1961) 小林聡美(1965)

この日生まれの大切な人

Name

Name

5月
25

パンジー
Pansy
花ことば・純愛

スミレ科
原産地：ヨーロッパ

ある伝説によると、春風にのって地上に舞いおりた愛の使者エンゼルが、この花を見つけたそうです。そっと唇をよせて「ますます美しく、そして気高く咲き誇り、この世に愛と希望を広げなさい」とささやいた。この花が優美でかわいらしいのは、天使の面影を宿しているからだといわれています。

日本では「遊蝶花」。蝶々がひいらり飛び遊んでる姿に、そういえば似てる。

ヨーロッパでは、猫にちなんだ呼び名が多いのです。「頬ひげのある小猫」「通りを走る小猫」「猫すみれ」「猫の面子」ドキドキするほど、かわいいですね。

この他「義理の妹」「私を摘んで」「抱きしめて」「素早くキスして」。なにしろ、キュートな花なんです。

★花占い

ひっこみ思案な態度がめだつあなたは、周囲に気を使いすぎるようです。何か、意見を述べようとしても、「いけないのでは」とはっきり言えずじまい。あなたが愛されるのも、そんな純情なところ。きっと、わかってくれる人が現れますよ。

この日生まれの著名人

チトー (1892) 横溝正史 (1902) 菊池武夫 (1939) 荒木経惟 (1940) 小倉智昭 (1947) 葛城ユキ (1949)
ケント・ギルバート (1952) 江川卓 (1955) 障子久美 (1964) HIROKO (1970)
ジャスティン・ヘンリー (1971) 石田ひかり (1972)

この日生まれの大切な人

Name

Name

5月

26

オリーブ
Olive
花ことば・平和

モクセイ科
原産地：南ヨーロッパ

「平和の象徴」であるオリーブ。「ノアの方舟」から放たれた鳩が、くちばしにこの葉をくわえて戻った。そして洪水の終りを告げた。それ以来ですから、ずいぶん古い話ですね。

オリーブは、ギリシャにゆかりの植物です。昔、ある都市の権利をめぐって、海神ポセイドンと女神アテーナが争った。天上の神々は「人間に最も役立つものを創造した方に与えよう」と宣言。ポセイドンは、平和と多産のシンボルとして馬を、アテーナは、力と勇気のシンボルとしてオリーブを作った。神々の投票。一票の差で、オリーブが選ばれ、女神の勝ちとなりました。その都市が、アテネ。

玄関にオリーブの小枝を飾ると、悪魔が入ってこないという言い伝えがあります。

★花占い

悩んでる人を見ると、助けてあげたくなるやさしい人。そのため、自分自身に余裕がなくなってしまうこともしばしばです。でも、愛は限りなく与えるもの。少しくらい損をすることがあっても、今のままでいて。あなたが愛を与えた分だけ、愛し返されることになるのです。

この日生まれの著名人
ジョン・ウェイン（1907）イアン・フレミング（1908）ペギー・リー（1922）
マイルス・デービス（1926）モンキーパンチ（1937）黛ジュン（1948）ゆうゆ（1968）

この日生まれの大切な人

Name

Name

150

ひなぎく
Daisy
花ことば・無邪気

キク科
原産地：ヨーロッパ

デイジーは、愛をはかる測定器です。
恋占いに縁の深い代表選手。

少女にとって、男の心ははかりがたい。
このまま進むべき？　それともきれいに
忘れたほうが……？　そんなときの相談
相手に、デイジーは頼りがいがある。

花びらを1枚ずつひっぱりながら、「あ
の人は私を愛してる、愛してない、愛し
てる……」最後の花びらで、運命がきま
る。もしも幸せなことに「愛してる」で
終わったら、その花びらをポケットに入
れたり、枕の下に置いたりするとよいの
です。ふたりの恋のおまもりです。

デイジーの根は浅く、広く土の中には
りめぐらすので、不思議な力を持つとさ
れます。魔よけになるともいわれる。

また、この花は聖母の涙から生まれて
きたとされ、「マリアの花」とも呼ばれて
います。

★花占い

いつまでも「若く美しくいてほしい」
回りの人はあなたにそう願っています。
純粋で無邪気。青春そのもののような人。
そして平和主義者。あなたの愛する人も、
同じように博愛主義者。ふたりの作る人
生は幸福以外のことばとは無縁です。

この日生まれの著名人
ルオー（1871）サム・スニード（1912）中曽根康弘（1918）
植田まさし（1947）岡田裕介（1949）相本久美子（1958）本田理沙（1971）

この日生まれの大切な人

Name

Name

はっか
Mint
花ことば・美徳

シソ科
原産地：アジア東部

冥界の王ハーデスは、暗黒の体をもつ猛々しい神でした。この神がある日、ひさしぶりに地上へと姿を現わし、美しい妖精メンティに目をとめたのです。彼は、深く愛してしまったのでした。ところが、妻のペルセフォネに見つけられてしまう。ペルセフォネは、ハーデスから自分が受けた悔辱に復讐しようと、メンティをいたぶりながら、つまらない草に変えてしまう。メンティは草に姿を変えられても、あいかわらず美しく、あでやかな姿と芳香を失わずにいたという。この草が、「MINT」。ギリシャ神話です。

猫の好きな「キャットミント」「キャットニップ」これもはっかの一種です。

★花占い

妖精メンティのように、みんなのあこがれの的。あなたはあたりまえのことをしているのに、回りの人は「いい人ね」とほれこむのです。おごらない態度が、また魅力的。ハーデスのような人に気をつけましょう。でないと、結婚のじゃまをされます。猫に好かれるタイプ。

この日生まれの著名人
崇徳天皇 (1119) 立花隆 (1940) 筒見京平 (1940) ソンドラ・ロック (1950)
宮内淳 (1950) 山崎ハコ (1957) 辛島美登里 (1961) 中尊寺ゆつ子 (1962) 山本祥子 (1966)

この日生まれの大切な人

Name

Name

29

むらさきつめ草
Clover
花ことば・快活

マメ科
原産地：ヨーロッパ

「つめ草」の名の由来は変わっています。

江戸時代、オランダからガラス製品が送られてきたとき。割れないよう、つめものとして、乾燥したこの草が入っていたのだといいます。それで「詰め草」。

原産地は、トルコ、ヨーロッパ東南部で、15～16世紀には、スペインで盛んに栽培されたとのこと。家畜の飼料として、現在も重要な牧草なのです。

近くでじっと見てごらんなさい。ほんとに小さな花たちが50も100も集まって、ひとつの花に見えているのです。

★花占い

明るくほがらか。そのうえまじめな人ですから、回りの信頼はなみなみならぬもの。あなたの恋人も、きっと同じようなタイプですよ。青春を象徴するような若々しいカップルが誕生することでしょう。これからも、快活さを忘れずに。

この日生まれの著名人
チェスタートン(1874) 野口雨情(1886) 内田百閒(1889)
ジョン・F・ケネディ(1917) 芦屋雁之助(1931) 堤義明(1934)
美空ひばり(1937) 大鵬親方(1940) 正木慎也〔忍者〕(1969)

この日生まれの大切な人

Name

Name

5月

30

ライラック(紫)
Lilac
花ことば・愛の芽生え

モクセイ科
原産地：ペルシャ

ライラックの紫は、悲しみの色とされています。朝焼けに似ているところから転じて、不吉の象徴とされ、部屋に持ちこんではいけないことになっていました。

イギリスでは、この花の紫を身につけた娘は、結婚できないということわざがあります。また、婚約者にこの花を贈ると、それは婚約の破棄を意味する時代もあったらしい。

でも、戸外では別。五月祭の花として、庭園の美しい彩りとして、古くから親しまれているのです。

★花占い

思い出にふけるのは、もうやめにして。せっかく愛する人とめぐりあえても、過去にとらわれ、アタックできなくなるからです。今の自分に正直に。気持ちを素直に表現してみませんか。でも与えすぎてはだめ。求めすぎてもうまくいかないけれど。愛はふたりで育てるものです。

この日生まれの著名人
ダンテ(1265) ベニー・グッドマン(1909) 安岡章太郎(1920)
小坂一也(1935) 左とん平(1937) ヒロ・ヤマガタ(1948) 火野正平(1949)
三ツ木喜隆(1953) 神崎愛(1954) 中村勘九郎(1955) 吉川十和子(1966)

この日生まれの大切な人

Name

Name

5月

31

つるぼ(シラー)
Scilla
花ことば・我慢強い

ユリ科
原産地：ヨーロッパ

　上品な姿が、ヨーロッパで人気の花。日本では、別名「参内傘」。花の形が、昔、公家などが参内する際に用いた傘に似ているところから、この名がつきました。

　同属にエンディミオン・ノン・スクソップスという花があります。月の女神セレーネに愛され、永遠に眠ったままにされたという羊飼いの少年エンディミオンにちなんだ名前。また、女王時代に、この花の球根から「糊」をつくり、服の首まわりのひだ襟を固めたという記録があります。

★花占い

　淋しがりやですね。そして、心を動かされやすい人。恋人は、そんなあなたを理解し、やさしく包みこんでくれる人がいいでしょう。でも、あなたも少しはわがままを抑えなくては。嫉妬心も、ひどすぎると、愛をこわしてしまいます。それさえ気をつければ、安心です。

この日生まれの著名人
ホイットマン(1819) クリント・イーストウッド(1930) 東八郎(1936) 宇佐美彰朗(1943)
宇野勝(1958) リー・トンプソン(1961) 日高のり子(1962)
ブルック・シールズ(1965) 鈴木京香(1968)

この日生まれの大切な人

Name

Name

ばら

Madien Blush Rose

花ことば・わが心、君のみが知る

バラ科
原産地：西アジア

ペルシャの言い伝え。

ばらの花が咲くと、ナイチンゲールが歌い始めるという。それは、ばらの花への愛の告白。やがて鳴き疲れ、またこの花の芳香に酔いしれ、最後にばらの木の下にくずれ落ちるということです。

アラーの神は、ばらを花の女王とした。ナイチンゲールはそれを喜び、ばらの芳香にひかれて飛んでいった。近づいたと思ったら、その胸に棘がささり、こぼれた血が花びらを赤に染めた。真紅のばらが生まれたのは、それから。

今でもペルシャの人々は、この鳥が夜を徹して歌うとき、ばらのつぼみが開くのだと信じている。

★花占い

ひかえめでありながら、理想が高い人。相手を好きになっても、自分を失わないクールさを持っています。しかし、愛するということは、相手の心の中に深く入りこまなければなりません。そして初めて、愛される喜びを知るのです。高すぎるプライドは、じゃまもの。

この日生まれの著名人
クラウゼヴィッツ (1780) グリンカ (1804) マリリン・モンロー (1926)
パット・ブーン (1934) 福地泡介 (1937) ロン・ウッド〔Rストーンズ〕(1947) 千代の富士 (1955)
ナンシー・ロペス (1957) 山下泰裕 (1957) 岡本舞 (1963) 坂上忍 (1967)

この日生まれの大切な人

Name

Name

おだまき(赤)
Columbine
花ことば・素直

キンポウゲ科
原産地：ヨーロッパ

おだまきの葉を両手にこすりつけると、すごい勇気がわいてくる。ヨーロッパの言い伝えです。

「聖母の手袋」とフランスでは呼ばれている。釣鐘草やジギタリスと同じ別名。

日本の古歌に出てくるおだまきは、この花ではなく「枯木」をさすらしい。

晩春から初夏にかけて咲く、ユニークな形をもった植物です。

★花占い

「行儀が悪い。ことば使いに気をつけて」両親からいつも注意されているあなたは、自分を不作法な人間だと思うことがある

かもしれません。でも、それはあなたをもっと完璧にしたいという親心。恋人のことばも同じ。何か指摘されたら、好意と思って、素直に受けとりましょう。

この日生まれの著名人

サド侯爵 (1740) エルガー (1857) 飯干晃一 (1927) 江森陽弘 (1932)
小田実 (1932) 八代英太 (1937) チャーリー・ワッツ〔Rストーンズ〕(1941)
三沢あけみ (1945) 富田京子〔プリンセスプリンセス〕(1965) 西川大輔 (1970)

この日生まれの大切な人

Name
_____

Name
_____

6 月

3

亜麻
Flax
花ことば・感謝

アマ科
原産地：ヨーロッパ

　大地の女神ホルダが、羊飼いたちを集め、この草の種の蒔き方、育て方から、収穫、繊維のつくり方、糸つむぎ、布の織り方まで教えたとされます。女神は、その通り実行しているかどうか確認し、次の年の収穫高を決めるのだとか。

　ドイツでは、赤ちゃんが健康でないと裸にして野原におき、亜麻の種子をふりかけて、丈夫に育つよう祈るという風習があります。

　亜麻の布は、女性の財産。ヨーロッパでは、結婚するときに持っていく。古代エジプトで、埋葬されるときに使う織物は、亜麻でなければいけなかったということです。

★花占い

　手芸が上手。手先が器用なのですね。仕事においても、ワープロ、パソコンどこなし、有能な評価を受けます。そんなところから、自立しやすいタイプ。結婚生活も収入面でも安定し、充実した人生となるでしょう。

この日生まれの著名人
佐々木信綱 (1872) デュフィ (1877) トニー・カーティス (1926) 和田勉 (1930)
ジョン・モールダー・ブラウン (1953) 佐野稔 (1955) 唐沢寿明 (1965)

この日生まれの大切な人

Name

Name

ばら

Damaskrose

花ことば・照り映える容色

バラ科
原産地：アジア

太陽神アポロンが恋におちた。相手は、海で水浴びしていた王女。二輪車に乗り、太陽を沈ませるという仕事も忘れ、3日間も同じところにとどまって、ひたすら王女を待ったという。アポロンが太陽をほっぱらかしにしているので、この世は、とても暑くなってしまった。涼を求めて海に出てきた王女に、アポロンはくちづけしようとしたという。王女は驚き、まっ赤になってうつむいたかと思うと、一輪のばらの花に変わってしまったということです。

赤いばらは、王女のはにかみの姿。

ルーマニアの伝説です。

★花占い

知的センスにあふれ、洗練された人。社会の優等生という雰囲気があります。自信があるため、交際相手を選んでいます。かなりの「めんくい」だし、相手に注文も多い人。恋愛には慎重でクールですが、納得すれば、即、結婚というタイプ。うらやましがられるカップルになりそうです。

この日生まれの著名人

森本薫(1912) 大山倍達(1923) デニス・ウィーバー(1925) ブルース・ダーン(1936)
日色ともゑ(1941) 梓みちよ(1943) 江木俊夫(1952) GWINKO(1973)

この日生まれの大切な人

Name
_____

Name
_____

6 月

5

マリーゴールド(きんせんか)
Marigold
花ことば・可憐な愛情

キク科
原産地：メキシコ

「亭主の時計」という別名が。その花びらの開閉で、人々に朝と夕方を知らせるからとか。

「夏の花嫁」と名づけている人もいる。
「夜は、花びらを硬く閉じて、星に対し、物思いに沈み、悲しい気持でいるが、昼間は花びらを明るくひろげ、花婿を待ち望んでいる。もの狂おしく腕をひろげているかのように」これは、トーマス・ヒルの空想。

スズメバチやミツバチに刺されたとき、この花でこすると痛みは軽くなるそうです。

★花占い

哀愁のただよう瞳。好きになったら、一直線です。恋人の見せかけにだまされやすく、嫉妬心が旺盛。陰で泣くことが多い人。事実を冷静にうけとめ、あきらめることも大切です。悲しんでばかりいると、愛する人との出会いも遅れてしまいますよ。

この日生まれの著名人
アダム・スミス(1723) ケインズ(1883) 古今亭志ん生(1890)
大友柳太朗(1912) ガッツ石松(1949) 三笑亭夢之助(1949) 壇ふみ(1954)
アン・ルイス(1956) 中本賢(1956) 東ちづる(1960) 中嶋朋子(1971)

この日生まれの大切な人

Name

Name

6

黄しょうぶ
Yellow Water Flag
花ことば・信じる者の幸福

アヤメ科
原産地：ヨーロッパ

ヨーロッパ原産。濃い黄色の花を咲かせる。日本へは、明治に渡来し、旺盛な繁殖力で公園や小川の土手などに半野生化しています。

「水辺の黄色い旗」と呼ばれるのは、それだけ目につきやすいからでしょう。

はなしょうぶに、黄色の品種はないので、この花と交雑して、愛好家を喜ばせているそうです。

薬用、染料、そして飲み物にもなるとか。黄しょうぶジュースと呼ぶのでしょうか。

★花占い

炎のような情熱を燃えたぎらせる人。愛する人を100%信じることができる人でもあり、またそのような相手を見つけ出すことができます。幸せ者！どうすれば、幸福になれるか、身をもって知っているのです。

この日生まれの著名人
ヴェラスケス (1599)　プーシキン (1799)　巌谷小波 (1870)
トーマス・マン (1875)　新田次郎 (1912)　大竜秀治 (1925)　山田太一 (1934)　内山田洋 (1936)
中尾ミエ (1946)　高橋幸宏 (1952)　ビヨン・ボルグ (1956)

この日生まれの大切な人
Name

Name

7

あさぎり草
Schmidtiana
花ことば・慕う心

キク科
原産地：ヨーロッパ・北アメリカ

　その葉は美しい。裏表とも両面に柔かい絹毛をもち、2、3ヵ所、羽根のように細かく裂けている。その色は銀白と朝にたちこめる霧のよう。だから「朝霧草」なのです。高山や北方の岩場に生える多年草。

　古代から、薬効があるとされ、強い香りを放つ植物。世界で最も強い酒といわれる「アブサン」は、この枝葉をアルコールで加工して作られました。ヨーロッパでは、香辛料としても喜ばれています。

★花占い

　ひたすら思い続けることは、すばらしいかもしれません。でも相手とコミュニケーションがとれないなら、まるで一人芝居。会えなくても、何か連絡をとるようにしないと、関係は消えてしまいます。一方的に思うだけでは、時間のムダ。慕う心は強く相手に伝えてこそ、幸せが訪れるのです。

この日生まれの著名人
ゴーギャン（1848）　トム・ジョーンズ（1942）　岸部シロー（1949）
プリンス（1958）　岡崎郁（1961）　手塚理美（1961）　徳永善也〔チェッカーズ〕（1964）

この日生まれの大切な人

Name

Name

8

ジャスミン
Jasmine
花ことば・愛らしさ

モクセイ科
原産地：ヒマラヤ

インドでは、恋人からジャスミンを贈られると、髪に編みこみ、変わらぬ愛の印とするとか。「愛の花」と呼ばれるのはこのため。

ヒマラヤ山脈のチベット側に野生し、イランを経て、古代エジプトの庭園にも咲いていました。

香水用のジャスミンは、十字の花をつける「おおばなそけい」から採取される。

香りのよいジャスミンティーは、ウーロン茶にジャスミン属の茉莉花（マリッカ）の花をひたす。花の香りなのです。

日本に古くからある「黄梅」は、中国では「迎春花」と呼ばれる、ジャスミンの仲間です。

★花占い

無邪気で清純なあなたと、官能的なあなた。二面性のはっきりしている、感受性の強い人です。あなたを慕う人はたくさんいますが、人を見ぬく勘がいいので、だまされることはありません。それは、とても貴重なこと。本当に愛し合える人を探し出すことができるでしょう。

この日生まれの著名人
シューマン(1810)　窪田空穂(1877)　秋山庄太郎(1920)　なだいなだ(1929)
ジェームズ・ダーレン(1936)　ボズ・スキャッグス(1944)　森尾由美(1966)

この日生まれの大切な人

Name

Name

スイートピー
Sweet Pea
花ことば・優しい思い出

マメ科
原産地：地中海沿岸

学名は「ラティルス」。ギリシャ語で「刺激的な、情熱的な」という意味です。ヨーロッパでは、この甘い香りの花を寝室に飾るのだとか。

エドワード王朝の花ともいわれ、アレクサンドラ王女の大のお気に入り。

ある時代には、この花が大流行。食卓にも服にも、お祝いの席の飾りつけにも、とスイートピーが愛されたということです。

その昔は雑草でした。1699年、クパーニ司教がシチリア島からイギリスに送った。スイートピーの歴史のはじまりです。

★花占い

情が深く、献身的な人。あなたの愛を正面から受けとれる人は幸せです。しかし中には、あなたの激しさに耐えられず、去っていく人もいることでしょう。あなたにその理由はわかりません。美しい思い出だけが残る。一途な思いは人によっては負担。相手をよく見て、自分をセーブすることも必要です。

この日生まれの著名人
ピョートル大帝 (1672)　滝沢馬琴 (1767)　スティーブンソン (1781)
山田耕作 (1886)　田英夫 (1923)　ドナルドダック (1934)
マイケル・J・フォックス (1961)　薬師丸ひろ子 (1964)

この日生まれの大切な人

Name

Name

6 月

(10)

ひげなでしこ
Sweet William
花ことば・義俠

ナデシコ科
原産地：ヨーロッパ

花びらがヒゲに似ているので、この名前。江戸末期に渡来し「アメリカナデシコ」とも呼ばれました。でもアメリカとは無関係です。

英名の「スウィート・ウィリアム」は、ウィリアム征服王に関係があるといわれたり、アキテーヌの聖ウィリアムから来ているとか議論されてる。

でも「SWEET」と冠せられているところから、聖ウィリアムの方でないかとの意見が有力です。

ひげなでしことカーネーションのかけ合わせが、18世紀頃、さかんに行なわれ

たと、イギリス園芸協会の資料にあるようです。

★花占い

闘争心、正義感、美的センスにあふれた人。また家族や友人も大切にし、皆に慕われているでしょう。しかし、好ききらいがはっきりしていて、すぐ表情に出てしまうところから、とっつきにくい人と思われ、愛のチャンスを逃がしてしまいがち。自立心が旺盛。晩婚に向いています。

この日生まれの著名人
徳川光圀（1628）　クールベ（1819）　山岡鉄舟（1836）
ジュディ・ガーランド（1922）　ジェームス三木（1935）　高橋幸治（1935）　稲尾和久（1937）
レイモンド・ラブロック（1950）　木之内みどり（1957）　長冨浩志（1961）

この日生まれの大切な人

Name

Name

165

11

ばいも

Fritillaria Thunbergii

花ことば・威厳

ユリ科
原産地：中国

　早春に開花するところから「春百合」、花が下向きに咲く感じが編笠に似ていると、「編笠百合」とも呼ばれます。

　花色は、白みがちの淡い黄。すっと緑の茎がのび、その可憐さは表現のしようが見つからないほど。

　日本では、半分野生化しているところもありますが、薬用として栽培もされています。

★花占い

　礼儀正しく、誠実で犠牲的精神を持っています。困っている人を見ると放っておけないほう。ところが自分のこととなると、どうしていいかわからなくなってしまう。恋人にめぐりあうためには、舞台を用意し、演じることが必要。頼れるのは自分だけです。あなた自身のことも、もっと大切にして下さい。

この日生まれの著名人

R・シュトラウス（1864）　川端康成（1899）　ジーン・ワイルダー（1933）
チャッド・エバレット（1936）　待田京介（1936）　ジャン・アレジ（1964）　沢口靖子（1965）

この日生まれの大切な人

Name

Name

6 月

12

もくせい草
Reseda Odorata
花ことば・魅力

モクセイソウ科
原産地：北アフリカ

日本では、「木犀」の香りを連想させるので、この名がつきました。

北アフリカ原産の香料植物。昔から、香りに関する伝説が多く、催眠、刺激作用など不思議な力を発揮するといわれています。

ラテン語「RESEDA」の語源は、「苦痛を消し去る」。おそらく古代では、なんらかの薬として使われていたのでしょう。

花は、それほど見栄えがしません。だけど、このなまめかしい香り。それだけで、愛される資格は充分です。

★花占い

人柄のよいあなた。多くの異性があなたを想い、胸を熱くしているはずです。あなたはそれに気づいていませんね。それでは、愛も幻。謙虚なのはいいけれど、愛に関しては積極的に。さあ、だれかを誘ってみましょう。輝く星が手に入ります。

この日生まれの著名人
C・キングズリー (1819)　ジョージ・ブッシュ (1924)
船村徹 (1932)　沖雅也 (1952)

この日生まれの大切な人
_____
Name
_____
Name

ジギタリス
Fox Glove
花ことば・胸の思い

ゴマノハグサ科
原産地：ヨーロッパ

別名「妖精の指ぬき」「妖精の帽子」「妖精の手袋」「魔女の手袋」どちらにしても、魔性と関係あるらしい花。

悪い妖精がこの花をきつねにあげた。きつねが足に巻くと、足音がしなくなり、大手をふって鶏舎のまわりをうろつくことができるのだとか。

そのため「キツネの音楽」「キツネの鈴」「キツネの手袋」などとも呼ばれてる。

イタリアのことわざに「ジギタリスは、あらゆる病気を治す」とあります。そのとおり、心臓病に有効なジギタリンという薬をつくる植物。「心臓草」の名前もあ

るほど。

不吉な植物であり、薬にもなる。二面性のある花です。

★花占い

いつわりの恋で気持ちをまぎらわそうとしていませんか。本当に愛している人は別にいるはずです。このままでは、悲しい結末に。何といわれようと胸の思いを打ちあけましょう。

この日生まれの著名人

イエーツ（1865） 岡田英次（1920） マルカム・マクダウエル（1943）
山田邦子（1960） アリー・シーディー（1962） 森口博子（1968）

この日生まれの大切な人

Name

Name

るりはこべ

Anagallis
花ことば・追想

サクラソウ科
原産地：ヨーロッパ

　紫をおびた紺の花びら。美しいるり色なのです。その姿形は、葉のつき方、つぼみの形など、はこべそっくりで、開花してない時など、はこべと思いこんでしまう人も少なくありません。

　この花の風に震える様子は、まさに優美そのもの。花びらが桜に似ているのも、可憐です。野草とは思えないほどの繊細さ。人気のある花なのも、うなずけます。

　海岸近くの湿地に多く見かける。日本では、3〜5月ごろ、暖かい地方に咲きます。

★花占い

　孤独を愛し、誠実なあなた。交際が広いわりに、深くつき合うことには慎重です。愛する人へのアプローチも得意ではありませんね。そこは努力が必要です。あなたに似合うお相手は、開放的でものごとにこだわらない、積極的な人。つられてあなたも明るくなります。そうすれば、魅力倍増。

この日生まれの著名人

ストー(*1811*)　中山正暉(*1932*)　杉原輝雄(*1937*)　椎名誠(*1944*)　三田明(*1947*)
シュテフィー・グラフ(*1969*)　船田幸(*1972*)

この日生まれの大切な人

Name

Name

カーネーション
Carnation
花ことば・情熱

ナデシコ科
原産地：南ヨーロッパ

カーネーションの花びらが、心臓に効きめがあるとされていた時代があります。とりわけ、古代。かなり尊重されていた花。冠や首飾りにも用いられたとか。
「ああ.!!何と美しくも素晴しい花があるものか。ソロモン王の華やかさをもってしても、この美しさにはかなわない」
「この花は人の体を守るだけじゃない。その神々しくも甘い香りは、人の心をも恐ろしい悪夢から守る」
「ダイヤモンドをちりばめた金時計よ!!私は美しいカーネーションを所有したい」
古くから伝わる讃美のことばの数々。

母の日、この花を贈る習慣は、1907年、アメリカで始まりました。

★花占い

社交家で才能豊か。世渡り上手といえますね。数々の栄誉を手にする人ですが、愛情問題となると別。燃える心を持ちながら、愛の拒絶にあいやすいようです。話し上手に溺れてはいませんか。誠実さが感じられない場合もあります。下手な表現でもいい。真心を伝えましょう。

この日生まれの著名人
空海 (774)　ブーサン (1593)　グリーグ (1843)　金田龍之介 (1928)
藤山寛美 (1929)　伊東四朗 (1937)　ウェイロン・ジェニングス (1937)　斉藤清六 (1948)
細川たかし (1950)　岩崎良美 (1961)　春やすこ (1961)　大林素子 (1967)

この日生まれの大切な人

Name

Name

16

チューベローズ
Tube Rose
花ことば・危険な快楽

ヒガンバナ科
原産地：メキシコ

「夜来香」伝説の美しい花。

　花びらは、少し厚く、ろう細工のような乳白色をしています。花の形は、水仙に似ている。そのうえ香りがよく、フランスでは、香水の原料に使われている。

　日本への渡来は、江戸時代後期で、そのころは「オランダすいせん」「ジャガタラすいせん」などとも呼ばれました。

　霜をきらい、乾燥もいとう。日なたで肥沃な土地に咲く。

「月下香」「晩玉香」など、響きのよい名前をいくつも持っています。

★花占い

　危険が好き。刺激を追い求め、楽しいことにはのめり込むタイプ。ジーンズをはくと最高にSexyです。人の心の動きに気を使い、敏感に対応できる人。恋愛に関してはサッパリとしています。自分自身の気持ちに誇りを持って、恋人を選んで下さい。結婚にはこだわりません。21世紀向きの人です。

この日生まれの著名人
山本晋也（1939）　米長邦雄（1943）　東関親方〔高見山〕（1944）
ねじめ正一（1948）　CHAR（1955）　甲斐智枝美（1963）　星野英彦〔BUCK-TICK〕（1966）

この日生まれの大切な人

Name

Name

6 月

しろつめ草
Clover
花ことば・感化

マメ科
原産地：ヨーロッパ

　4つ葉のクローバーを探したことがありますか。3枚のクローバーは、希望、信仰、愛情をさしている。4枚目が、幸福。誰もが求めているのに、なかなか見つからないものですね。

　もしも運よく見つけたら、人には言わず、靴の中に入れるか、服に縫いこむこと。それをしないと、幸運は訪れません。

　別名「オランダレンゲ」といいます。

★花占い

　人生に迷い始めたら、今までのことをきれいさっぱり忘れてみることも一つの方法です。愛に迷ったら、一度、別れて

みると、あなたの本当の気持がわかるかもしれません。でも思い出は消せはしないのです。涙をふいて、前進するしかありません。自分の真の姿を見つめながら。そのとき、成長するのです。

この日生まれの著名人
グノー(1818)　ストラヴィンスキー(1882)　ディーン・マーチン(1917)
原節子(1920)　船越英二(1923)　ニコラ・トラサルディ(1942)　金井克子(1945)　今くるよ(1947)
ショー・コスギ(1948)　中原理恵(1958)　西尾拓美〔CHA-CHA〕(1967)　大野幹代〔CoCo〕(1967)

この日生まれの大切な人

Name

Name

6 月

18

木立じゃこう草
Thyme
花ことば・勇気

シソ科
原産地：南ヨーロッパ

　芳香から「麝香草」の名がつきました。スパイスの「タイム」です。

　香りが強く、百里先まで匂うといことから「木立百里香」の名もあります。

　芳香性の植物の共通点として、タイムにも薬効があります。痛み止め、せき止め、虫下しなどに効くとされてた。

　現在は、ハーブとして、ソースやケチャップの香料、さまざまな料理にと大活躍！　私たちにも身近ですね。

　防腐の効果もあり、保存食にも含まれます。

★花占い

　理知的でプライドの高いあなた。恋に悩むなんて、想像もつきません。迷うことはないのです。勇気を出してつき進めば、世界が広がることになるでしょう。無理にほほえみをつくらなければならない相手はやめて、自然に笑える恋人を選びましょう。

この日生まれの著名人
モース（1838）　ラディゲ（1903）　横山光輝（1934）　ポール・マッカートニー（1942）
イザベラ・ロッセリーニ（1952）　藤真利子（1956）　逆鉾（1961）　細川直美（1974）

この日生まれの大切な人

Name

Name

173

6 月

19

ばら
Sweet Brier
花ことば・愛

バラ科
原産地：西アジア

16世紀、イギリスの植物学者ジョン・ジュラードは、ばらの花をこう表現しています。

「あらゆる花の中で最高の地位にある。美しさ、高潔さ、その香りのためのみならず、我らイギリス国王の栄光の象徴であり、装飾であるがゆえに」

ばらは「美の象徴」「平和の象徴」として、数多くの神話、伝説を生んでいます。

この花を蒸留して作る香り高い香水はあまたのロマンをこの世に送り出し、世界中の女たちに愛用されている。

★花占い

エスニックなテイストで、生活を表現するあなた。不思議な魅力を持っている人です。恋人との会話も、甘いムードは求めず、ストレートな大人の会話が中心。嫉妬はさせるもので、するものではない、という信条を貫き通す人。愛情のさめやすいタイプといえます。晩婚型です。

この日生まれの著名人

パスカル(1623)　ワット(1736)　太宰治(1909)　ジーナ・ローランズ(1936)
張本勲(1940)　キャサリン・ターナー(1954)　千倉真理(1962)　山下規介(1962)

この日生まれの大切な人

Name

Name

174

6 月

とらのお
Speedwell
花ことば・達成

ゴマノハグサ科
原産地：ヨーロッパ

　虎のしっぽに似た、穂の先に、鮮かな紫色の小さな花を、無数につけています。

　この花の学名は「VERONICA」。こんな伝説にちなんでいます。キリストがカルヴァリの山へ向かう途中のこと。

　背負った十字架の重みにしばらく立ちどまって休んだとき、聖ヴェロニカが、キリストの顔に流れる血と汗をぬぐったという。このとき、キリストが使ったハンカチには、その後、彼の肖像がしみついたとされます。キリストの血が、聖ヴェロニカの身につけた花にもしたたり落ちました。この花が聖なる花「ヴェロニ

カ」となったということです。

★花占い

　潔癖な恋愛観をもち、意志堅固。堅実でまじめな人柄です。

　目的をもって、毎日を過ごしています。自分の力量をわきまえ、高望みをしない人。現代においては、あこがれられるタイプです。変な誘惑にひっかかると、立ち直るのに時間がかかる。今まで通り、気をつけましょう。

この日生まれの著名人

白河上皇（1053）　Ｊ・オッフェンバック（1819）　勝目梓（1932）　石坂浩二（1941）
荒勢（1949）　ライオネル・リッチー（1949）　平野謙（1955）　越治勲（1956）　河合その子（1965）

この日生まれの大切な人

Name

Name

21

月見草
Evening Primrose
花ことば・自由な心

アカバナ科
原産地：南アメリカ

月見草は、ろうたけた白い花びら。「宵待草」は、あでやかな黄の花です。

竹久喜二の「待てど暮らせど、来ぬ人の……」は宵待草。

英名「EVENING ROSE」はこの花の運命から来ている名前。

昼間は人目につかず、夕方にひっそりと花開き、まるで月の従者のように翌朝まで咲き続け、朝日を受けてしおれていく……なんてひかえめな花なのでしょう。

日本へは、南アメリカ、ヨーロッパ、中国を経て、幕末から明治の初めに渡来したとされます。当時はかなり珍重され

たとか。しかし、その後は繁殖し、海辺や河原、鉄道沿線にもその姿を見かけることがあります。

★花占い

心美しいあなたは、いろいろな人に慕われています。あなたは自由な心で、その人たちと交際しようとしていますね。でも相手からは、移り気な人に見られているかもしれません。そのあたり、少し注意してはいかが。夜型人間です。

この日生まれの著名人

サルトル（1905）　サガン（1935）　長山藍子（1941）　鈴木ヒロミツ（1947）
都倉俊一（1948）　石井浩郎（1964）　松本伊代（1965）

この日生まれの大切な人

Name

Name

6 月

(22)

がまずみ
Viburnun
花ことば・愛は死より強し

スイカズラ科
原産地：温帯・亜熱帯

　その甘ずっぱい小さな赤い実は、小鳥たちのかっこうな餌。子供のころ、遊びがてら口にした人もあるかもしれません。果実酒に仕立て、キリリと冷やして飲むと、おいしい。

　その木は堅く、杖やハンマーの柄などに使われる。魔よけにしている地方も。

　人々の生活に深く密着していたことは、各地により呼び名が違うことからもわかります。

　東北では、ジュミ、ゾーミ、関東でヨツズミ、ヨツドメ、近畿はシグレ、シブレ、中部でヨーゾメ、ヨードメ、カメガラ、四国・九州ではナベトーシ、イセビ。

　ああ、あの木……となつかしく思った人もあるでしょうか。

★花占い

　愛されることに不器用な人を愛してしまうあなた。「もし私を拒むなら、覚悟がある」とまで思いつめ、なんとしてもその愛を奪おうとします。でもそんなやり方では、失敗に終わりがち。愛はひたすら与え続けるものです。あなたの確かな愛にふれるうち、相手も自然にあなたを想い始めるでしょう。

この日生まれの著名人
フンボルト (1767) レマルク (1898) 山本周五郎 (1903) 河本敏夫 (1911)
ビル・ブラス (1922) 木村功 (1923) クリス・クリストファーソン (1936)
シンディー・ローパー (1953) 福井烈 (1957) 北勝海 (1963) 阿部寛 (1964)

この日生まれの大切な人

Name

Name

6 月

(23)

たちあおい
Holly Hock
花ことば・熱烈な恋

アオイ科
原産地：シリア・中国

英名の「HOLLY」は、神聖の意味。「HOCK」はアングロ・サクソン語の「HOC」、ぜにあおいを意味しています。

パレスチナに、野生の花がたくさん咲いているところから、十字軍のころ、ヨーロッパに持ち帰られたのではないかという説や、16～17世紀、フランス新教徒によって持ち込まれたのでは、などの諸説いろいろ。

別名「梅雨葵」です。梅雨の初めに枝の下のほうの花が開き、だんだん上のほうに咲きのぼって、梢まで咲きあがると梅雨が終わる。それで、こう名づけられ

たとか。

★花占い

純真な恋人。あまりにも本気のため、失敗すると自信をなくし、弱くなってしまうこともあるでしょう。飾り立てる愛を受ければ受けるほど、うんざりしてしまう傾向が。あなたは、真の愛情とは何かをよく知っているのです。何の計算もなく、ひたすら燃え続ける愛。そこには、とろけるほどの幸福がある…。でも、人生の階段を一段のぼるためには、技巧的な愛し方も必要なのでしょう。そのとき、世界が広がります。

この日生まれの著名人
水野忠邦 (1794) ボッブ・フォシー (1927) 妹尾河童 (1930)
筑紫哲也 (1935) 高田みづえ (1960) 南野陽子 (1967) 渡辺智男 (1967)

この日生まれの大切な人

Name

Name

6月

24

バーベナ
Garden Verbena
花ことば・家族の和合

クラツヅラ科
原産地：南アメリカ

ケルト語では、「魔女の薬草」という意味。昔から、宗教や魔法と関係のある植物と言われています。

ローマ時代は、ジュピターの祭壇を清めるために用いられ、ペルシャでは、太陽を崇める儀式で、巫女の手にする植物です。またケルトの僧は、魔法にも薬用にも使っていたという話です。

ハンガリーでは「錠前はずしの薬草」と呼ばれた。この薬を手にはさみ込むと、錠前を簡単に開けられるとの言い伝えが。

日本では、さくら草に似ているところから「美女桜」の別名があります。

★花占い

甘美な誘惑に弱いあなた。「好きだから」とすぐに自分を納得させようとします。しかし、負けてはいけません。あなたは家族や恋人の精神的な支えなのです。あなたを中心とする結びつきがくずれたら、日々の生活もめちゃめちゃ。幸福になるためには、耐えることも必要なのです。

この日生まれの著名人
ビアス (1842) ヘス (1883) ジェフ・ベック (1944) ピーター・ウェラー (1947)
ナンシー・アレン (1950) 康珍化 (1953) 野々村真 (1964)

この日生まれの大切な人

Name

Name

179

6月

25

あさがお
Morning-Glory
花ことば・はかない恋

ヒルガオ科
原産地：ヨーロッパ・アジア

中国では、「牽牛花」。昔、この朝顔の花を、牛車いっぱい積みこんで、売り歩いたところから、この名がついたそうです。

日本でも、朝顔売りが「あさがおや～」と売り歩いた時代がありました。

朝顔の種子は、有名な漢方薬。「牽牛子（けんごし）」という生薬名です。

作り方は、かんたん。9～10月ごろ、種子を採り、日干しにして乾燥。それを粉末にすると、下剤・利尿剤に。1日1回、1gくらい飲むと、効果があるとされています。毒虫に刺されたときには、解毒剤としても効くそうです。

平安初期につくられたわが国最初の漢和辞典に、「牽牛子」の文字が見えます。朝顔が渡来したのは、この頃。おそらく薬用だったのでしょう。

★花占い

誇りにあふれ、自信に満ちているあなたですが、無意識のうちに、しっかりからみ合える恋人を求めています。そんな相手とは、なかなか出会えないだけに、はかない恋の連続ですね。でも、それは若く美しい間にこそ見つけなくてはいけません。めぐりあったとき、喜びあふれる人生が始まります。

この日生まれの著名人

菅原道真(845) アントニオ・ガウディ(1852) シドニー・ルメット(1924) 丹阿弥谷津子(1924)
加藤芳郎(1925) 愛川欽也(1934) 本宮ひろ志(1947) 沢田研二(1948) 高田文夫(1948)
誠直也(1948) ジョージ・マイケル(1963)

この日生まれの大切な人

Name

Name

26

ライラック(白)
Lilac
花ことば・美しい契り

モクセイ科
原産地：ペルシャ

イギリスに伝わるお話です。

ある若い男が、彼を信じ切っていた乙女の純潔を踏みにじりました。乙女は耐え切れず、傷心のあまり自殺してしまいました。悲しんだ友達が、娘の墓に山のようなライラックの花を供えたということです。そのとき、花色は紫でした。ところが翌朝、花びらはすべて純白に変わっていたということです。

このお話のライラックは、今もハートフォードシャという村にある教会の墓地に咲き続けているとか。

フランスでは、白いライラックは、青春のシンボル。若い娘以外は、身につけないほうがいいとされています。

★花占い

いつまでたっても、赤ちゃんみたいに純な心。あなたが、愛の放浪者なのは、無邪気すぎてだまされやすいからでしょう。傷つかないためにも、本当の愛を早く育てて。家は土台から作ります。愛も同じ。とにかく部屋数さえあればよい、という考えは改め、ひとつの愛をしっかり基礎から固めて下さい。

この日生まれの著名人
木戸孝允 (1833) パール・バック (1892) 三木鮎郎 (1924)
スタンリー・キューブリック (1928) ジェリー藤尾 (1940) 具志堅用高 (1955)

この日生まれの大切な人

Name

Name

6月
27

とけい草
Passion Flower
花ことば・聖なる愛

トケイソウ科
原産地：南アメリカ

花が開ききると、時計の文字盤のような模様があらわれる。そこから「時計草」となりました。

スペインの伝説によると、キリストの手足を打ち抜いた釘の跡を、ふさいだのが「時計草」。南米のジャングルで、スペイン人が初めてこの花を見たとき、花びらに受難の風景があらわれていた。そこから、「受難の花」と呼ぶようになったとか。

聖職者、病人、障害者などが、不思議な力を持つ花として、探し求めたということです。

★花占い

家庭がトラブルのもととなって、恋に苦しむことになりかねません。愛を聖なるものと教育されてきたあなたは、どうしても夢を見がちです。しかし、身近な愛とは、もっと日常性に流され、現実的な問題をはらんでいるもの。

聖なる愛にとらわれたままでは、俗なる愛を受け入れることはできません。どうか気をつけて……。

この日生まれの著名人
ヘレン・ケラー (1880) メル・ブルックス (1927) レオナルド熊 (1935)
横尾忠則 (1936) 西本聖 (1956) ユン・ピョウ (1957) 伊藤克信 (1958)

この日生まれの大切な人

Name

Name

ゼラニウム
Geranium
花ことば・君ありて幸福

フウロソウ科
原産地：南アフリカ

植物学の祖リンネが、フウロソウ科フウロソウ属と扱ったゼラニウム。その後、フランスの植物学者レリチエによって、フウロソウ科ペルゴニウム属と改められました。

フウロソウ科（風露草）といえば、民間薬として親しまれているゲンノショウコが有名です。でも、ゲンノショウコを風露草と呼んでいるのは間違いです。

ゼラニウムの別名は、日本では「風露草」。このあたり、ややこしくて間違えそうですね。

葉っぱはいやなにおい。でも品種によって、りんごなど果実の香り、ばらなど花に似た香りのするゼラニウムもあり、葉や花から香油をとります。

★花占い

なかなか決心しない人ですが、愛情問題に関しては、決断するのが早いですね。異性に縁がなさそうに見られがちですが、それはあなたに愛を見ぬく力があり、むだなエネルギーを使わないだけのこと。

今のまま、あなたにぴったりの人を探して下さい。理想の恋人と出会い、幸せなあなたを見て、周囲の人はびっくりするかもしれません。

この日生まれの著名人
ヘンリー8世 (1491) ルーベンス (1577) J・ルソー (1712)
三波伸介 (1930) 中村あゆみ (1966) メアリー・スチュワート・マスターソン (1966)

この日生まれの大切な人

Name

Name

6月

29

ゼラニウム(赤)
Geranium
花ことば・君ありて幸福

フウロソウ科
原産地：南アフリカ

属名の「ペラゴニウム」は、ギリシア語で「コウノトリ」。果実がくちばしのようにとんがっているところから、名づけられました。18世紀ヨーロッパに紹介され、各国が競って、品種改良を行なったらしい。

とくに赤い花の人気が高く、北欧では盛んに栽培されています。

ドイツの家庭では、ベランダというベランダが、ゼラニウムでおおわれ、それでも足らないのか、窓もすべてこの花で飾られている。そんな家の多いのに、驚かされます。

★花占い

涙もろく、情に弱い感情豊かな人。自分の価値判断で、いい人、気にいらない人を極端に区別しており、敵が多いかもしれません。それだけ才能豊かで、社交性があるということです。恋人ができると、心から愛する人。コウノトリが幸せを運んできます。度をこさないよう感情を少しセーブすれば、何事にも成功するはずです。

この日生まれの著名人

黒田清輝 (1866) サン・デグジュペリ (1900) 左幸子 (1930) 野村克也 (1935)
倍賞千恵子 (1941) 清水アキラ (1954) 森マリア (1955) 島村佳江 (1956) 引田天功 (1959)

この日生まれの大切な人

Name

Name

6 月

30

すいかずら
Honey Sukle
花ことば・愛の絆

スイカズラ科
原産地：ヨーロッパ・アジア

　5～6月、筒を割って両側にそり返ったような白い花が咲きます。花色が徐々に黄色く変わるので「金銀花」「金銀かずら」とも呼ばれます。花の奥には、甘い蜜があり、子供たちが吸いたがるところから「すいかずら」「すいばな」と名前がつきました。

「かずら」とは、つる性植物をさすことば。半常緑のつる草で、右巻きに他の木にからみつく。垣根などでよく見かける植物。

　冬も枯れないので「忍冬(すいかずら)」とも。薬効があり、痔、腰痛、解熱、関節痛をやわらげるとのこと。

　若葉は、干してお茶にもなります。

　果実は異様な黒い色をしてる。

★花占い

　寛大な気持ちと、献身的な愛情を持つあなた。人々に敬愛されています。博愛主義者ですが、恋愛となると、積極的。真実の愛を求め続けます。相手を見ぬく洞察力は鋭く、妥協しない強い意志がある。愛する人を見つけるのに時間はかかりますが、めざす相手と出会えたとき、実り多い人生が始まります。

この日生まれの著名人
スーザン・ヘイワード(1919) 南伸坊(1947) スージー・クアトロ(1950)
生駒佳与子(1960) ルパート・グレイブス(1963) マイク・タイソン(1966)

この日生まれの大切な人

Name

Name

185

松葉菊
Fig Marigold
花ことば・怠惰

メセン類
原産地：南アフリカ

　花を菊に、葉を松に見立てて、この名がつきました。日本へは、明治初めに渡来、観賞用として栽培されています。

　メセン類は、常緑多肉の多年草。「松葉菊」は、その中では薄手のほうでしょう。

　昼は強い光、夜は涼しい荒原というむずかしい条件の中で野生化しています。

　親戚のリトーブス属は、石コロに間違えられる不思議な形をしてる。

★花占い

　明るい楽天家。めだちたがり屋でもあり、時代の先端を行く人です。ファッションにも興味がありますね。負けん気も強く、まねるのが得意で何でもできますが、底は浅いといえます。しかし友人に恵まれており、結果としてつじつまがあってしまう。一見、家庭的には見えませんが、実はかなり家庭的な人です。幸せな結婚ができるでしょう。

この日生まれの著名人
獅子文六（1893）川崎敬三（1933）浅井慎平（1937）
山本圭（1940）星野一義（1947）美里美寿々（1952）明石家さんま（1955）
カール・ルイス（1961）ダイアナ妃（1961）

この日生まれの大切な人

Name

Name

金魚草
Snap Dragon
花ことば・欲望

ゴマノハグサ科
原産地：地中海沿岸

16世紀に植物誌を書いたジェラードによると、「長い間、水の中に入れておいて、その肉が完全にとれてしまった羊の頭蓋骨に似ている」とこの花を評している。

別名「噛みつき竜」「ライオンの口」いずれも形からの連想でしょう。また、ブルドッグに似ているという人もいます。

日本へは、江戸時代後期に渡来。金魚に似ていると考えられて、この名がつきました。

この種子からは、オリーブと同じくらい良質の油がとれると言われます。ロシアで栽培が盛んだったらしい。

この金魚草をぶらさげておくと、魔法にかからないとして、魔よけにも使われていました。

★花占い

自分の行動や考え方を理論的に組み立て、筋道をはっきりさせないと気がすまない性格です。ツンとしてるとか、ごう慢などと誤解されがち。あなたの方は周囲の人々をトラブルに巻きこまないよう、ガードしているというのです。もう少し、自分の立場を説明しようとしたほうがトク。その方が恋愛もうまくいきます。

この日生まれの著名人
ヘッセ(1877) 石川達三(1905) イメルダ夫人(1929)
浅丘ルリ子(1940) 西川きよし(1946) 小柳ルミ子(1952) 南沙織(1954)

この日生まれの大切な人

Name

Name

7月

3

けし(白)
Papaver
花ことば・忘却

ケシ科
原産地：東ヨーロッパ

けしのエピソードは、罪のにおい。

山奥の洞窟に、眠りの神ピエプノスが住んでいました。女神ヘラーの命令で、女神イリースが訪れたところ、そこは静寂の世界。鳥も、虫も、獣の声も聞こえず、風にそよぐ草木の葉ずれの音さえしません。聞こえるのは、冥府の河のかすかな水の流れだけでした。そのピエプノスの宮殿のまわりには、おびただしい数のけしが咲いていた。そして、地上に闇が迫ると、ピエプノスは、その花をつみとり、地上一面にまき散らして、生き物すべてを眠らせていたのです。なんて美しい夜でしょう！

★花占い

愛に眠っているあなた。起きなさい。そのままでは、愛を忘れてしまいます。同性に興味を抱くのもそのため。早くめざめれば、それだけすぐに、うれしいことがきっと起こるでしょう。来たるべき恋は平安の訪れを告げるはず。ただし、物忘れに注意すること。大切なものは、二度と戻ってこないのです。

この日生まれの著名人
徳川家継 (1709) カフカ (1883) 深作欣二 (1930)
つのだじろう (1936) ミッシェル・ポルナレフ (1944) ロザンナ (1950)
石川浩司〔たま〕(1961) トム・クルーズ (1963)

この日生まれの大切な人

Name

Name

188

もくれん(紫)
Lily Magnolia
花ことば・自然愛

モクレン科
原産地：中国

花の形は、蓮華に似てる。

花の香りは、蘭に似てる。

だから、「木蓮」なのです。

紅紫の炎のような花色。

白い花は「白木蓮」「白木蘭」と呼ばれてる。

庭木に多いですね。生け花の材料としてもよく登場します。枝や葉は、神事に供えられる。花は香水の原料にもなる。

日本へは、鼻炎や蓄膿症など鼻の病気を治す植物として、中国から渡来しました。

★花占い

身勝手な愛は、いつか終わりがくるもの。長びかせても、自分をみじめにするだけです。そんな恋は、あなたにはできません。おごそかでうるわしい愛こそ、あなたには、ごく自然です。気まぐれに燃えてみたいときもあるでしょう。でもそれでは、本当に愛する人との出会いが遅れてしまうだけ。壮厳な愛だけが、あなたに幸せを与えるでしょう。

この日生まれの著名人
フォスター(1826) ルイ・アームストロング(1900) ジーナ・ロロブリジーダ(1927)
ニール・サイモン(1927) 真野あずさ(1957) ヒロコ・グレース(1969)

この日生まれの大切な人

Name

Name

ラベンダー
Lavendar
花ことば・豊香

シソ科
原産地：南ヨーロッパ

その香りには、ついひきつけられてしまう。古くは葉や花に薬効があるとされてローマ時代から珍重されてきましたが、今は香料として親しまれています。オーデコロンやローション、石けん……この世にラベンダーがなかったら、大変！

南フランスでは、ラベンダーと野生種スパイクとの雑種から、香油をとるための栽培がさかんです。やはり、お国柄。新しい香りの開発には、きっと積極的なのでしょう。

この草を乾燥させたものを、下着のひきだしやタオルの間にひそませたり、ハンガーにからませるなどすると、やわらかな香りがいつまでも楽しめますよ。

★花占い

口数が少なく、ひかえめで、温厚な印象。でも本当は、意外と明るく、香り豊かな面があります。目立たないけれど、社交家。責任感の強い人。恋におぼれるタイプではないようです。堅実な愛を育てていくほう。言いよる人は多いけれど、簡単にはなびきません。

この日生まれの著名人
コクトー (1889) 円谷英二 (1902) ポンピドゥー (1911)
ウォーレン・オーツ (1928) シャーリー・ナイト (1937) 川藤幸三 (1949) 藤圭子 (1951)

この日生まれの大切な人

Name

Name

ひまわり
Sun Flower
花ことば・愛慕

キク科
原産地：中央アメリカ

　太陽の動く方向へ、その顔を向けるけなげな花。「太陽花」「太陽について回る花」「インディアンの太陽の花」とも呼ばれます。ペルーでは、太陽神の象徴。ひまわりは、崇められていたのです。

　古いインカの神殿に今も残る彫刻には、太陽神に仕える聖女が、ひまわりを模した純金の冠や装身具を身につけている様子が描かれています。

　なぜひまわりは、太陽の方を向いて回るのでしょうか。日影にあたる茎の部分が、日なたの部分より早く成長するので、太陽を追いかけるようにくるりと回るの

だといわれています。

★花占い

　暗黒星雲の中から生まれて、光り輝く星となる。それこそあなたの運命です。人々の尊敬を受け、社会に貢献する人。そのため恋愛から結婚に至るまで、長い年月がかかることになりそうです。でも、ふたりの愛は変わることはありません。

この日生まれの著名人
ミヤコ蝶々 (1920) 遠藤実 (1932) 桐島洋子 (1937) シルベスター・スタローン (1946)
瀬川瑛子 (1948) 旭富士 (1960) 大西結花 (1968) とよた真帆 (1968)

この日生まれの大切な人

Name

Name

あかすぐり
Goose Berry
花ことば・予想

ユキノシタ科
原産地：ヨーロッパ

ラテン語の学名は「赤」から来てる。日本名の「すぐり」は、酸っぱい実の意味です。

お菓子の材料。その実はジャム、ゼリー、パイにふんだんに使われ、シャンパンやワインにもなります。

ヨーロッパやアメリカでは、19世紀以来、広く栽培されており、主要な果樹のひとつです。

日本には、明治初めに渡来し、北海道や寒冷地で栽培がさかん。

初夏に花が咲き、夏にその実をむすびます。

★花占い

あなたの想像や幻想は、多くの人々に幸せを与える創造力の出発点です。芸術的な才能のある人。愛する人の激励を得て、あなたの創造力はいっそうはばたくことでしょう。あなたの愛がうまくいくと、世界もまた明るくなります。恋人を間違えないで。あなたを理解しない「けなし屋」は、どんなに好きでも選んではいけません。

この日生まれの著名人

マーラー (1860) シャガール (1887) ビットリオ・デ・シーカ (1901) 近江俊郎 (1918)
ピエール・カルダン (1922) リンゴ・スター (1940) 結城美栄子 (1943) 青江美奈 (1945) 上田正樹 (1949)
研ナオコ (1953) アレッサンドロ・ナニーニ (1959) 島田順子

この日生まれの大切な人

Name

Name

みやこ草
Birdfoot
花ことば・また逢う日まで

マメ科
原産地：ヨーロッパ・アジア

京都に多く咲いてるから「都草」。

大阪城にもこの花が咲いており、淀君が大変愛したという。だから「淀君草」の名前も。

クローバーや、あかつめ草などが育たない場所にも、この花は咲くので、ヨーロッパでは、牧草や乾草として親しまれています。別名「鳥の足」。

日当たりのよい道端に生える多年草。春先、マメ科特有の蝶々の形をした黄色く小さな花をつける。陽気で、健康的な少女のイメージ。

★花占い

あなたは必殺仕事人。悪が許せず、人がいじめられているのを見ると、わからないように仕返ししてやります。人との縁を大切にする人。あなたに話せば、気持ちが晴れるので、相談にくる人が後を断ちません。でもそれは、一時的なつきあいにしかならないでしょう。あまり本気に考えると、疲れてしまいます。アドバイスを求められたときにだけ、真剣になってあげればいいのです。

この日生まれの著名人

ロックフェラー (1839) 東山魁夷 (1908) ナンシー・シナトラ (1940)
南将之 (1941) 三枝成章 (1942) キム・ダービー (1948) 中村ゆうじ (1956) 麻生圭子 (1957)
ケビン・ベーコン (1958) 川口和久 (1959) 桜沢エリカ (1963)

この日生まれの大切な人

Name

Name

7 月

9

アイビーゼラニウム

Ivyleaved Geranium

花ことば・真実の愛情

フウロソウ科
原産地：南ヨーロッパ

ルプレヒトのペスト流行のとき、この
ゼラニウムの野生種を治療薬に用いたと
いわれてる。その効用を発見したのは、
シトー教会の創始者、聖ロバート。その
名のまま「ハーブ・ロバート」の名があ
るとか。ロビン・フッドの人助けを記念
して、この名がついたとの説もあります。

どちらにしても、人助けのイメージを
持つ植物。

日本名を「たてばゼラニウム」。葉の形
が楯に似ているので、この名となりまし
た。蔓性のゼラニウムで、吊鉢づくりに
適しています。

★花占い

本当に友情に厚い人。そのうえ、機敏
性にあふれ、人の心の妙味を、よく心得
ています。

これからは、教養を高め、人間関係を
より広げていくことで、幸せを確実につ
かめることでしょう。

この日生まれの著名人

松山英太郎(*1942*) 細野晴臣(*1947*) 稲垣潤一(*1953*)
トム・ハンクス(*1956*) 南流石(*1958*) 浅野ゆう子(*1960*) 久本雅美(*1960*) 高見知佳(*1962*)
可愛かずみ(*1964*) 松下由樹(*1968*) 草彅剛〔SMAP〕(*1974*)

この日生まれの大切な人

Name

Name

10

ふうりん草
Canterbary Bell
花ことば・感謝

キキョウ科
原産地：南ヨーロッパ

ギリシャ神話です。

宵の明星ヘスペロスの娘、カンパニュールは、黄金のリンゴがなるオリュンポスの果樹園の見張り番をしていました。

ある日、盗賊を見つけ、番人である百眼の巨大な竜ドラゴンに知らせようと、銀の鈴を打ち鳴らしたのです。

あわてた盗賊は、彼女の胸を一刺しにして殺し、逃げてしまった。翌朝、ドラゴンによって、その無残な屍が見つけられましたが、花の女神フローラは、その死を憐れみ、銀の鐘の形をした美しい花にその姿を変えたということです。

イギリスでは、カンタベリー寺院を目ざして行進する、巡礼達の鳴らした鈴に似ているところから、「カンタベリーの鐘」と呼ばれています。

日本では、風鈴に似ているとの連想から、ふうりん草。

★花占い

恩に報いる気持ちが人一倍強いあなた。律気な性格から人に好かれていることでしょう。しかし、あまり積極的に出られると、「私のことなど、かまわないで!!」とつれなくふりきることがあります。相手は、日頃とちがうあなたに、びっくり。

この日生まれの著名人
カルヴィン（1509）ピサロ（1830）プルースト（1871）キリコ（1888）
和久峻三（1930）米倉斉加年（1934）松島トモ子（1945）スー・ライアン（1946）
布施博（1958）バーベQ和佐田〔爆風スランプ〕（1959）

この日生まれの大切な人

Name

Name

アスフォデル
Asphodel
花ことば・私は君のもの

ユリ科
原産地：南ヨーロッパ

「おりづるらん」や「いわしょうぶ」に、少し似てる。「じゃのひげ」にも似ているユリ科です。白い花が房状に咲きほこります。

古くはギリシャ人に「死の花」と呼ばれていたとか。その後、アマランスが「永遠の生命」を象徴する花として用いられるようになったため、「アスフォデル」は忘れられてしまいました。

耐寒性の多年性植物で「King Spear(王様の槍)」という、勇ましい名も持ちます。

★花占い

愛し合いながらも、遠く離れてしまったふたり。逢おうと思えば逢えるのに、なぜか音信が途絶えています。

今こそ、愛の試練のとき。もし、まだそうでないとしても、いつか必ず、やってきます。この試練をのりこえたとき、ふたりは心から理解を深め、愛し合えるようになるでしょう。「私はあなたのもの」といえるようになるには、厳しい自分との闘いがあるのです。

この日生まれの著名人
ユル・ブリンナー(1915) ジョルジオ・アルマーニ(1934)
木の実ナナ(1946) 沢田雅美(1949) マーク・レスター(1958)
藤井郁弥〔チェッカーズ〕(1962) 小牧ユカ(1965) 古川栄司〔忍者〕(1971)

この日生まれの大切な人

Name

Name

7 月

12

まるばのほろし
Solanum
花ことば・だまされない

ナス科
原産地：南アメリカ

「丸葉の椌」と書きます。

ヒヨドリジョウゴに似ていますが、葉の形は、こちらのほうが丸く、切れこみもないので、区別されています。

多年草の蔓草で、葉にも蔓にも毛がありません。夏に穂をなして花ひらきます。

花色は、内側が深い紫、縁は淡い紫と可憐な風情。

実は秋に熟し、深い紅色で、とうがらしに似ています。有毒植物。深山幽谷に自生している神秘の花です。

★花占い

向上心があり、努力家であるあなたは、わき目もふらずに、目標に向って進む、粘り強さを持っています。それだけに金運には恵まれていますが、節約家。誠実なため、人にだまされやすい傾向もあります。結婚には慎重ですね。恋愛の表現は不器用なほう。内に秘めている情熱を、素直に表現するように努力すれば、恵まれた人生となります。

この日生まれの著名人
モディリアニ (1884) 芥川也寸志 (1925) 京唄子 (1927)
ビル・コスビー (1937) 四谷シモン (1944) 真弓明信 (1953) 北別府学 (1957)
片平なぎさ (1959) 南条玲子 (1960) TAIJI (X) (1966) 渡辺美里 (1966) 星野明美 [Babies] (1975)

この日生まれの大切な人

Name

Name

7 月

13

草の花
Flowers of Grass
花ことば・実際家

原産地：世界中

近代植物学の祖リンネによる植物王国の階層を、人間社会にあてはめるとこうなります。

1)椰子類—王侯 2)草類—平民 3)ゆり類—貴族 4)栽培植物—王族 5)樹木類—名士 6)しだ類—移民 7)苔類—従者 8)海草類—奴隷 9)きのこ類—放浪者、というぐあい。

というわけで、「民は草なり」

草は、地球の大地の大部分を占めています。踏みつけられ、抑圧されても少しもくじけず、その太い根によって、一層たくましく勢力を伸していこうと、狙っています。世界一の強者なのかもしれません。

★花占い

「草、うつむいて百を知る」草は根を地面にたらし、なにごとにもひかえめにしていますが、本当は世の中をよく知っているのです。現実的な人。野性の香り高く、しかも真に知的なのがあなた。絶対にくじけることはありません。

この日生まれの著名人
堺屋太一（1935）ハリソン・フォード（1942）関口宏（1943）
中山千夏（1948）蓮川光男（1955）丹波義隆（1955）ティエリー・ブーツェン（1957）
Newファンキー末吉〔爆風スランプ〕（1959）中森明菜（1965）石川秀美（1966）

この日生まれの大切な人

Name _____

Name _____

フロックス
Phlox
花ことば・温和

ハナシノブ科
原産地：北アメリカ

日本では、3種類のフロックスが栽培されているのです。まずは、一種類目。「草夾竹桃」と呼ばれるのは、葉っぱが夾竹桃に似ているから。「花魁草」という別名は、かんざしのように花がいっぱい咲くところから来ています。二種類目。「花詰草」「芝桜」の名があり、最も親しまれている花。もう一種類は、「桔梗撫子」と呼ばれています。

公園や庭先、ベランダなどに、色とりどりの花色で咲きほこっています。

★花占い

トラブルは避け、おだやかに生きてい

こうという姿勢をくずさないあなた。人生の荒波を経験して、達観してしまったのでしょう。おとなしい人なだけに、愛する想いを伝えるのが大変。自分の胸が火と燃えたとき、おだやかなままでは何も表現できません。素直に激しくぶつかること。新しい自分に出会えるはずです。

この日生まれの著名人
後鳥羽天皇 (1180) マザラン (1602) ウッディ・ガスリー (1912) イングマル・ベルイマン (1918)
リノ・バンチュラ (1919) 久米宏 (1944) 水谷豊 (1952) 斉藤慶子 (1961)

この日生まれの大切な人
_____
Name
_____
Name
_____

7月

15

ばら
Austrian Briar Rose
花ことば・愛らしい

バラ科
原産地：西アジア

16世紀も幕を閉じようという頃、オーストリアからイギリス、オランダに渡ったばらです。だから、オーストリア・ブライアー・ローズ。

古代ギリシャから、ばらは栽培されてきました。イスラム教徒によりイベリア半島に持ちこまれ、ヨーロッパ中央部まで伝わったのだとされます。そんなこともあり、どちらかというと、イスラム圏で尊重されていた。イランの古典文学にも、数多くのエピソードが残っています。ヨーロッパでは、本来それほど重視されていませんでした。ヨーロッパでばらブームとなったのは、フランス革命前後。

それは、今日まで続いており、数々の新しい品種が作り出されています。

★花占い

「美しい花によい実はならぬ」よりは、「花も実もある人生」を過ごしたいとは、誰しも思いますね。若くて愛らしいうちに、生涯の恋人と出会いたいと考えているあなた。まじめさは少し抑えて。じっと声がかかるのを待っていては、成果は得られません。もっと積極的にならないと、「しかたなく」結婚するはめになりかねないですよ。

この日生まれの著名人
レンブラント (1606) 国木田独歩 (1871) 山本薩夫 (1910) 深田祐介 (1931)
ジャン・マイケル・ビンセント (1944) リンダ・ロンシュタット (1946) 峰さを理 (1952)
瀬古利彦 (1956) 今野登茂子〔プリンセスプリンセス〕(1965) 永瀬正敏 (1966)

この日生まれの大切な人

Name

Name

7月

16

ストック
Stock
花ことば・永遠の美

ナタネ科
原産地：ヨーロッパ

　ある国の姫君が、敵国である隣国の王子と愛し合うようになりました。このことが、王の知るところとなり、姫は城から一歩も出られなくなったのです。若者は、夜になると、ふたりだけの合図の歌をうたい、城の屋上にロープを投げ、姫はそのロープを壁づたいに降りて、秘密の甘いひとときを過ごしていました。ところが、ある日、ロープがはずれてしまったのです。

　姫は石畳の上に落ち、死んでしまいました。それを見た神はかわいそうに思い、姫をストックの花に変えたという。

　フランスの男性は、理想の女性に出会うと、「絶対浮気しない」という誓いを込めて、この花を帽子の中に入れて歩いた――そんな時代もあったそうです。

★花占い

　悩み続けた日々から解放され、まるでうそのように心が晴れたとき、「一番大切な人」が誰だか、はっきりとわかるはずです。

　痛みをかかえ続ける人ではありません。本当に愛する人に出会うまで、放浪する勇気があなたにはあるはず。

この日生まれの著名人
コロー (1796) アムンゼン (1872) 加茂さくら (1937) 桂三枝 (1943) 松本隆 (1949)
篠塚利夫 (1957) 古手川祐子 (1959) フィービー・ケイツ (1963) コリー・フェルドマン (1971)

この日生まれの大切な人

Name

Name

7 月

17

ばら(白)
White Rose
花ことば・尊敬

バラ科
原産地：西アジア

16世紀のこと。スコットランド女王メアリー・スチュアートは、フランス皇太子（後のフランソワ2世）と結婚したことにより、王家のばらを身につける権利を得たのでした。女王は狩人たちに、白銀のばらを与えました。スチュアート家と白ばらの結びつきは、このとき始まる。

やがて17世紀。名誉革命、1688年。スチュアート王家は亡命する運命となりました。王家へ忠誠を誓う人々が、お互いを確認する合図として、選んだのが――この白いばら。

★花占い

「花好きの畑に花が集まる」のことわざ通り、あなたの立派な人柄に、引き寄せられるように、知的な人々が集まっているはずです。集団の中では、中心的存在になりやすい人。そのため、恋愛するひまもないというハメに。初恋、即、結婚となりやすいタイプです。それが、いつわりの恋だったりすると、傷は深い。もし相手が信じられないのなら、別れる勇気も必要です。

この日生まれの著名人

徳川家光（1604）丹波哲郎（1922）青島幸男（1932）淡路恵子（1933）C・W・ニコル（1940）
峰岸徹（1943）三林京子（1951）大竹しのぶ（1957）杉山清貴（1959）
小沢俊明〔バービーボーイズ〕（1962）田中律子（1971）

この日生まれの大切な人

Name

Name

7月

(18)

こけばら
Moss Rose
花ことば・可憐

バラ科
原産地：アジア

　花の女神フローラの、愛する妖精が死んでしまいました。フローラは神々の前に亡骸を運び、その妖精を、花の女王とも仰がれる不死の花に変えてほしいと頼んだのです。神々は、その妖精をばらの花に変えることにし、ヴィーナスが美を、風の神ゼフィールが雲を吹きとばして光の祝福を、酒の神バッカスは香りを、他の神々が優雅さや喜びを与え、フローラは花にさまざまな色を与えたとされます。

　しかしフローラは、青い色だけは与えませんでした。青は死を意味する不吉な色だから。

　そして、この花は、香り高く、優雅で、美しく生まれ変わったのだということです。今もって「青いばら」は、園芸家の夢となっています。

★花占い

　苦悩の夜を繰り返し、乱れる心に過ごす日々。そんな姿はあなたに似合いません。でも、可憐で一見おとなしそうですが、本当は激しい情熱家なのです。恋をすると一途に思いこむタイプ。相手に気持ちが通じないと、イライラして不安になってしまう。自然にふるまい、自然に愛をはぐくむことが、成功の秘訣です。

この日生まれの著名人
後三条天皇 (1034)　サッカレー (1811)　草柳大蔵 (1924)　ニック・ファルド (1957)
エリザベス・マッガバン (1961)　松原のぶえ (1961)　浜田麻里 (1962)

この日生まれの大切な人
Name

Name

とりかぶと
Aconite
花ことば・美しい輝き

キンポウゲ科
原産地：ヨーロッパ・アジア

　ギリシャ神話です。王子テセウスが、放浪の旅から帰ってきました。出発したときとは、見違えるほどたくましくなった息子を、父王アイゲウスは見ぬくことができません。それを幸いに、テセウスは王の前で数々の手柄話を披露し、報償を求めました。しかし、蛇の目を持つ美しい魔女メデアは、王子だと見ぬき、毒杯を神々の飲物と偽り、テセウスに勧めたのです。テセウスはだまされません。メデアが最初に口をつけるよう、要求したのです。王はこのときすべてを悟り、メデアに向って「飲まねば殺す」と宣言しました。メデアが床に杯をたたきつけると、大理石はどろどろに溶け、ぶくぶく煮えたぎりました。この飲物こそ、とりかぶとの毒杯だったということです。

★花占い

　キスが欲しいの？　私を抱きたい？そんなことを平気で口にするあなたは、残酷な人。そして人間ぎらいですね。「なんて、憎らしい人！」と言われているかもしれません。愛の言葉は、ひとつ間違えると、凶器にもなります。美しく輝いている自信家のあなただからこそ、少しだけ警告しておきます。

この日生まれの著名人

ドガ(1834) 三波春夫(1923) 水野晴郎(1931) ヴィッキー・カー(1940)
安岡力也(1947) 谷津嘉章(1956) 近藤真彦(1964) 杉本彩(1968)

この日生まれの大切な人

Name

Name

7 月

20

なすの花
Egg Plant
花ことば・真実

ナス科
原産地：インド

古いことわざに「秋なすは嫁に食わすな」というのがあります。

どういう意味かというと、3つの解釈がある。

1つは、秋のなすがシャキッとはぎれよく、おいしいので、嫁にはもったいないという解釈。

2つめは、「嫁」とはねずみのことで、おいしく栄養分の高い秋なすを、ねずみが食べると増えて困るということ。

3つめは、秋なすは種子が少なく、アクが強いので、お腹が冷えやすくなる。子供が生まれにくくなると困るのを、姑が案じたとか。どの解釈をもっても、90年代の女性にはそぐいませんね。どんどんいただきましょう。

江戸時代、若妻が歯を黒くそめた「おはぐろ」は、なすの染料を塗ったのだとか。

★花占い

うそいつわりのない真実を伝えると、なかなかうまくいかない世の中。だからこそ、あなたのように、真っ直ぐな人が求められているのです。愛も遊びなのか、本気なのか、当人でさえわからないことが多い時代。あなたなら、真実の愛を貫けるはず。あなたの恋人は幸せです。

この日生まれの著名人
ヒラリー (1919) 穂積隆信 (1931) 緒形拳 (1937) ナタリー・ウッド (1938)
カルロス・サンタナ (1947) 間寛平 (1949) 鈴木聖美 (1952) 松坂慶子 (1952)
石橋凌 [ARB] (1956) 山崎賢一 (1962) 小川範子 (1973)

この日生まれの大切な人
_____
Name
_____
Name
_____

ばら(黄)
Yellow Rose
花ことば・美

バラ科
原産地:西アジア

「ばらの下で」という言い回しがあります。「内緒で」「秘密に」の意味。なぜか―。

紀元前400年代に、スパルタ人とアテナイ人が、ペルシャのクセルクセス王と手をくみ、ギリシャを征服しようと陰謀を企てた時のこと。ミネルヴァの神殿にあるばらの木陰で、戦術を練り、勝利を得たことから、このことばとなりました。今も、ばらは、告白室や重要な会議室などの彫刻のモチーフに使われ、「沈黙」の象徴とされています。秘密を守ってこそ、願いはかなうということですね。

代表的な黄色のばらといえば、イエロ

ーコンスタンチノーブル。

★花占い

女王のように奔放で、バイタリティあふれる人。誰にも慕われる存在です。弱きを助け、強きをくじく正義の味方。そして、いつも堂々としてる。あまりに明るすぎて、恋は苦手のほう。つい人の仲立ちをしてしまうのですね。自分の気持ちも大切に。

この日生まれの著名人
ロイター(1816) ヘミングウェー(1898) 川地民夫(1938) 中村玉緒(1939)
川谷拓三(1941) 日吉ミミ(1947) 黒田福美(1956) 船越栄一郎(1960) 武内亨〔チェッカーズ〕(1962)
羽賀研二(1962) 池田聡(1963) 杉本哲太(1965) 井上昌己(1969)

この日生まれの大切な人
Name
Name

なでしこ
Superb Pink
花ことば・思慕

ナデシコ科
原産地：ヨーロッパ・アジア

　昔、東国の山道に悪魔の宿る大きな岩があったとか。この岩は、人が通ると生臭い風をおこし、ときには笑ったり、泣いたり、呻いたりするのです。あるとき、島田時主という豪傑が、この岩の悪霊退治に出かけ、弓をとり、矢を放って、見事この岩に命中させました。

　それからは、この巨岩もおとなしくなりました。ただ、矢は抜けることなく、そのまま花になったという。この花が、なでしこ。石に立った矢から花となったので、石竹（セキチク）とも呼ばれています。

★花占い

「私の真心を信じて。愛は不変です」と訴えるあなたに、心を動かされない人はいません。それはあなたが、真底、純粋で、慎重な人だと誰にもわかるから。もしも、テクニックとしてこれを使うなら、人は相手にしてくれなくなるでしょう。今のままでいるかぎり、どんな愛もあなたのものです。

この日生まれの著名人
浜口庫之助(1917) 中原ひとみ(1936) 安西水丸(1942) 岡林信康(1946) 江本孟紀(1947)
原辰徳(1958) 内村光良[ウッチャンナンチャン](1964) 渡辺典子(1965)

この日生まれの大切な人
_____
Name
_____
Name
_____

7月

23

ばら
York&Lancaster Rose
花ことば・温かい心

バラ科
原産地：西アジア

　1455〜1485年、英国に起こった「ばら戦争」。発端は、ヨーク公とサマセット公の口論だったと言われます。

　ヨーク公爵リチャードは、これ見よがしに白ばらを摘み、従者たちにも同じことをさせた。一方、ランカスター出身のサマセット公は紅いばら。従者も主人を見習ったのです。最初は、単なる意地のはり合い。それがどんどん大きく広がり、とうとう戦争が勃発。10万もの人々の命が花と散りました。

　あるとき、修道院の庭に、珍しいばらが咲いたのです。白と紅、一本のばらの木に2色の花色。人々は「ヨークとランカスターのばら」と名づけ、もてはやしました。この花が、和解をもたらしたのです。まもなく両家の間に、結婚話が持ちあがりました。

★花占い

　砂漠と呼ばれる大都会の生活。毎日戦争のように緊張した日々の連続。あなたの温かい心は、周囲の人々をどれほど救っていることでしょう。そのうえに、合理的な面が発揮されたら、言うことなし。博愛主義者のあなた。誰にも好かれますが、結婚相手は慎重に選びましょう。

この日生まれの著名人
二宮尊徳 (1787)　幸田露伴 (1867)　北原三枝 (1933)　朝丘雪路 (1935)
ミッキー・カーチス (1938)　松方弘樹 (1942)　井崎脩五郎 (1947)　三上博史 (1962)

この日生まれの大切な人

Name

Name

24

えんれい草
Trillum
花ことば・奥ゆかしい心

ユリ科
原産地：アジア

山地の森林などの周囲に、群生して咲く花。大きな葉の中央から、3つの黒紫の花を咲かせます。果実は、甘くて食べるとおいしい。根は、胃腸病に効くとされてる。種類によっては、少し毒がある場合も。

なんとなく陰気な感じ。端正な美しさがある。歌舞伎の美しい女形のよう。

「延齢草」の他、「養老草」「延年草」。長生きに縁のある名前が多いようです。

★花占い

先祖から受け継がれた端正な雰囲気。そのまじめな性格は、由緒ある家柄を想像させます。持って生まれたやさしい心は、誰にも慕われるはず。しかし、恋を打ち明けられたとき、相手に誤解されるような言動は慎んで下さい。トラブルの素となります。幸せのためには、愛のふりまき方をよく考えて。

この日生まれの著名人

大デュマ（1802）谷崎潤一郎（1886）酒井ゆきえ（1954）久保田利伸（1962）
河合奈保子（1963）吉本ばなな（1964）植草克秀［少年隊］（1966）内藤尚行（1968）

この日生まれの大切な人

Name

Name

7 月

25

にわとこ
Elder-Tree
花ことば・熱心

スイカズラ科
原産地：ヨーロッパ・アジア

「庭常」と書きます。

　北欧神話の妖精の母ヒルダは、エルダー（にわとこの英名）の根に住んでいたといわれる。葉っぱには、強い臭気があるので、魔除けにもなっていました。

　ユダが、キリストを裏切った罪を恥じて、首をくくった木が、エルダー。また、キリスト処刑の十字架も、この木で作られたと言われています。

　この木は、歯痛を治し、蛇、蚊をよせつけず、神経を慎め、発作を抑えるなど効果はいろいろ。

　また、家を災厄から守り、金属の食器から毒を消すという説も。この木を栽培すると、自分の家で死ぬことを保証されるとも信じられていました。

★花占い

　あなたは、やさしい人。誰かが苦しんでいると、慰めてあげるのに一生懸命です。見返りを求めず、情熱をもってつくしている姿は、神々しいとさえいえます。反面、妥協しない頑固さがある。恋人には、嫉妬しやすいほうです。そこを少し抑えると、もっと愛されるのですが……。

この日生まれの著名人
山形勲(1915) 中村紘子(1944)
近藤敦〔バービーボーイズ〕(1960) 安井純子(1960)

この日生まれの大切な人

Name

Name

7月

26

にがよもぎ
Wornwood
花ことば・平和

キク科
原産地：ヨーロッパ

「苦善燃草」と書いて、にがよもぎ。「苦四方草」とも。

ローマ時代から、受胎・分娩をはじめ、女性だけのすべての病気を治すと信じられていました。薬効と同時に、魔除けの草として不思議な力があるとされてきました。

世界で最も強い酒は、にがよもぎの枝や葉に香料を加え、蒸溜し、アルコールを加えたものです。神経をまひさせる成分を含むと言われます。

学名の「アルテミシア」は、ギリシア神話の女性の神の主と言われる、女神アルテミス（太陽の神アポロンの妹）の名から来ている。

★花占い

「私に何かもの足りたいところがあるのかしら？」自問自答をくり返すことのあるあなた。不足するものはないのです。相手がそのように思わせてるだけ。その人自身に足りないところがあるのを、あなたのせいにしているのです。気にしないで。人を責めるところのないあなたなら、誰からも愛されるでしょう。もう少し自信を持ってはいかがですか。

この日生まれの著名人
バーナード・ショー（1856）森山周一郎（1934）萩原健一（1950）デビッド・イシイ（1955）
谷島美砂〔GO-BANG'S〕（1963）水谷敦〔JAJA〕（1965）

この日生まれの大切な人

Name

Name

7月

27

ゼラニウム
Geranium
花ことば・真実の愛情

フウロソウ科
原産地：南アフリカ

ゼラニウムは、南アフリカ喜望峰の原産。18世紀以降、さかんに栽培され、品種改良が試みられています。ヨーロッパでの人気を反映して、花ことばは品種別、色別などに細分化され、数多くあります。

20世紀には、アメリカでもポピュラーとなりました。一年草、宿根草、低木ですが、普通に見られるのは、宿根草が中心です。

★花占い

子供の両親への愛は、夫婦の信頼関係によって影響されます。真実の愛情を持つ両親のもとで育った子供は、親を越える幸福を手にするでしょう。

あなたは、そんな幸せを持っている人。物やお金にとらわれず、人を見ぬく力があります。素晴しい恋をいくつか重ね、晩婚ですが、幸せな人生をおくります。

この日生まれの著名人
田沼意次(1719) 高橋是清(1854) 山本有三(1887) 鶴岡一人(1916) 塩田丸男(1924)
高島忠夫(1930) ミック・ジャガー〔Rストーンズ〕(1943) 勝野洋(1949) 麻倉未稀(1960)
渡嘉敷勝男(1960) 寺田恵子(1963)

この日生まれの大切な人

Name

Name

なでしこ
Dianthos Superbus
花ことば・いつも愛して

ナデシコ科
原産地：ヨーロッパ・アジア

ギリシア語で「DIOS（神）」「ANTHOS（花）」が語源。神より与えられた花、神聖な花の意味です。

日本では、「形小さく、色愛すべきもので愛児に擬す」と万葉集にある。「撫で」は、愛撫するという意味で、「撫子」と書きます。四季の移り変わりを告げる大切な花。

昆虫類の仲だちで増える虫媒花です。ただし、蝶々だけしか授粉してくれません。花の筒が長いため、他の虫は敬遠するらしい。蝶となでしこ。優美な組み合わせ。

種類は多く、日本娘を示す「大和撫子」の他、「河原撫子」「虫取撫子」「花糸撫子」「鷺撫子」「群れ撫子」…可憐な名前ばかり。

★花占い

蝶々だけが結婚の相手。ミツバチや他の昆虫では生きられません。純潔な愛情こそが、あなたそのものであることを自覚すべきです。淫らな愛は似合いません。移り気もだめ。一途な愛をつらぬきましょう。

この日生まれの著名人
小デュマ (1824) 渡辺美智雄 (1923) アルベルト・フジモリ (1938)
マッド・アマノ (1939) 渡瀬恒彦 (1944) 大竜詠一 (1948) サエキけんぞう (1958)
桂銀淑 (1962) ライオネス飛鳥 (1963) 阿波野秀幸 (1964) AYA〔PINK SAPPHIRE〕(1969)

この日生まれの大切な人

Name

Name

7月

29

さぼてん
Cactus
花ことば・燃える心

サボテン科
原産地：メキシコ

「仙人掌」と書き、サボテン。

ルーサー・バーバンクは、ピューマが口を血だらけにして、サボテンを食べているのを目にし、食用になると考えた。そこから、トゲのないサボテンを作り出すことに成功したといわれています。

アメリカ、アリゾナ州のツゥーソンからフェニックスにかけて、サボテン公園や砂漠植物園がいくつかあります。なかでも有名なのは、サヴァロ・サボテン。西部劇でおなじみの、円柱の形をしたサボテンです。その群生を見たときは、美しさのあまり、声も出なかった思い出があります。

昼は40度を越し、夜は一気に寒くなる過激な気候の中で育つ。15mくらいに成長するのに、200年はかかるとか。気が遠くなりそうです。

★花占い

世間の荒波に耐え、内気な感じのするあなた。見た目とは対照的に、燃えるような恋を望んでいます。その情熱を仕事にも生かして下さい。サボテンの花に似たあでやかな成果を、きっと咲かせることができるはずです。

この日生まれの著名人
J・ロック (*1632*) 中村勘三郎 (*1909*) 橋本龍太郎 (*1937*) 安奈淳 (*1947*)
せんだみつお (*1947*) 山際享司 (*1948*) 山田久志 (*1948*) 小野リサ (*1962*)
高木美保 (*1962*) 坂上香織 (*1974*)

この日生まれの大切な人

Name

Name

7 月

30

菩提樹(洋種)
Lime Tree、Linden
花ことば・夫婦愛

シナノキ科
原産地：ヨーロッパ

　ピレモンとバウキスは、愛し合っている夫婦。どちらか一方が死んだときは、死を共にしたいと願っていました。ある朝、目ざめると、二人とも頭から葉っぱが生えているのです。最期の日が来たと知りました。「さよなら」と手に手をとり、歩き始めたふたり。次第に人間の姿が消え、曲がりくねった大きな木へと変身していきました。夫のピレモンはオークの木に、バウキスは菩提樹に。この二種類の木は、相思相愛の象徴とされています。

　また菩提樹には、人間の霊が宿っていると信じられ、霊感師は、この葉を指に巻くと言われています。

★花占い

　愛と夢に彩られた、あなたの人生。すばらしいパートナーを得て、幸福そのものでしょう。物志向に走らないふたりだからです。家や車、目に見えるものにお金をかける風潮の中、本当の充実した暮らしは、別のところにあるのだと、あなたもパートナーもわかっているのです。今まだシングルのあなた、そのような恋人がもうすぐ見つかるはず。

この日生まれの著名人
エミリー・ブロンテ(1818) フォード(1863) 荒井注(1929)
ダニエル・エシュテル(1938) 斉藤晴彦(1940) ポール・アンカ(1941)
アーノルド・シュワルツェネッガー(1947) ユルゲン・クリンスマン(1964)

この日生まれの大切な人

Name

Name

かぼちゃ
Pumpkin
花ことば・広大

ウリ科
原産地：アメリカ

「南瓜」と書く。

カンボジアから渡来したので、この名となりました。日本には、16世紀、ポルトガル船によって、もたらされました。

江戸時代から、庶民の食べもの。ビタミンAが多く、カロリー価も高いので、西洋、和風料理からデザートにと、さまざまに味わえる。

万霊節の宵祭、ハローウィンのかぼちゃは、終りゆく秋、収穫の秋に名残りを惜しみ、自然に感謝する気持ちをこめて、祭の主役にすえられています。

中国では、健康、豊穣の象徴として、「庭園の皇帝」とも呼ばれている。

シンデレラ姫の、魔法の馬車は、何よりも子供の夢。

★花占い

天には星が輝き、地上には花が咲き乱れる夜。かぼちゃのように、豊穣な愛を運んでくれる恋人にめぐり逢えたら、最高の人生。

あなた自身スケールの大きい人。相手もきっと同じタイプです。ふたりそろえば、素晴しい夢が、夢のままではなくなります。そんな迫力のある愛が始まるでしょう。

この日生まれの著名人

クラーク博士 (1826) 柳田国男 (1875) 藤原弘達 (1921) 石立鉄男 (1942)
和泉雅子 (1947) 岡崎友紀 (1953) マイケル・ビーン (1956) 中山秀征 (1967) 本田美奈子 (1967)

この日生まれの大切な人

Name

Name

けし（赤）
Papaver
花ことば・慰め

ケシ科
原産地：東ヨーロッパ

　ギリシア神話によると、この花が生まれたわけは、こんなふうになる。

　豊穣の神ケレースは疲れがつのり、農作物の世話という本来の仕事に身が入らなくなりました。これでは作物がだめになる。そこで眠りの神ピュプノスは、けしの花を使い、ケレースをぐっすりと眠らせました。充分に休息をとったケレースは、はりきって仕事にいそしみ、作物は助かったということです。

　それ以来、ケレースは自分のかぶる穀物の花輪にけしの花をからませるようになったとか。

　けしは、別名「赤い雑草」。この花が咲くと、畑が荒れる。しかも根絶はむずかしいと、農民のきらわれ者でした。植物学の祖リンネによれば、１つの花で３万２千個の種子をつくる。「多産の象徴」でもあります。

★花占い

　夢想家の傾向あり。虚栄志向もあり、社交上手です。熱狂的になりやすい人ですが、さめやすい面を持っている。愛する人へは命がけでつくすタイプ。あきっぽい自分を自覚し、愛の持続を心がけましょう。助言には素直に耳を傾けて。

この日生まれの著名人
メルヴィル（1819）室生犀星（1889）水谷八重子（1905）ＥＨエリック（1929）若原一郎（1931）
金田正一（1933）イブ・サンローラン（1936）三ツ矢歌子（1936）田村正和（1943）つのだひろ（1949）
鹿内美津子（1955）津田恒実（1960）成田昭次〔男闘呼組〕（1968）ジェニーちゃん

この日生まれの大切な人
_____

Name
_____

Name
_____

やぐるま草
Corn Flower
花ことば・幸福

キク科
原産地：ヨーロッパ

　別名「青い花」「青い帽子」「青い蝶ネクタイ」……矢車草のブルーは、あらゆる青い花の中で、最も完全な青と評価されているのです。

　学名の「ケンタウレア・チアヌス」は、あの半人半馬ケンタウルスから来ている。こんな伝説があるのです。百の頭を持つ怪物「ヒュードラ」の血に浸した毒矢。これでケンタウルスが殺された。その傷口に矢車草の花びらをふりかけると、半人半馬はさっそうと生き返ったということです。

　花の女神フローラの熱心な崇拝者チア

ヌスが死んだ。女神は若者の死を悼み、彼が野原で集めていた花に「チアヌス」の名を与えたとか。学名の後半は、この伝説からついたようです。

★花占い

　好奇心旺盛なので、勉強も仕事も苦にならない人です。明るい性格で、サービス精神が豊富。ノリがよすぎて、失恋する危険性も。でもそんなあなたに夢中の異性がいるはずです。

この日生まれの著名人
三浦梅園 (1723) ピーター・オトゥール (1933) 高橋悦史 (1935)
ポール牧 (1941) 中上健次 (1946) 渡辺久信 (1965) 真璃子 (1968)

この日生まれの大切な人

Name

Name

ぎんせんか
Flower of an Hour
花ことば・乙女の美しい姿

アオイ科
原産地：中央アフリカ

「銀銭花」。淡い黄味がかった花色と、丸みのある姿からこの名がつきました。

この花は、人に見られるのが恥ずかしいらしい。朝の陽を浴び、8時ごろ開花したかと思うと、9時にはもうしぼんでしまう。だから英名は、「1時間の花」。

花の命が短いことを朝露にかけて、「朝露草（チョウロソウ）」とも呼ばれます。「ヴェニスのフヨウ」「正午にお休み」など、変わった別名も。

16世紀に、中央アフリカの森から、ヨーロッパに渡ったといわれます。

★花占い

純真で清らか。汚れを知らぬ無垢な心。少年少女のころは、だれもがそうでしたが、あなたは今もロマンティスト。人を疑うことを知りません。傷つくこともあるでしょうが、その美しさを失わないで。必ず幸福へ導かれます。

この日生まれの著名人
伊達政宗(1567) 豊臣秀頼(1593) 徳川家綱(1641) 新渡戸稲造(1862)
観世栄夫(1927) マーティン・シーン(1940) 黒鉄ヒロシ(1945)
藤田朋子(1965) TAKA〔PINK SAPPHIRE〕(1967) 志賀泰伸〔忍者〕(1968)

この日生まれの大切な人

Name

Name

とうもろこし
Corn
花ことば・財宝

穀物
原産地：世界中

インディアンの民話。ある男がひとり暮らしをしている小屋に、長い髪の美しい女が現れた。男は女に、そばにいてほしいと頼んだ。女は、自分のいうことを聞いてくれるならと条件を出し、一緒に住むことにしたのです。ある日、女は棒2本で火を起こし、野原を焼くと、男に向かって「日が沈んだら、私の髪をつかんで地面をひきずって下さい」。男が言われたとおりにすると、そのあたりから、トウモロコシが一面に生えたのだとか。

★花占い

持って生まれた王者の風格。あなたに不可能はありません。恋愛にも堂々と立ち向かう。あなたの愛せる人はただひとりだけです。あこがれられるタイプですが、他の人は単なる友達。秘密の恋はできないタイプ。あなたのパートナーは、恵まれています。

この日生まれの著名人
吉田松陰（1830）ハムスン（1859）多々良純（1917）高岡健二（1949）
沢田知可子（1963）布川敏和（1965）大森剛（1967）

この日生まれの大切な人

Name

Name

エリカ
Heath
花ことば・孤独

エリカ科
原産地：ヨーロッパ

スコットランドでは「ヒース」。春から秋にかけて、一面のヒース畑の美しさは、たとえようもありません。

春に、やわらかな芽を摘み、ふとんの綿にしたり、草は乾燥してほうきにし、枯れると燃料にしたり、また染料にと、生活に根ざしている。

「HEATH」の語源は、ドイツ語で「荒野」。

日本で一般的に見られるヒースは「蛇の目エリカ」と呼ばれています。

★花占い

自分にきびしく、孤独を愛するあなた。表面上は、考え方が柔軟なので、社交家とも言えるほどです。淋しがりやなのでしょう。仕事にはシビアなので、成功する人。パートナーには、少し甘えるくらいがちょうどです。

この日生まれの著名人
高杉晋作(1839) モーパッサン(1850) 高橋勝成(1950) マイケル富岡(1961)
藤吉久美子(1961) 柳原幼一郎〔たま〕(1962)

この日生まれの大切な人

Name

Name

6

のうぜんかずら
Trumpet Flower
花ことば・名誉

ノーゼンカズラ科
原産地：南アメリカ・アフリカ・中国

　日本ののうぜんかずらは、中国原産の
つる性落葉低木。古くに渡来したわりに
は、広まっていないのが不思議です。

　アメリカでは、フロリダにあるフェア
チャイルド・トロピカル・ガーデンと、
オーランドの近くにあるサイプレスガー
デンでこの木を見ました。トランペット
の形の花がみごとだという印象。

　親戚として、ひもの先にソーセージを
吊り下げたようなソーセージ・ツリー、
真赤な花が炎のように空に向かって咲い
ている火炎木、木の回りに黄金のカー
ペットをひいたようなゴールド・ツリーな

どがあります。

★花占い

　草原の輝きにも似たあなたの瞳。どん
な人をもひきつけずにおきません。開放
的でWILDな面も魅力的。あなたは、生
きることの喜びを知っている人です。そ
の喜びを、恋人にもわけてあげて下さい。

この日生まれの著名人
ロバート・ミッチャム (1917)　菅原都々子 (1928)　結城貢 (1940)
市川団十郎 (1946)　堺正章 (1946)　辰巳琢郎 (1958)　久島海 (1965)

この日生まれの大切な人
_____
Name
_____
Name
_____

8月

ざくろ
Pomegranate
花ことば・円熟の美

ザクロ科
原産地：南ヨーロッパ

地上の女神プロセルピナは、太陽の神ユピテルと豊穣の女神ケレースの娘。ユピテルは、プロセルピナを冥界の神プルトンの妻に決めたのです。ケレースはそれが気にいらず、地上に降りてしまった。プロセルピナも、悲しみのあまり、食べものを一切口にしません。ユピテルは困り、プルトンにあきらめてくれと頼んだのです。しかし、プルトンは計略をはかり、プロセルピナにざくろを一粒食べさせることができた。そして、結婚に成功。プロセルピナは一年の半分をオリュンポスで、残りの半分を冥界で暮らさなければなくなりました。

ざくろは、「地獄の果実」とも呼ばれているのです。

★花占い

お互いが愛し合っていれば、どんなに遠く離れていても心は通じあうはず。あなたが持っている自負心こそ、そんな愛の原点ともなっています。そんな愛をささげられるパートナーが、ほら、そこまで近づいてきています。

この日生まれの著名人
司馬遼太郎 (1923) 藤田元司 (1931) アベベ (1932) アンリ菅野 (1948)
桑名正博 (1953) 尾花高夫 (1957) 千葉美加 (1972) 内田春菊

この日生まれの大切な人

Name

Name

8 月

つつじ
Azalea
花ことば・愛の喜び

ツツジ科
原産地：北アメリカ・ヨーロッパ

ヨーロッパのつつじ類は「アザレア」。耐寒性が強く、ベルギーのゲントを中心に改良発達した「ゲントアザレア」と、温室栽培のアザレアが特にポピュラー。

銀行主ロスチャイルドが改良を進めた「エスパー・アザレア」も、世界各国に普及しています。

アメリカでは、つつじとつばきの栽培がさかんで、全米いたるところに、アザレアガーデン、カメリアガーデンが作られ、みごとな花を咲かせています。カリフォルニアのハンティントン・アート・ギャラリーの庭園は、なかでもその代表

格といえるでしょう。

★花占い

純情なあなたは、多くの人々の心をとらえて離しません。しかし、無邪気すぎるゆえに、どこか心さびしく、つらい日々を送っていることでしょう。あなたにとって大切なのは、今の純粋さを、愛する人があらわれるまで維持できるかということです。それができれば、愛の喜びは2倍、3倍にもふくれあがります。

この日生まれの著名人

アンディ・ウォーホル (1927) 岩井半四郎 (1927) ロマン・ポランスキー (1933)
ロミ山田 (1933) ダスティン・ホフマン (1937) 前田美波里 (1948) ピーター (1952)
ナイジェル・マンセル (1954) 新井素子 (1960)

この日生まれの大切な人

Name

Name

シスタス
Cistus
花ことば・人気

ハンニチバナ科
原産地：ヨーロッパ

「シスタス」は、聖書に登場する花。「バイブル・プラント」として、ヨーロッパでは、数多くの品種が栽培されています。

ロンドン郊外にある王立キュー植物園には、聖書の植物がたくさん植えられていて、園内のキング・ウィリアム・テンプル近くに群生しており、その美しさで見る人を驚かせている。

高さ2m前後にもなる常緑灌木で、ピンク、紫、赤などカラフルな花をつける。5枚の花びらは大きく、まるでばらのように華やか。日本では見られないのが残念。

★花占い

あなたの人気は、人に愛されるためのテクニックが上手なことから来ています。そのテクニックにおぼれると、八方美人とみなされるから注意。本当に愛する人と出会ったとき、本気にされない心配もあります。愛するテクニックもみがいて下さい。

この日生まれの著名人
源実朝 (1192)　磯村尚徳 (1929)　黒柳徹子 (1933)
吉行和子 (1935)　謝敏男 (1940)　石橋蓮司 (1941)　佐藤蛾次郎 (1944)
メラニー・グリフィス (1957)　ホイットニー・ヒューストン (1963)

この日生まれの大切な人

Name

Name

8月

10

こけ
Moss
花ことば・母性愛

地表類
原産地：世界中

苔寺と呼ばれる京都・西芳寺。緑のビロードを敷きつめたようで、神秘的な静けさに満ちています。

ドイツには、「コケの妻」という伝説が残っている。それは妖精の一族の名前です。大木の洞穴が住む家。コケを整え、床をつくり、なにかに驚かされるたび、コケの緑にスウーッと身を隠すという。人間にやさしくされると、コケを編んで着物をつくり、刺繍までほどこし、プレゼントするのです。ある子供が、コケの妖精にいちごがほしいとねだられ、摘んだうちから、少しわけてあげた。家につくころには、残ったいちごがすべて黄金に変わっていたという。

かわいくって人の好い妖精たち。

★花占い

母の愛は、退屈なものと、思っているかもしれません。だけれど、いちばん確かで強いのが、母性愛なのです。

刺激のある愛は、棘だらけで危険がいっぱい。知的で、合理主義者のあなたですが、母の愛のような静けさを身をつけたとき、本当に魅力的となるはず。お母さんのことも、たまには大切に。

この日生まれの著名人

大久保利通(1830)　角野卓造(1948)　三波豊和(1955)　ジョブリン得能〔米米クラブ〕(1959)
ロザナ・アークェット(1959)　杏子〔バービーボーイズ〕(1960)　岩井小百合(1968)

この日生まれの大切な人

Name

Name

226

紋天竺あおい(赤)

Geranium Zonal

花ことば・慰安

フウロソウ科
原産地：ヨーロッパ

　預言者マホメットが川で衣類を洗濯し、そのあたりに生えていた植物の上に乾かしたまま、うとうとと居眠りをはじめました。

　ふと目がさめ、何気なく衣類をとりあげようとしてびっくり。かけたときとは、まったくちがう花が、頭を高くもたげていたのです。真赤な花をいくつもつけ、芳しい香りを放つゼラニウム。

　マホメットの徳をたたえるために、天が創造したものだという説があります。

★花占い

　淋しい人や悲しそうな人に出会うと、どうしても慰めてあげたいと思ってしまうあなた。自分自身もさびしがりやなのですね。あなたは憂愁を漂わせている。だからこそ、相手も安心して甘えられるのでしょう。人と慰めあうことで、悲しみを乗りこえたとき、別の世界が開けるはずです。

この日生まれの著名人

吉川英治（1892）　岸恵子（1932）　小林亜星（1932）　古谷三敏（1936）
中尾彬（1942）　槇原寛己（1963）　橋本愛子（1967）　喜多嶋舞（1972）

この日生まれの大切な人

Name

Name

8月

12

きょうちくとう
Oleander
花ことば・危険

キョウチクトウ科
原産地：アジア・インド

「夾竹桃」は竹のような細い葉。桃色のあでやかな花を咲かせる常緑樹です。

スペインの伝説があります。母と二人暮らしの貧しい少女が熱病で倒れた。母はあらゆる手段をつくして娘の看病にあたったのだけど、とうとう自分も疲れはて、聖ヨセフに祈りました。「どうぞ娘を元気にして」と。何日も何日も、祈り続け…あるとき、突然、部屋に光がさした。そして見慣れぬ人影が、水々しい夾竹桃の一枝を娘の胸もとに置き、ふっと消えてしまったのです。「聖ヨセフだわ」と母は思った。もちろん、少女は全快したそうです。

だから──夾竹桃の別名は「聖ヨセフの花」なのです。

★花占い

友情をとるか、それとも恋を……決心がつかず、悶々と日を送ることになりそうです。この選択はとにかく難かしい。あなたは、友情の危機におちいったとき、親友を選ぶ人。でも大丈夫。あなたが、ベスト・パートナーと出会ったとき、親友も大賛成してくれますよ。

この日生まれの著名人

淡谷のり子 *(1907)* 東てる美 *(1956)* 陣内孝則 *(1958)* 角松敏生 *(1960)* 北尾光司 *(1963)*
デビッド伊藤〔Ｂ２１スペシャル〕*(1966)* 網浜直子 *(1968)* 武田久美子 *(1968)*
東幹久 *(1969)* 諸星和己〔光ＧＥＮＪＩ〕*(1970)* 貴花田 *(1972)*

この日生まれの大切な人

Name

Name

228

8月

13

キリン草
Golden Rod
花ことば・警戒

キク科
原産地：ヨーロッパ

「GOLDEN ROD」は、黄金のムチという意味。鮮やかな黄金色の小花を枝に散りばめ、まさに美しくしなるムチを思わせる。

ローマ時代は、万能の薬草と言われた。

日本では「泡立草」の別名も。小花の群れ咲く様子が、ビールの泡だちに似ているからでしょう。

アメリカには、いたるところにこの花が見られ、国を代表するようなイメージを受ける。

ニューヨークのブルーミングディール百貨店で、「田舎の郷愁」と銘うったインテリア・コーナーを設置したとき、ディスプレイに使われたのは、ワラとこのキリン草なのです。

★花占い

人の嘘を見とおすことが苦手なあなた。悩みごとが多いほうですね。事が起こるたびに真剣に受けとるので、問題解決がむずかしくなっています。人生、気楽に考えて、流れに身を任せてみることも大切。自分を守るための気持ちの用意だけしていれば、トラブルは防げるでしょう。そのとき、愛は星が降るように、あなたのもとへ訪れます。

この日生まれの著名人

アルフレッド・ヒッチコック (1899)　佐野浅夫 (1925)　カストロ (1927)
桂枝雀 (1939)　樫山文枝 (1941)　戸川京子 (1964)　伊藤みどり (1969)

この日生まれの大切な人

Name

Name

14

ジャーマンダー
Wall Germander
花ことば・愛敬

クワガタソウ属
原産地：地中海沿岸

地中海沿岸、またはヨーロッパの低地、とくに太陽の当たる石灰岩に多く生えています。

庭園用の植物として、イギリスに持ちこまれた。古い壁づたいに、よく見かけるようです。

芳香のある幹が、真っ直伸びている灌木。卵形のまるい葉は、ふちがぎざぎざで、細い毛がはえている。花は、2枚の花びらのみですが、形になった6つの輪生した花が集まって、先のほうが穂になっています。

食あたりの薬草として用いられており、食欲を促進する効果もあるとされています。

★花占い

無造作と巧妙さが同居しているあなたは、人に重宝がられています。一見、愛嬌のある人と見られていて、気軽に声をかけやすいからです。しかし、あなたの行動が、すべて精神的にも金銭的にも実利性をともなっていることに、相手は気づかないようですね。愛情面でも同様で、もてるタイプ。でも、しっかりしているので、そんなに簡単に心をひらきません。

この日生まれの著名人

シートン(1860)　藤村富美男(1916)　桂歌丸(1936)　杉良太郎(1944)
ヴィム・ヴェンダース(1945)　エマニュエル・ベアール(1956)
湯原信光(1957)　井上純一(1958)　鈴木保奈美(1966)

この日生まれの大切な人

Name

Name

8月

ひまわり
Sun Flower
花ことば・光輝

キク科
原産地：中央アフリカ

「向日葵」と書いて、ひまわり。おそらく「日回り」から来ています。他に「日車」「望日蓮」「迎陽花」「日輪草」。

中国では、ひまわりの種を食用とし、油も絞りとりました。インディアンは花びらから染料をとった。葉は、ガチョウの餌になり、油脂はマーガリン、また絵の具の材料にも使われています。

種子は、カルシウムを多く含み、噛むと歯が悪くならないそうです。

全部で、ゴッホの不朽の名作「ひまわり」は、13枚あるといわれている。

★花占い

強烈な個性を持っていますが、なかなか発揮できないあなた。人から高慢に見られる面があり、それがネックになっています。尊敬する人に出会えるとよいのです。その人をお手本に。どうふるまったらよいかの指針となることでしょう。そのとき、あなたの個性が、本当に光り輝くことでしょう。

この日生まれの著名人
山東京伝 (1761)　ナポレオン I 世 (1769)　ニコラス・ローグ (1928)
シルビー・バルタン (1944)　目黒祐樹 (1947)　渥美二郎 (1952)
サンプラザ中野〔爆風スランプ〕(1960)　愛甲猛 (1962)　麻生祐未 (1964)

この日生まれの大切な人

Name

Name

231

タマリンド
Tamarindus
花ことば・ぜいたく

マメ科
原産地：中央アフリカ

　古くはエチオピアからインドに渡来しました。「インドのナツメヤシ」の別名が。

　ヘブライ語の「タマール」（なつめやしの意味）と、「インド」から、タマリンドと名づけられたのです。

　ビタミンBの含有は、果実の中でも、最高と言われ、お菓子やカレー粉、アイスクリームなどの材料に使われている。

　「タマリンドの木には、悪霊が宿っており、この木の下で眠ると、いためつけられる」との言い伝えがある。タマリンドの葉は、有機酸を多く含んでいるので、この木の下には、植物も茂らない。その

ようなことから、こんな噂が生まれたのでしょうか。

★花占い

　豪奢志向は、あなたの生まれ持った血統のなせるわざ。あなたのライフスタイルは、もうあなたの中にしっかりイメージされているのです。自分では、ぜいたくなつもりはないのですね。恋愛の相手にも気品を要求するあなた。自分を磨いて、つりあうように努力しましょう。

この日生まれの著名人
菅原文太(1933)　マドンナ(1959)　ティモシー・ハットン(1960)　金山一彦(1967)
前田耕陽〔男闘呼組〕(1968)　西田ひかる(1972)

この日生まれの大切な人
Name
Name

8月

17

ゆりの木
Tulip-Tree
花ことば・田園の幸福

モクレン科
原産地：北アメリカ

学名の「レイリオデンドロ」は、ギリシャ語で「百合の樹」。花が百合に似ているからです。しかし、英語名は、チューリップの花のほうに連想しています。

北アメリカには、広範囲に見られ、高さは60メートル、幹の直径が3メートルを越すような大木が多いといわれる。

葉の形が「しるし半てん」の形をしているところから、日本では「ハンテンボク」の別名も。

新宿御苑や小石川植物園には、明治時代に植えられたこの大木があります。

★花占い

気立てのよさは、天下一品。自分を飾ることもなく、自然に出てくる立居振舞、雰囲気が、草原のようなさわやかさです。

そのようなあなたでありながら、幸福がなかなかやって来ないのは、相手にその思いが伝わらないから。あなたが精神的に背をかがめ、相手に合わせるようにすれば、万事うまくいくでしょう。

この日生まれの著名人
フルシチョフ (1894)　笠谷幸生 (1943)　ロバート・デニーロ (1943)
ネルソン・ピケ (1952)　ベリンダ・カーライル (1958)　赤井英和 (1959)　ショーン・ペン (1960)
ドニー・ワールバーグ〔New Kids on The Block〕(1969)

この日生まれの大切な人
_____

Name
_____

Name
_____

たちあおい
Holly Hock
花ことば・熱烈な恋

アオイ科
原産地：シリア・中国

古くから、さまざまに評価されている花です。

「庭を飾るものが何もないとき、この花があなたを満足させる」

「宮廷をはじめ、広々とした庭に最も似つかわしい。堂々としているから」

「庭のすみや、壁に面したところに植えるべき。遠くからでも美しさが楽しめる」

どれも、たちあおいへの讃歌。

薬用植物で、蜂やさそりに刺されたとき、この葉が効くとか、体に塗ると虫がささないなど、虫よけ効果があるらしい。また、子供の腸虫を殺し、打撲などの凝血をなおすなど、多くの効用が言われています。

中国では、葉はお茶に、花は料理に使われています。

★花占い

困難に出会ったとき、誘惑にかられたとき、あなたの人生はふたつの道をさししめします。そのときは、愛する人のいる道を歩き続けることが、幸福へのパスポートです。

この日生まれの著名人

最澄（766 or 767）　城山三郎（1927）　ロバート・レッドフォード（1937）
柴田恭兵（1951）　名取裕子（1957）　伊藤麻衣子（1964）　吉川晃司（1965）
清原和博（1967）　中居正広〔SMAP〕（1972）

この日生まれの大切な人
_____
Name
_____
Name
_____

すいせんのう
Rosa Campion
花ことば・誠実

ナデシコ科
原産地：ヨーロッパ

　ナデシコ科センノウ属の仲間。南ヨーロッパ原産です。

　草の丈は、30〜70cm。茎は真っ直ぐで、全体が白い柔らかな綿毛におおわれており、手ざわりのよいことから「フランネルソウ」と呼ばれています。

　ヨーロッパでは、最も一般的に栽培される多年草で、夏から秋にかけて、紅、淡いピンク、白などの美しい花色。

　葉がふかふかして、ろうそくの芯をつくるのに適していることから「ランプの花」の呼び名もある。

★花占い

　機知に富んだ楽しい会話をするあなた。誰からも好かれる人です。あなたが、真心から人と接しているからです。勉強家。そして努力家。あなたの身につけた知識は、将来必ず、知性の豊かな人と言われ、仕事の成功へとつながります。パートナーも、あなたの知識にひきつけられて、もうすぐ現われますよ。

この日生まれの著名人
ライト弟(1871)　ガブリエル・シャネル(1883)　八名信夫(1935)　松本幸四郎(1942)
前川清(1948)　風間トオル(1962)　ヤガミトール〔BUCK-TICK〕(1962)
秋吉満ちる(1963)　立浪和義(1969)

この日生まれの大切な人

Name

Name

フリージア
Freesia
花ことば・純潔

アヤメ科
原産地：南アフリカ

南アフリカ喜望峰の原産。19世紀初め、ヨーロッパに紹介されて広まりました。

「フリージア」の名は、南アフリカで植物採集をしていたC・エックロンが、親友フリーゼの名をとり、つけたと言われます。

日本へは、明治時代に渡来、昭和に入って、本格的な栽培が始まりました。

早春を代表する花。清純な形と花色があいまって、切り花、鉢物とも、誰にも愛される身近な植物です。

球根づくりは、八丈島や鹿児島の沖永良部島など、霜の降りない地方でさかん。

★花占い

無邪気、純情、清らかさを絵にかいたような人。甘ったるい嘘に、すぐだまされてしまいます。だから戯れに恋をしてはいけません。あなたの恋は、いつも詩になってしまうほど、あどけなく可愛いものだから、だまされては立ち直れないかもしれないからです。あなたの潔癖さは、人生に大きな成功をもたらすでしょう。「幸福とは忍耐」という自覚が生まれれば、哲学的な恋ができるかもしれません。

この日生まれの著名人
尾上紫舟 (1876)　司葉子 (1934)　ピーター・バラカン (1951)
アグネス・チャン (1955)　桐島かれん (1964)

この日生まれの大切な人

Name

Name

きんみずひき
Agrimony
花ことば・感謝

バラ科
原産地：東ヨーロッパ・アジア

「AGRIMONY」はギリシャ語で、棘の多い植物の意味。

秋風のたつ頃、草むらを歩いていると、服に小さなガクがつく。それが「金水引」なのです。

パルナッソスの山では、「魔法の草」とされていた。廷臣に毒をもられたミトリダス王は、この草を解毒剤に用い、命が助かったという。

薬としては万能。「竜牙草」とも呼ばれ、下痢止めや赤痢の特効薬として、中国では重宝されたとか。根を煎じると、うるしかぶれ、皮膚炎などにも効くそうです。

★花占い

人に喜ばれ、満足されることが、あなたの幸せ。愛することに集中できる人。きっとステキな恋人が見つかりますよ。人に感謝したとき、目に見える形で気持ちを表わす習慣を身につければ、幸せが確実にやってきます。

この日生まれの著名人
ビアズリー(1872)　五島昇(1916)　芦田淳(1930)　菅原洋一(1933)
ケニー・ロジャース(1937)　生沢徹(1942)　稲川淳二(1947)　関根勤(1953)
円広志(1953)　高樹沙耶(1963)

この日生まれの大切な人

Name

Name

8 月

しもつけ草
Spirea
花ことば・努力

バラ科
原産地：東アジア

昔、中国の戦乱の世に、元騎という軍人を父にもつ繍線という娘がいました。元騎は勇敢に戦ったが、捕虜になってしまったのです。そう噂に聞いた娘は、男装して獄史になり、父を探しにいきました。ところが、父はすでに病死。娘は嘆き悲しみ、父の墓のそばに咲く名もない花を、形見に持ち帰ったとか。この花は娘の名をとり、「繍線花」と名づけられました。「しもつけ草」の別名です。

★花占い

きっぱりものを言い切れる人。あなたは正しいのだけど、独断専行しがちな傾向がありますね。無駄のない人生を送ろうとしているのは、素晴しいけれど、ときには遊びも必要。少しの無駄が、人生を豊かにするのです。それこそ、自分を楽にする秘訣でしょう。

この日生まれの著名人
足利義満(1358)　ドビュッシー(1862)　天田俊明(1934)
川口浩(1936)　土居まさる(1940)　みのもんた(1944)　タモリ(1945)
金田賢一(1961)　佐野量子(1968)

この日生まれの大切な人

Name

Name

23

菩提樹(洋種)
Lime Tree, Linden
花ことば・夫婦愛

シナノキ科
原産地：ヨーロッパ

「不思議の木」「聖なる木」「相思相愛の木」として、ドイツには、菩提樹にまつわる民話がいくつも残されています。

ゲーテが、この木に愛人の名を彫った。シューベルトは、この木のイメージで作曲をした。この木の下で、結婚式やダンス会が開かれるなど、数えきれないほど。

昔は妖精のすみかと言われ、悪霊や雷をよせつけない木として、大切にされていました。

★花占い

明るいあなたにも、苦しくつらい時期はあるのです。愛する人を得て、お互いを守るため、精神的に強くなることが必要なのです。情熱的なあなたならそれができます。相手がくじけそうになったとき、しっかりカバーしてあげて下さい。

この日生まれの著名人
ルイ16世(1754)　三好達治(1900)
ジーン・ケリー(1912)　岡江久美子(1956)　佐藤しのぶ(1958)　谷福美(1959)
高橋ひとみ(1961)　リバー・フェニックス(1970)

この日生まれの大切な人

Name

Name

8月

(24)

きんせんか
Calendula
花ことば・別れの悲しみ

キク科
原産地：ヨーロッパ

　太陽の神に恋してしまった少年がいた。小さい時から、空を見つめるのが好き。輝くばかりの光を見ると踊り出したくなり、夜になると、悲しく沈んでしまうのです。太陽の神も、少年を愛し始めたとき、雲の神が嫉妬した。太陽の神を8日間も、雲の中に閉じこめてしまう。少年は淋しさに耐えきれずに、死んでしまった。太陽は少年を悼み、ふたりの愛の記念として、死体を「きんせんか」に変えたのだという話。

　きんせんかが、いつも太陽に向かって美しく咲くのは、太陽との変わらぬ愛のあかしなのだとか。

　英名の「CALENDULA」は「暦」の意味。

★花占い

　出会いがあるから、別れがある。恋の別れ、友との別れ、家族との別れ、一時的な別れ、永遠に会えない別れ……。

　あなたは、別れのたびに、激しく嘆き悲しむ人。しかし、別れがあってこそ、希望も生まれるのです。涙をこぼした数だけ、よりすばらしい恋人にめぐりあえる。それを信じて下さい。

この日生まれの著名人
平田篤胤 (1776)　滝廉太郎 (1879)　若山牧水 (1885)
久野綾希子 (1950)　岡田美里 (1961)

この日生まれの大切な人

Name

Name

8 月

(25)

アンスリウム
Flaming Flower
花ことば・恋にもだえる心

サトイモ科
原産地：南アメリカ

艶のある紅色。うちわの形をしているので「べにうちわ」とも呼ばれます。

英名の「FLAMING FLOWER」は、フラミンゴの立ち姿に似ているところから。

熱帯アメリカ原産で、熱帯雨林に咲く。

南米アマゾン流域で、着生しているアンスリウムを遠くから見たことがある。濃い緑の中に、炎えるような紅の色が強烈に鮮やかだった記憶があります。

日本には、明治時代に渡来しました。切り花として、観葉植物として、ただ今、人気上昇中です。

★花占い

「あなたひとりの下僕となって、愛の花を咲かせたい」そんな情熱的な恋をする人です。冷静に考えれば、少々ひとり芝居のところがありますね。しかし、本当に愛する人が現われたとき、そのひとり芝居の練習が大きな実を結ぶことでしょう。「私の心は火のように燃えている」などの熱いセリフも、自然と口から出てくることでしょう。

この日生まれの著名人
イワン4世(1530)　荻昌弘(1928)　ショーン・コネリー(1930)
山村美紗(1934)　田宮二郎(1935)　コシノジュンコ(1939)
根岸吉太郎(1950)　エルヴィス・コステロ(1955)　高部知子(1967)

この日生まれの大切な人

Name

Name

8 月

㉖

こきんばいざさ
Hypoxis Aurea
花ことば・光を求める

キンバイザサ科
原産地：アジア・南アフリカ

「小金梅笹」。日本では、中部地方から西の暖かい地方に多く生えています。黄色の可憐な花。

キンバイザサ科のスピロキセネは、日本でも人気があり、魅力的な花として、人気を博している。この花は、明るい陽ざしを好み、朝10時頃に開花、午後2時頃にはしぼんでしまう。20センチくらいの丈があり、6月頃に花を咲かせます。

ヒマラヤ、マレーシアあたりが故郷です。

★花占い

あなたは考えすぎ。そのため、交際範囲をせまくしています。もっとオープンに、人とつきあってはいかが。石橋をたたいて渡るのもいいけれど、若いうちは少しくらい無謀でも、何とかやっていけるものです。恋愛は、そんなふうに。今から考えすぎていると、年をとってから、陰気な老人になってしまいますよ。明るく、素直に。

この日生まれの著名人
山鹿素行 *(1622)*　ラヴォアジェ *(1743)*　伊藤敏博 *(1956)*
石井明美 *(1965)*　佐々岡真司 *(1967)*　斉藤隆治 *(1968)*

この日生まれの大切な人

Name

Name

27

ぜんまい
Osumunda
花ことば・夢想

シダ類
原産地：ヨーロッパ

若葉の季節に、山菜とりをするのは楽しいもの。摘んだばかりの「ぜんまい」は、春の訪れを告げる味です。

谷間などの湿地に、時計のぜんまいのように、丸まって芽を出します。綿毛をまとった姿は、神秘的でさえあります。昔は、ぜんまいの成長とともに落ちる綿毛を集めて、布を織ったという話も。

★花占い

静かな思いにふけるのが好き。本来、まじめな人ですね。でも、おしゃべりし出すと、楽しい人。周囲に夢と希望をふりまくのです。ひとりのときと、みんなといるとき。そのギャップが、あなたの魅力。ただし、愛する人と一緒のときは、あまりもの思いにふけらないで。

この日生まれの著名人

宮沢賢治(1896) マザー・テレサ(1910) 丸谷才一(1925) 山岡久乃(1926)
藤竜也(1941) 田中星児(1947) 四方義朗(1948) ゲルハルト・ベルガー(1959)
渡部絵美(1959) 伊藤洋介〔シャインズ〕(1963)

この日生まれの大切な人

Name

Name

28

エリンギウム
Eryngium
花ことば・秘密の愛情

セリ科
原産地：南ヨーロッパ

　日本名で「ヒゴタイサイコ」。キク科の「ルリヒゴタイ」とセリ科の「ミシマサイコ」の名を結びつけてつけられました。別名「ルリマツカサ」。

　この花は、特にスイスやイタリアの山岳地帯に見られる、風変わりなセリ科の植物です。アザミのような葉っぱ。高さ1メートルくらいになる多年草です。丈夫な草なので、ヨーロッパでは、花壇や庭園などによく見られる。

　ドライフラワーに向いてます。

★花占い

「ひそかに秘めた、私の気持ちをご存じですか」そんなセリフがよく似合う人。淋しがりやで、孤独を愛する人でもあります。自己表現は苦手。もう少し、気持ちをオープンにしてみては。秘密の愛が光り輝きます。陽気に、そして素直に行動すれば、さっきのセリフも自然に出てくるでしょう。でないと、ことばだけが上すべりしてしまいます。

この日生まれの著名人
ゲーテ(1749)　トルストイ(1828)　カール・ベーム(1894)
蔦文也(1923)　イーデス・ハンソン(1939)　宮川花子(1955)　城戸真亜子(1961)
仙波さとみ〔SHOW-YA〕(1963)　仁藤優子(1971)

この日生まれの大切な人

Name

Name

花たばこ
Flowering Tobacco Plant
花ことば・君あれば淋しからず

ナス科
原産地：ブラジル

1492年、コロンブスが新大陸サンサルバドルに上陸したとき、インディアンからもらったプレゼントがタバコ。

日本へは1584年、スペイン人が持ち込んだということです。

台湾にこんな伝説があります。心のやさしい娘が、父に自分の死を予告した。そして、自分の墓に新しい草が生えたら、それを自分だと思って、大切に育ててほしいということです。そして本当に死んでしまいました。父は、娘の言う通りにしました。墓に生えた草は大きく育ち、枯葉になった。これがタバコの始まりといういうことです。

「タバコは恋のなかだち」ということわざがあります。喫いかけのタバコを差し出すことで、恋のきっかけが作られるからとか。

★花占い

明るくて、清らかなあなたの面影を抱きながら「もう恋人がいるのだろうか」と思い悩んでる人がいます。あなたは、華やか。あなたがいるだけで、その場にパアッと花が咲くよう。「君さえいれば、人生はばら色」と思いつめている誰か…。心当たりがあるはずです。

この日生まれの著名人
メーテルリンク（1862）市川雷蔵（1931）山口敏夫（1940）谷岡ヤスジ（1942）
リチャード・ギア（1949）八代亜紀（1950）谷山浩子（1956）
真梨邑ケイ（1957）マイケル・ジャクソン（1958）

この日生まれの大切な人

Name

Name

30

ジャーマンダー
Wall Germander
花ことば・淡白

クワガタソウ属
原産地：地中海沿岸

「WALL GERMANDER」の英名のとおり、建物の壁などにからまって、まっすぐ伸びるツル性の植物です。ヨーロッパでよく見かける光景。

イギリス・王立エジンバラ植物園の中にある、レンガ造りの建物のまわりも、この植物でおおわれていた。イギリスの歴史の重みを感じました。

幹からは、よい香り。薬効があると言われ、食あたり、食欲不振を治すらしい。

日本では、あまり見かけませんが、最近、少しずつ増えているようです。

★花占い

なんでも簡単に考えて、行動しているように見られがち。本当は、先天的な才能で、直観的に決断しているのです。

物ごとを深くほり下げないタイプなのは、確かですが、それでもうまくいくのは、本能的に計算されつくしているから。あなたが、恋人と幸福になれるのは当然。「無欲の欲」というわけです。

この日生まれの著名人
野川由美子 (1944)　宮路おさむ (1946)　井上陽水 (1948)
ティモシー・ボトムズ (1951)　大野豊 (1955)　長戸勝彦 [JAJA] (1963)
神野美伽 (1965)　中川安奈 (1965)　小谷実可子 (1966)　佐藤敦啓 [光GENJI] (1973)

この日生まれの大切な人

Name

Name

㉛

しろつめ草
Clover
花ことば・約束

マメ科
原産地：ヨーロッパ

クローバーにまつわる話は、意外なほど新しいのです。17世紀、星占いに登場したのが古いほうで、親しまれているわりには、神話・伝説は少ししかありません。その中には、こんなのがあります。

昔、ある乙女が、明日は結婚式という晩に死んでしまった。残された婚約者は、絶望のあまり、娘が埋葬された墓地の横で、ピストル自殺したという。彼から流れ出た血が、芝生一面に広がり、そこに生えていたクローバーに、赤い模様が入るようになったとか。

★花占い

「あなたの胸の悲しみは、私の悲しみ」

そうささやいてくれる人を探し求めているあなたは、愛の放浪者。しかし、難波船に乗っては、波間に浮かぶだけ。

日々の生活に押し流されては、いけません。あなたの素晴しい行動力があるからこそ、仕事面においても認められているのです。「あなたの喜びは、私の喜び」という人を探して。意外と身近に見つかるかもしれませんよ。

この日生まれの著名人
ジェームズ・コバーン (1928)　田村高広 (1928)　青木功 (1942)　ヴァン・モリスン (1945)
田代まさし (1956)　日比野克彦 (1958)　杏里 (1961)　中村橋之助 (1965)　別所哲也 (1965)
野茂英雄 (1968)　ミホ (1969)

この日生まれの大切な人

Name

Name

9 月

1

とらゆり
Tiger Flower
花ことば・私を愛して

アヤメ科
原産地：南アメリカ

花の中心に斑点があり、まるで虎のよう。メキシコ、グアテマラ、ペルー、チリなどの山中に野生する美しい花です。中心の虎プリントは、さまざまな色みが。代表的なのは、白い花びらに赤い点々。黄色の花びらに赤い点々、ピンクの花びらにワインレッドの点々など。

日本へは、明治時代後期に渡来しました。

★花占い

世話好きなひと。恋のエンジェルはお得意の役割ですね。ところが自分のこととなるとまるでダメ。他の人に世話してほしいのに、誰も気づかないのです。それを口にしないやせ我慢が、あなたの評判をよくしています。あせらず、もう少し待ってみて。きっと、理想の人が現われることでしょう。求愛は一生に一度と覚悟すれば、成功率100％。保証します。

この日生まれの大切な人

Name

Name

9月

2

つるコベア
Cobaea (Mexican Ivy)
花ことば・変転

ハナシノブ科
原産地：メキシコ

スペインの博物学者Barnabas Coboの名をラテン語にしたのが「COBAEA」。メキシコ、南アフリカ原産のつる性植物です。

「受け皿付きの茶わん」とも呼ばれる。花びらとガクの形で、そのように見たてたのか、花と葉の様子をそうとったのか、どちらにしても、この名前に似ているといえます。

★花占い

よいにつけ、悪いにつけ、噂されやすい人。それだけ関心を持たれています。噂に枝葉がついて広がり、気づかないうちに、針路に影響をきたすことも。それが運命を変えてしまいます。よく考えて、行動するようにしましょう。でないと、あとで後悔することに。

この日生まれの著名人

吉良上野介（1641）　伊藤博文（1841）　ジュリアーノ・ジェンマ（1938）　なかにし礼（1938）
中原誠（1947）　矢崎滋（1947）　いしいひさいち（1951）　マーク・ハーモン（1951）
Kei（1957）　松原桃太郎〔CHA-CHA〕（1965）　早見優（1966）　緒方耕一（1968）

この日生まれの大切な人

Name

Name

9 月

3

マーガレット
Marguerite
花ことば・心に秘めた愛

キク科
原産地：カナリア諸島

16世紀後半、ナヴァルの王女マルグリート・ド・ヴァロは、マーガレットの花が大好きでした。

ユグノー教の長と政略結婚させられ、それが1572年8月のユグノーの大虐殺の導火線となったのです。そして1578年9月、彼女はナヴァルに里帰りし、ボルドーで盛大な歓迎を受けました。そのとき、領民にマーガレットの花束を贈られたのに感激し、この花を自分の花にしたそうです。

★花占い

相手の気持ちがわかりすぎるくらいわかってしまうあなた。自分で自分の恋を占ってしまう傾向があります。結果として、身をひいてしまうことになりがち。その習慣を改めましょう。相手の気持ちがわかっても、あなたの行動で、変えてしまえばよいのです。

幸福になりたいなら、そのくらいの勇気が必要。好きだったら、積極的に。

この日生まれの著名人
三遊亭円生 (1900)　アラン・ラッド (1913)　マイケル・ホイ (1942)
ジョニー大倉 (1951)　キャロル久末 (1958)　アガタ・モレシャン (1964)
チャーリー・シーン (1965)　中田久美 (1965)　水野雄二 (1965)　ドラえもん (2112)

この日生まれの大切な人

Name

Name

9月

4

だいこん草
Geum
花ことば・満ちた希望

バラ科
原産地：南ヨーロッパ

葉の形が大根の葉に似てる。

路ばたや野原など、日本全国どこにでも見られる多年草です。花色は、明るいオレンジ色や黄色、赤など。5月頃から晩夏まで、かなり長く咲いています。葉は、最も寒い時期をのぞいて、緑色。この植物を誕生花に持つあなたは、花の部分を押し花にして贈ると、心が伝わるかもしれませんよ。

★花占い

あなたは前途洋々の人。大いなる希望を持って、進めば、それだけ充実した人生となるでしょう。もちろん、現実に裏打ちされた希望でなくてはいけません。そして、あなたの周囲の人々を幸せにする希望でなければ。愛する人を得ることで、未来はますます光り輝きます。

この日生まれの著名人
ブルックナー(1824) 丹下健三(1913)
ヤコペッティ(1919) 藤岡琢也(1930) 梶原一騎(1936) トム・ワトソン(1949)
小林薫(1951) 荻野目慶子(1964) 宍戸開(1966)

この日生まれの大切な人

Name

Name

エルム
Elm
花ことば・信頼

ニレ科
原産地：ヨーロッパ

　ギリシャ神話の中で、誰もが知ってる オルフェウスのエピソード。妻を黄泉の 国から連れ戻そうとして、失敗したので した。さて、その後。現世に戻ったオル フェウスは、悲しげにハープを奏でます。 その音色に感動したのが、大地。むくむ くと土を押しあげ、新しい生命を育み、 とうとうエルムの森を作りあげたのだと か。神々から、オルフェウスへの贈り物 でした。

　日本語では「オヒョウ」。アイヌ語の「オ ピウ」が語源。

　アイヌの民族衣裳で有名なアッシ地と は、河川に近く、湿気の多いところに生 えるこの若い木の、樹皮を加工して織ら れたものです。

★花占い

　信頼感が大切なあなた。裏切られたと きのショックは、普通の人には想像でき ないくらいです。人が信じられなくなっ たら、高い山に登り、大空に向かって祈 ると、よい知恵が生まれるかもしれませ ん。人間不信は自分が損です。辛いこと があっても、人を信じるのをやめないで。

この日生まれの著名人

ルイ14世（1638）　棟方志功（1903）　浜田幸一（1928）　若林豪（1939）
ラクウェル・ウェルチ（1942）　シャンタル・トーマス（1947）　小松みどり（1949）　草刈正雄（1952）
加納みゆき（1961）　仲村トオル（1965）　中村あずさ（1966）

この日生まれの大切な人

Name

Name

9月

6

のうぜんはれん
Nasturtium
花ことば・愛国心

ノーゼンハレン科
原産地：南アメリカ

学名の「TROPAEOLUM」は、ギリシャ語で、トロフィー（勝利の記念品）の意味。園芸上は、「ナスタチウム」と呼ばれています。

葉をかむと、特有の辛味がある。香りのよい植物。最近、サラダ用野菜として、家庭菜園に栽培する人も多いようです。

花をヘルメット、葉を楯に見たてているところから、日本名「凌霄葉連」はつけられている。別に「金葉連」とも呼ばれる。

★花占い

思慮分別のある立派な人。一見、冷た

く、思いやりがないと見られがちです。それは、品のある人柄と、細かいことに興味のないあなただからこそ。恋にも、なかなか燃えにくいほう。家庭を大切にするので、幸せに暮せます。

この日生まれの著名人
レイ・コニフ（1916）　星新一（1926）　西村京太郎（1930）　岩城宏之（1932）　永井豪（1945）
サミュエル・ホイ（1948）　市毛良枝（1950）　チチ・松村〔GONTITI〕（1954）
朝加真由美（1955）　大江千里（1960）　黒岩彰（1961）

この日生まれの大切な人

Name

Name

9 月

7

オレンジ
Orange
花ことば・花嫁の喜び

ミカン科
原産地：西アジア

天帝ゼウスがヘラーと結婚したとき、オレンジを贈ったことから、花嫁の頭上にこの花を飾る習慣となったとか。

オレンジは白い花。そして甘い香り。神話など関係なくても、花嫁にぴったりの花といえるでしょう。一年中咲いているわけではないので、たいてい造花が使われます。しかし造花は大切に保存され、子や孫の結婚式にも用いられるそうです。繁栄と多産のシンボル。

エプロンにオレンジを描くと、果実がいっぱい実るという。

★花占い

純粋な人。寛大でやさしい人です。愛らしさで好かれるタイプ。愛する人とは、出会いから結婚、家庭生活とすべてうまくいきます。円満な一生を送れることでしょう。

この日生まれの著名人
嵯峨天皇 (786)　エリザベス1世 (1533)　ジョン・フィリップ・ロー (1937)
山本コータロー (1948)　長渕剛 (1956)　清水由貴子 (1959)

この日生まれの大切な人

Name

Name

254

からしな
Mustard
花ことば・無関心

アブラナ科
原産地：ヨーロッパ・アジア

インドのお話。バクワイリーという名の妖精が、ある寺院に住んでいました。この妖精は、まったく動かずにいたため、ついに大理石になってしまったという。この寺院の跡地を一人の農夫が耕し、マスタードの種をまいた。伸びてきたのをその妻が食べたところ、まもなく可愛い子供が生まれた。子供のなかった夫婦は喜び、妖精のように可愛らしいこの子に、バクワイリーと名づけたという。この子こそ、大理石になってしまった妖精の生まれ変わりなのでした。

★花占い

小さな投資で莫大な利益を得るのが、あなたの才能。最小のエネルギーで最大の効果をあげる、戦術的な素質にたけています。普段は平然とし、無関心を装っているけれど、ひとたび動き出すと、大きな変化をもたらす人。あなたのパートナーも、その才能にいっそうほれこむはず。大きな幸運を相手にプレゼントできる人です。

この日生まれの著名人
ピーター・セラーズ（1925）　堀江謙一（1938）　木之元亮（1951）　紺野美紗子（1960）
鈴木亜久里（1960）　松本人志〔ダウンタウン〕（1963）　服部道子（1968）

この日生まれの大切な人

Name

Name

⑨

うら菊(ハマシオン)

Michaelmas Daisy
花ことば・追憶

キク科
原産地：ヨーロッパ・アフリカ

　中世ヨーロッパ。母たちは、うら菊の首飾りを身につけ、戦場に出かける男たちを見送ったといいます。そして、戦士たちは、軍服のえり飾りにこの花をさし、旅立ったのだとか。

　英名の「MICHAELMAS DAISY」は、ミカエル祭のころに咲くデージーの意味。「DAISY」には、古代英語の「DAY'S EYE」（太陽の目）という意味もある。古くはエジプト王の墓からも、この花が発見されています。

　ヨーロッパ、北アフリカ、アジアなど広範囲に分布している。海辺や内陸の塩分の多い湿地などに群生しています。

★花占い

　別離と出会い。この繰り返しで、人生は過ぎていきます。昔のことなど忘れてしまう人の多いなかで、あなたは過去の出来事を、昨日のことのように思いおこせる人。感性が鋭いのですね。毎日が真剣なのです。そんな気持ちを共有できる誰かに出会えれば、どんなに素晴しいでしょう。「この人」と思ったら、別離を経験しないですむよう、本気でアプローチして下さい。

この日生まれの著名人
ヒルトン（1900）　高橋圭三（1918）　オーティス・レディング（1941）
谷隼人（1946）　ビリー・プレストン（1946）　倉本昌弘（1955）
高杢禎彦〔チェッカーズ〕（1962）　有賀さつき（1965）

この日生まれの大切な人

Name

Name

9 月

⑩

えぞ菊(白)
China Aster
花ことば・信ずる心

キク科
原産地：北アメリカ・ヨーロッパ

こぼれ落ちた種子から、たやすく育ち、よく繁殖します。野生、栽培を問わず、自由に交雑するため、植物学者は「えぞ菊を分類しようとすると、気が遠くなりそうだ」と絶望してしまうのです。

ミカエル祭は18世紀以降、9月18日となった。この花の開花時期と一致するので、「ミカエル祭の夜」との別名もあります。

★花占い

あなたは快楽志向派ではありません。肉体的欲望に負けることはないのです。お互いの人格を尊重し、慕い、慕われる清らかな恋。今以上に教養を高め、人に信頼されるよう努力しましょう。きっと素敵な恋人に出会えます。

この日生まれの著名人
ヴァン・ドーレン (1885)　アーノルド・パーマー (1929)　山田康雄 (1932)
ホセ・フェリシアーノ (1945)　欧陽菲菲 (1949)　エーミー・アービング (1953)
高村博美 (1953)　斉藤由貴 (1966)

この日生まれの大切な人

Name

Name

アロエ
Aloe
花ことば・花も葉も

ユリ科
原産地：南アフリカ

南アフリカ、喜望峰原産の多肉植物。私たちにいちばん身近な薬用植物です。家庭によく見かけ、人気抜群。

こんな効果があるといわれる。
①葉の緑の皮の汁をしぼって飲むと、便秘に効く。②葉の内部のゼリー状の部分は胃腸病や酒毒、神経痛などに効く。③このゼリーを火傷や虫さされなどにぬると、すぐ治ってしまうetc。

一鉢持てば、何かと安心。元気のよい緑は、インテリアとしても魅力があります。

★花占い

精神的に落ちこみやすい人。苦痛に弱いようでいて、実は強いのですよ。どん底まで落ちても、必ず立ちあがれるのですから。仕事も愛も人間関係も、最初はうまくいかないけれど、結局自分のものにしてしまう。あなたに必要なことは、迷信にふりまわされず、自分の意志を貫き通すことです。

この日生まれの著名人

後白河天皇(1127)　オー・ヘンリー(1862)　D・H・ロレンス(1885)　マルコス(1917)
サトウサンペイ(1929)　ブライアン・デ・パルマ(1940)　フランツ・ベッケンバウアー(1945)
泉ピン子(1947)　佐藤義則(1954)　秋篠宮紀子(1966)　倉田てつを(1968)

この日生まれの大切な人

Name

Name

9 月

12

クレマチス
Clematis
花ことば・心の美

キンポウゲ科
原産地：アメリカ

日本名は「鉄線（てっせん）」。クレマチスのツルの、強く、粘りのあるところから、この名がつきました。

ヨーロッパでは、何かにからみついて成長する性質から、「愛」とも呼ばれます。また、涼しい日陰を提供するので「乙女の木陰の休憩所」「旅人の喜び」などの名前も。他に「悪魔の髪型」「老人のひげ」など変わった別名を持ってる。

乞食がわざと体に傷をつけ、そこにすりこむのがクレマチスの葉。治すためではありません。醜くただれたできものを作り、その見すぼらしさで、憐れみを得ようとしたのです。だから「乞食の植物」との名もあります。

★花占い

赤ちゃんのように純粋な愛情を持つあなた。両親のようにあなたを包んでくれる恋人を探しています。気まぐれや、策をろうする相手には、不安や恐怖を覚える人。あなたの無垢な心にひかれ、言いよる人が多いはず。自分自身の安全基準を信じてください。つい、うまいことばにのせられて、「この人でも」と妥協すると、大変な目にあいます。

この日生まれの著名人
藤田弓子（1945）　あがた森魚（1948）　レスリー・チャン（1956）
田中美奈子（1967）　木田優夫（1968）

この日生まれの大切な人

Name

Name

やなぎ
Weeping Willow
花ことば・素直

ヤナギ科
原産地：ヨーロッパ・アジア

「風見草」「遊び草」の名もある「柳」。

英語の「WEEPING WILLOW」は「泣いてるやなぎ」と訳せます。

イスラエル人は、柳に竪琴をつるし、故郷のパレスチナの山々を思い出しながら、自分たちの受難を嘆いたという。そこからこの名となりました。

「柳の下に幽霊が出る」のは日本。ヨーロッパでは「魔女が集い、潜む場所」とか。どちらも共通していますね。柳の枝の静かなざわめきは、人々に自殺をそそのかすささやき。悪魔が植えた木とも言われています。

★花占い

社交的で柔軟な対応ができる人。ゆかい型人間として人気を博しています。あなたは底ぬけに明るい人。しかし、いったん暗くなると、人の3倍も4倍も落ちこんでしまうようです。あまり悪いほうへと考えこまないこと。あなたの素直さが、幸せを約束しているのですから。

この日生まれの著名人
杉田玄白 (1733)　大宅壮一 (1900)　山田洋次 (1931)　井上大輔 (1941)
ジャクリーン・ビセット (1944)　玉置浩二 (1958)　三原じゅん子 (1964)

この日生まれの大切な人

Name

Name

マルメロ
Quince
花ことば・誘惑

バラ科
原産地：南ヨーロッパ

　マルメロは、愛の女神ヴィーナスに捧げられた果実。「黄金のリンゴ」と呼ばれています。ヒッポネスがアタランテと戦って勝ったとき、与えられたのがマルメロ……と言われてる。

　マルメロのジャムがマーマレードですが、ポルトガル語の「MARMELADA」から来ているようです。

　秋の果実の代表。みずみずしくて、おいしいですよ。日本では「花梨(かりん)」の別名も。

★花占い

　あなたが持っている臨機応変に対応できる能力は、世の中をわたるのに大変役立ちます。老若男女を問わず、いろいろな人があなたを誘惑しようとしています。あなたと近づくことで、何かが得られそうだと直感しているのでしょう。自分自身を守るためにも、誘惑には簡単にのらないように。そうすれば、何もかもうまくいきます。子宝に恵まれる人。

この日生まれの著名人
イベット・ジロー(*1916*)　赤塚不二夫(*1935*)　矢沢永吉(*1949*)
パッパラー河合〔爆風スランプ〕(*1960*)　駒田徳広(*1962*)

この日生まれの大切な人
_____
Name
_____
Name
_____

9 月

15

ダリア
Dahlia
花ことば・華麗

キク科
原産地：メキシコ

ナポレオンⅠ世の妃ジョセフィーヌは、マルメゾン宮殿の庭にダリアを植え、自分の花と宣言しました。そして国外へ持ち出すのを禁じたのです。ところが、ポーランドの貴族が妃の庭師を買収し、この球根を手に入れた。やがてポーランドにも、ダリアが美しく誇らかに花ひらきました。ジョセフィーヌはそれを知って激怒し、この花の栽培を一切やめてしまったそうです。

19世紀前半のヨーロッパでは、その華やかな美しさで、花の女王と賞讃されました。日本では「天竺牡丹」、メキシコでは「ココクソチトル」の名があります。インディアンは、この花の苦い根を強壮剤として使っていたらしい。

★花占い

愛されるのが好き。でもそれは誰しも同じです。愛されるための努力を怠ってはいけません。愛されてないのではと、すぐ疑うあなたは、移り気な人と見られがち。恋人のことで頭の中をいっぱいにすることは、誰にでもできます。愛する人を幸せにしようとすることこそ、愛される秘訣でもあるのです。感謝が、やがて深い愛へと変化します。

この日生まれの著名人
石田梅岩（1685）　岩倉具視（1825）　アガサ・クリスティー（1890）
土光敏夫（1896）　村山槐多（1896）　今村昌平（1926）　オリバー・ストーン（1946）
大信田礼子（1948）　中島久之（1952）　竹下景子（1953）　藤谷美紀（1973）

この日生まれの大切な人

Name

Name

16

りんどう

Gentina

花ことば・悲しむ君が好き

リンドウ科
原産地：ヨーロッパ・アジア

　紀元前180～67年、イリュリアの王であったジェンテウスは、領民がペストに苦しめられたので、山野にわけ入り、神に祈ったという。「どうか特効薬をお教え下さい」そう言って矢を放つと、りんどうの根にささった。それで薬用に用いたという。りんどうの英名「ＧＥＮＴＩＡＮＡ」は、王ジェンテウスの名前から来てる。

　古代エジプトでは、強壮剤、そして殺菌剤、健胃薬として知られてた。

　日本では「竜胆」と書きます。葉が竜葵に似ており、胆のように苦いところから、この名がついたそうです。

★花占い

　あなたは正義感を貫きとおす人。友人に裏切られることがあれば、耐えがたいショックです。でも、神はあなたが正しいことを知っている。たとえ味方がいなくなっても、妥協しないで。そんな孤独感を漂わせるとき、あなたの魅力は最高に光り輝きます。

この日生まれの著名人
竹久夢二(1884)　ＢＢキング(1925)
ピーター・フォーク(1927)　古橋広之進(1928)　ジョージ・チャキリス(1934)
ミッキー・ローク(1954)　そのまんま東(1957)

この日生まれの大切な人

Name

Name

9 月

(17)

エリカ
Heath
花ことば・孤独

エリカ科
原産地：ヨーロッパ

フランス東部に、「ヒース・ビール」と呼ばれるビールがあります。エリカの先端のやわらかい部分と麦芽とを、2：1の割合に混ぜて作るといわれる。

この地方の伝説によると、昔、キリスト教の武装布教集団と先住民ピクト人が戦った。ピクト人はすべて殺され、生き残ったのはビールづくりの親子のみ。布教団は、ビールの作り方を教えてくれれば、命は助けると約束したが、父親は頑として教えませんでした。布教団の頭は怒り、父の目のまえで息子を殺した。それでも父は教えようとしない。とうとう

頭も自分を恥じ、父を放免したそうです。

★花占い

青い鳥を探すなら、まず行動することです。ひとりで悶々と思いめぐらすだけでは、いつまでたってもめぐりあえません。行動を起こせば、ごく近い将来、ブルー・バードにめぐりあえます。淋しがってばかりいてはだめ。とにかく立ちあがり、一歩でも前進することです。

この日生まれの著名人
正岡子規（1867）　東野英治郎（1907）　金丸信（1914）
曽野綾子（1931）　大島智子（1959）

この日生まれの大切な人

Name

Name

9月

18

あざみ
Thistle
花ことば・厳格

キク科
原産地：ヨーロッパ

　北国に縁の深い花なのです。

　13世紀、デンマークとスコットランドが戦争。やがてデンマークはスコットランド城を包囲するところまで追いつめました。城壁をつたって攻め入ろうと、はだしになったところ、濠はひあがっていて、一面のあざみ畑。一歩足をふみ入れたデンマーク兵は、あざみを踏みつけ、その痛みに耐えきれず、悲鳴をあげてしまいました。スコットランド軍は事態を察し、勝利を得たということです。

　スコットランドでは、「国を救った花」として、国家の象徴とされています。

★花占い

　独立心旺盛の人。自分に厳しく、行く手をしっかり見つめている人といえるでしょう。そんなあなたを尊敬してる人は少なくありません。未来の恋人も崇拝者の中にいます。あなたが尊敬できる人を選びましょう。尊敬を根底においた愛は、なにがあっても、こわれることはありません。

この日生まれの著名人
フーコー(*1819*)　横山大観(*1868*)　グレタ・ガルボ(*1905*)　森本毅郎(*1939*)
内藤陳(*1940*)　五十嵐めぐみ(*1954*)　うじきつよし(*1957*)　中井貴一(*1961*)

この日生まれの大切な人

Name

Name

9 月

すげ
Carex
花ことば・自重

カヤツリグサ科
原産地：アジア・北アメリカ

みのやすげ笠、縄の原料。「カレックス」は昔から、生活に縁の深い植物なのです。親戚もたくさんいます。田の畦にふつうに生えている「ゴウソ」。沼や湿地に生える「カサスゲ」。小さい穂にひげが生えている「ヒゲスゲ」。穂が大きい「オニスゲ」。葉の縁で、手を切られそうな「テキリスゲ」。山の渓流沿いに見られる「ナルコスゲ」。現在1800種ぐらいが知られています。その多くが、日本はじめ北半球に分布。まだまだ、未発見のすげもあるらしい。

★花占い

積極性と豊かな発想で、人々に慕われているあなた。デリケートで感受性の強い人です。好ききらいが激しく、それを隠すのが下手。そのためケンカになりやすいのが残念。愛する人が現われたら、少しは耐えることを覚えましょう。二人の幸せのために、自重することは必要です。

この日生まれの著名人
ポール・ウィリアムス (1940)　小野寺昭 (1943)　平松政次 (1947)
MALTA (1949)　佳山明生 (1951)　山口小夜子 (1952)　島田歌穂 (1963)
野村謙二郎 (1966)　斉藤満喜子 (1970)

この日生まれの大切な人

Name

Name

9 月

20

まんねんろう
Rosemary
花ことば・私を思って

シソ科
原産地：地中海沿岸

ラテン語では、「海のしずく」。

日本では「迷迭香」と書きます。

　自分の未来を知りたくなったら、ローズマリーで占うことができます。マグダラのマリアのイヴの日、二階の部屋へ、胸にローズマリーの小枝をさした３人が集まる。すりガラスの鉢にワイン、ラム酒、ジン、酢、水。混ぜてローズマリーの小枝をひたし、それぞれ３口ずつすするのです。さて、同じベッドで眠りましょう。その晩、見る夢こそ、未来の自分。

　まんねんろうは、全体によい香りがします。この葉の常緑性から、永遠の象徴とされてきました。

★花占い

　誠実で親切。人に好かれるタイプです。あなたとおしゃべりしただけで、胸のつかえがおりるようです。しかし、自分のことを相談するのは下手。尊敬されているため、逆にぐちを言いにくいのですね。早く愛する人を見つけて、甘えられるようになれば、今よりずっと楽しく暮らせます。

この日生まれの著名人

根上淳（1923）　ソフィア・ローレン（1934）　村井国夫（1944）　小田和正（1947）
五十嵐淳子（1952）　石川ひとみ（1959）　山口美江（1961）

この日生まれの大切な人

Name

Name

9月

(21)

イヌサフラン
Autumn Crocus
花ことば・悔なき青春

ユリ科
原産地：ヨーロッパ

「メドゥ・サフラン」とも呼ばれる。その花がクロッカスに似ているので、「秋のクロッカス」の別名も。

葉がなく、花だけの姿から「シュミーズのない女たち」「まるはだかの尻」「はだかの女」などエロティックな呼び方もされています。

種子は毒素を含んでる。神経をさいなみ、見るも無惨に体をふくれあがらせるとか。この毒素、コルヒチンを少々用いて、痛風の薬にしたという話もあります。

半日陰でも育つので、室内でも栽培できる。

★花占い

あなたは輝ける青春時代を過ごす人。ただ流されるのがイヤで、何をすべきか真剣に考えてきましたね。愛する人とすばらしい思い出を共有するようにしましょう。生涯、語りあえるような思い出を持つようにしないと、ふたりは別の人生を送ることになりかねません。

この日生まれの著名人
ジョー山中(1946)　ビル・マーリー(1950)
松田優作(1950)　並木史朗(1957)

この日生まれの大切な人

Name

Name

9 月

(22)

こばん草
Quaking Grass
花ことば・興奮

イネ科
原産地：ヨーロッパ

　成熟するとカラカラと音をたてること
から「スズガヤ」の別名もあります。明
治時代に観賞用として渡米しました。今
はそれが野性化し、海岸砂地などに大群
落をつくっています。

　ドライフラワーやお菓子の飾りにも使
われ、どこでも見られる身近な草です。
「小判草」の他、「俵麦」の名も。

★花占い

　議論が好きな感激やさん。ちょっとお
調子に乗りやすく、あとで後悔すること
もあります。一番気をつけなければいけ
ないのは、金銭面。愛する人との人生も

計画性がなければ、すぐに破局を迎え
ることに。「興奮していたな」と感じたら、
一瞬、深呼吸する習慣をつけましょう。

この日生まれの著名人

明治天皇（1852）　幸徳秋水（1871）　吉田茂（1878）　岡田真澄（1935）　谷沢健一（1947）
志垣太郎（1951）　石毛宏典（1956）　鈴木雅之（1956）　カールスモーキー石井〔米米クラブ〕（1959）
クリスティ・マクニコル（1962）　緒方直人（1967）

この日生まれの大切な人

Name
_____

Name
_____

9 月

23

いちい
Yew Tree
花ことば・高尚

イチイ科
原産地：ヨーロッパ・アジア

「一位」と書きます。別名「あららぎ」。

英雄ロビン・フッドが、この木と関係が深いのです。リチャード王に忠誠を誓い、その信頼を得て暴れまくったロビン・フッド。ところが王の死、マリア姫も失い、ロビン・フッドは討ちとられることになりました。新しい王の部下と戦い、傷ついた彼は、修道院長である妹にかくまってもらいました。やっと駆けつけたリトルジョンに、ロビンのことば。「この矢の落ちたところに埋葬してくれ」。やがて最後の力をふりしぼり、矢を放ちます。ささったのが、イチイの木の根もと。

やがて遺言どおり、リトルジョンは泣きながら、彼をその木の下に葬ったということです。

★花占い

優雅な容姿。上品なものごし。年をとるごとに、ますます磨きがかかります。どこか人を寄せつけない雰囲気のある人。愛する人も、あなたの誇り高さに自信を失い、去ってしまうことになりかねません。本音で交際しましょう。明るさや茶目っ気を身につけないと、憂愁のよく似合う麗人になってしまいます。

この日生まれの著名人

オクタヴィアヌス（BC 63）　葛飾北斎（1760）　レイ・チャールズ（1932）
ロミー・シュナイダー（1938）　アンナ・カリーナ（1940）
ブルース・スプリングスティーン（1949）　稲葉浩志〔B'z〕（1964）

この日生まれの大切な人

Name

Name

24

オレンジ
Orange
花ことば・花嫁の喜び

ミカン科
原産地：西アジア

　7世紀に、スペインを征服したサラセン人によって、ヨーロッパにもたらされ、十字軍とともに世界へ広まった果実です。

　日本への渡来は、明治中期ごろ。冬、比較的あたたかく、夏、乾燥している地方で栽培が盛んになりました。この気候は、日本の他、アメリカ・カリフォルニアからブラジルなどの南米大陸、アフリカ大陸などいたるところにあり、バナナと共になくてはならない果実となっています。

　南米を旅し、なかなか水が飲めないときは、オレンジをかじって、乾きをいや

すことができます。

★花占い

　清らか。そして純真。恋人と心から喜怒哀楽を共にできる人。あなたといるだけで、相手は落ちこんでもすぐ立ち直ることができます。あなたの結婚は、きれいな花が咲き、おいしい果実を実らせるように喜びの多いものとなります。

この日生まれの著名人
大倉喜八郎(1837)　加山又造(1927)　大平透(1929)　久保菜穂子(1932)
筒井康隆(1934)　田淵幸一(1946)　真行寺君枝(1959)　KAN(1962)

この日生まれの大切な人

Name

Name

カラス麦
Aninated Oat
花ことば・音楽が好き

イネ科
原産地：ヨーロッパ・西アジア

カラス麦は、麦に似てるけど、雑草。

大地の神ベルダは、畑に害を加えるものがないよう、狼人間に見張らせていた。しかし、いたずら好きの火の神ロキが、見張りをかいくぐって、カラス麦の種をまいたといいます。暑いとき、畑に陽炎がたつと「ロキがカラス麦をまいている」と言われるとか。

オートミールの原料「エンバク」は、カラス麦から育成された栽培植物。ウィスキーは、このエンバクの実を発酵させてつくります。たん白質14%、脂肪６％と栄養に富んだ食糧として、今、見直されています。

牧草としても、馬の飼料などに活躍。

★花占い

輝くような情熱と知性。あなたはスマートな社交家。素敵な音楽みたいにのりのいい会話や行動。だれをも魅了する人ですね。でも自分に波長が合わない人間を、徹底的に嫌う傾向があります。そういうことに神経過敏にならないよう、もう少し大らかになれば、人生をかなでる最高のプレイヤーとなれるでしょう。

この日生まれの著名人

魯迅（1881）　フォークナー（1897）　高木彬光（1920）　楳図かずお（1936）
中山仁（1942）　マイケル・ダグラス（1944）　木内みどり（1950）
マーク・ハミル（1951）　梶原真理子（1966）　スタニスラフ・ブーニン（1966）

この日生まれの大切な人

Name

Name

柿
Date Plum
花ことば・自然美

カキノキ科
原産地：ヨーロッパ・アジア

　学名の「DIOSPYROS」は、ギリシャ語で「神の食物」という意味。

　原始時代は、野生種を食べていたが、それはほとんど渋柿。日本でも甘い柿が生まれたのは鎌倉時代以降です。

「柿は歯の毒、腹薬」のことわざどおり、水分が多く、冷たく歯を浮きたたせることがある。でもビタミンCが豊富。血圧降下やしゃっくりに効くと言われてる。

「豊年柿にけかち栗」とのことわざは、柿の収穫のよい年は、米も豊作。雨が多い年は、栗がいっぱいなるけれど、米は不作という意味です。

★花占い

　あなたの発想は、すべて大自然の壮大なるめぐり合わせから生まれています。会話上手で実行力抜群。有言実行のお手本のような人。愛する人との生活も、大いに語り合うことによって、楽しい生活をつくりあげていくことでしょう。

この日生まれの著名人
Ｉ・パブロフ(1849) ガーシュイン(1898) ブライアン・フェリー(1945)
オリビア・ニュートン・ジョン(1948) 柳沢きみお(1948) 木の葉のこ(1955)
木根尚登〔TMネットワーク〕(1957) 梶原徹也〔ブルーハーツ〕(1963) 池谷幸雄(1970)

この日生まれの大切な人

Name

Name

9 月

かしわ
Oak
花ことば・愛は永遠に

ブナ科
原産地：ヨーロッパ・アジア

　鉄が実用化する以前、堅固な道具はすべてオークで作られていました。技術工芸の原科としてもよく使われたようです。「聖母マリアの木」また「聖人の木」として、古くから尊ばれてきた。妖精がすみかとする木。また数々の病いを治す木。

　日本では「ハモリの神の木」。秋になると、葉を守る神がこの木に宿るとされ、やはり神聖視されていました。

★花占い

　開放的で楽天家。結婚すると、バイタリティあふれるしっかり者に変身します。伴侶が病気にかかっても、あなた自身は病気のほうが逃げてしまう。だからこそ安心して看病することができます。ふたりの愛は、あなたの力強さにより、ゆるぎないものに。

この日生まれの著名人
宇野重吉 (1914) 若山弦蔵 (1932) アイ・ジョージ (1933) 松永浩美 (1960)
中村美紀 〔SHOW-YA〕(1961) 川相昌弘 (1964)

この日生まれの大切な人

Name

Name

9 月

28

はげいとう
Love-Lies a Bleeding
花ことば・情愛

ヒユ科
原産地：インド

葉の美しさは最高の「葉鶏頭」。

雁が飛んでくるころに、葉が赤くなるので「雁来紅」。やはり葉が黄になるというので「雁来黄」とも呼ばれています。

英名は「愛は血を流す」の意味で、おそらく葉の色からの連想でしょう。また別名の「JOSEPH'S COAT(聖ヨセフの上着)」は、赤い儀礼服をこの植物に見たてたのでしょう。

フランスでは「NUN'S SCOURGE(尼僧のたたり)」といいます。

★花占い

愛する人を正しく的確に理解するのは

むずかしいこと。あなたのことを人が見ぬくのも大変です。気取り屋で見栄っぱりだと思われがちですが、情が深く、誠実なことは、なかなか人に伝わりません。短期間で、人を見ぬくには、直観しかありません。それを頼りに恋人たちは、愛をはぐくんでいくのです。あなたは直観力が少し乏しいほう。あなたの長所をひとつでも認めている人とならば、心配無用です。

この日生まれの大切な人

Name

Name

りんご
Apple
花ことば・名声

バラ科
原産地：ヨーロッパ・アジア

自分がいちばん美しいと信じている女神が3人いました。天帝ゼウスの妻ヘラー、愛と美の女神ヴィーナス、知恵と戦いの女神アテーナ。黄金のりんごに「最も美しい女神へ」と書かれているのを、私のものと争いました。ゼウスは自ら判定するのを避け、羊飼いの美少年パリスに審判させました。買収、根回しがとびかい、いちばんうまくいったのがヴィーナス。結局、りんごは彼女のものに。これが後にトロイ戦争を引き起こす原因となったのです。

★花占い

愛に迷いを持ってはいけません。自信のなさを、ブランド物で間に合わせようとするようなものです。あなたが心から話しかければ、それが最大の魅力になります。逃げ腰になることなく、まっすぐつき進みましょう。ほれこんだ人があなたのものになります。

この日生まれの著名人
ネルソン提督 (1758) 徳川慶喜 (1837) 林隆三 (1943)
ワレサ (1943) W・クロマティ (1953) 涂阿玉 (1954)

この日生まれの大切な人

Name

Name

9 月
30

杉
Cedar
花ことば・雄大

マツ科
原産地：日本

　樹齢7000年と推定されるのは、九州・屋久島の屋久杉。俗に「縄文杉」とも言われます。花の万博にも日本政府出展の政府苑に、日本の代表として出品されました。

　昔から、屋久島の山々は島人から霊山として恐れられ、伐採されなかったので、致命的な破壊をまぬがれたのです。また、薩摩藩の資源保護という、その時代には珍しいほどの施策があったのも幸いでした。

　島人は、屋久杉を切ることに恐れをなしていたけれど、「岳神に願ったところ、支障なしとのお言葉を得た」と、木を切ろうと試みはしました。でも、遅々と進まなかったのが、結果として森林保護につながったのです。

★花占い

　「あなたのためなら命を賭ける」そんな人が周囲にいるはず。あなたの内に秘めた闘志、向かうところ敵なしのたくましさには、ほれぼれするような魅力があふれているのです。回りを見回して、熱い視線を感じたら、まずは友達になってみませんか。

この日生まれの著名人
王陽明 (1472) シェリダン (1751) 石原慎太郎 (1932) 五木寛之 (1932)
高須愛子 (1952) サリー・イップ (1961) 東山紀之〔少年隊〕(1966) 南克幸 (1970)

この日生まれの大切な人

Name

Name

菊(紅)
Chrysanthemum
花ことば・愛

キク科
原産地：アジア

　昔、中国に恒景という男がいた。ある
とき友人に「9月9日、君の家に悪いこ
とが起こる。その日は家を離れ、どこか
に登って菊酒を飲んでいたほうがいい。
そうすれば禍いは避けられるだろう」と
言われた。半信半疑ながらも、その日は
一家で出かけました。

　夕方、帰ってみると、犬も鶏も牛、豚
も、動物はみな殺されていた。友人によ
れば、人間の身がわりに死んでくれたの
だろうと言う。それからこの日は、菊酒
を飲み、一家の無事を祈る風習が生まれ
たという。9月9日は、菊の節句。

　日本のことわざには「菊作りは罪作
り」。菊作りに没頭しすぎて親の死に目に
も会えないという意味。そのくらいおも
しろいのだとか。

★花占い

　明るくて、高尚なイメージ。愛情面に
関して、一種独特の霊感を発揮します。
あなたの友人や恋人には何か共通点があ
るはず。霊的なつながりがありますから、
それこそ「信じられる愛」の実践者たち
です。彼らとともにすばらしい人生が送
れるでしょう。

この日生まれの著名人
中江兆民(1847) 服部良一(1907) 江戸家猫八(1921) 別所毅彦(1922) 乙羽信子(1924)
海老一染之助(1934) ジュリー・アンドリュース(1935) うつみ宮土理(1943)
浜田光夫(1943) 神和住純(1947) 一色彩子(1958) 柏原芳恵(1965)

この日生まれの大切な人

Name

Name

10 月

あんず
Apricot
花ことば・乙女のはにかみ

バラ科
原産地：アジア

「唐桃」とも呼ばれ、中国から渡来しました。長野県では、あんず栽培がさかんですが、そのきっかけは300年以上も昔になります。伊予宇和島藩のお姫さまがこの地にお嫁入りするとき、故郷の春を忘れないためにあんずを持ちこみ、城内に植えたのがはじまりとされています。

ぜんそく持ちに、冬は苦しい季節。せきが出そうになったら、杏の干し種を噛むことで、発作がおさまるといわれています。この干し種は杏仁と呼ばれる重要な生薬。漢方では、鎮咳去痰薬とされています。

★花占い

恋が苦手。軽卒、無分別などのことばが大嫌いな人です。人間関係は信頼感こそ基本としている。自分自身そう努力しているのです。しかし「恋は盲目」。何もかも見えなくなってしまうものです。あなたの頭の中の基準をはずし、正直になることで、すばらしい愛が生まれることでしょう。

この日生まれの著名人
リチャード3世 (*1452*) ガンジー (*1869*) グレアム・グリーン (*1904*)
尾上菊五郎 (*1942*) 小島一慶 (*1944*) スティング (*1951*) 山瀬まみ (*1969*)

この日生まれの大切な人

Name

Name

10 月

3

もみじ
Maple
花ことば・自制

モミジ科
原産地：北半球

「紅葉」（もみじ）のなかで、最も美しいのはカエデ類。カナダは、この葉を国章としています。なぜかというと、こんな伝説がきっかけ。

早春のある日、夫の獲物である大鹿を料理しようとした妻が、水汲み場が遠いので、サトウカエデの木に穴をあけ、その樹液で肉を煮たのです。しばらくして鍋をのぞくと、肉は焦げ、固くなって食べられなくなっていた。妻はびっくり。

やがて夫の帰宅。どきどきしてる妻を尻目に、鍋に指を入れ、つまみ食いした。パクリ。夫が飛びあがる。それはそれは甘くておいしかったから。ホットケーキなどにぴったりのメープル・シロップはこうして発見されたのです。

★花占い

帰らぬ初恋の思い出に、ついひたってしまうあなた。恋には憶病になりがちです。自分を謹慎中のような立場においてはいけません。新しい恋を探しましょう。千差万別の人生があるのですから、心の目を大きく開くことが大切。人に怒られると、すぐシュンとなってしまうあなた。怒りかえすくらいの迫力を持つと、自分が変わることに気づくはずです。

この日生まれの著名人
下村湖人 (1884) 花登筺 (1928) 牟田悌三 (1928) アンディ・ウィリアムス (1930)
山本耀司 (1943) 宮川大助 (1950) 山口いづみ (1954) 大沢誉志幸 (1957) 星野知子 (1957)
石川優子 (1958) 石田ゆり子 (1969) 真木蔵人 (1972)

この日生まれの大切な人

Name

Name

10 月

4

西洋からはな草
Common Hop
花ことば・無邪気

クワ科
原産地：西アジア

「西洋唐花草」。ビールの苦味や香りをつけるために栽培される、西アジア原産のつる性植物です。「HOP」とも呼ばれる。

ビールは、人類の歴史とともに歩き始めた。ホップの利用もかなり古く、15世紀頃から、盛んに使われるようになった。「ホップはビールの魂である」とドイツで言われてる。イギリスでは、ケント州のホップが有名です。

アメリカで「HOP」とは、麻薬、とくに「アヘン」を指すことば。気をつけたほうがいいでしょう。

★花占い

茶目っ気たっぷりのあなたは、開放的な性格の持ち主。ときとして「いたずら心」が度を越し、人間関係をこわすような失敗もあります。しかし、あなたの無邪気さは何ものにも代えがたい魅力。愛する人に出会って、それは大きく花開き、楽しい人生となることでしょう。

この日生まれの著名人
ハリス(1804) ミレー(1814) バスター・キートン(1895)
福井謙一(1918) チャールトン・ヘストン(1924) アルビン・トフラー(1928)
北島三郎(1936) 越智啓人(1961)

この日生まれの大切な人

Name

Name

10 月

5

しゅろ
Windmill Palm
花ことば・勝利

ヤシ科
原産地：ヨーロッパ・アジア

　復活祭の直前「しゅろの日曜日」は有名。人々が手に手にしゅろの枝を持ち、キリストのエルサレム入場を迎えたことから来ています。

　用途の広い樹木。和歌山県や熊本県での栽培がさかんで、庭木としてもよく見かけます。しゅろは生活必需品で、その皮は、ほうき、みの、はけなどになり、若い葉を漂白して、帽子、敷物、ぞうりの裏、うちわに、幹をおおう繊維は水道のろ過材などに使われる。

　常緑性高木で、高さ10メートルくらい。街路樹によく使われ、南国的な雰囲気で親しまれている。

★花占い

　入学、卒業、結婚など人生のふしめのお祝いごとのとき、周囲の同年代の人より、はるかに多い祝福を受けているはずです。それは、あなたに「勝利の霊感」を周囲の人が感じているからです。あなたは、幸せな人生を約束されています。

この日生まれの著名人
ディドロ（1713）浦辺粂子（1902）ディックミネ（1908）西岡徳馬（1946）
辺見マリ（1950）中島ゆたか（1952）郭源治（1956）カレッカ（1960）
黒木瞳（1960）橋本聖子（1964）

この日生まれの大切な人

Name

Name

10 月

6

はしばみ
Hazel
花ことば・仲直り

カバノキ科
原産地：ヨーロッパ

穀物を守り、稲妻を避け、熱病を治し、家畜を悪霊から守る木。はしばみは神聖とされています。

古くは、占い棒として使われました。また、復活祭の直前の金曜の前夜に、この木を切り、その枝で敵の名を唱えながら激しく打つと、どんな遠く離れた所にいようと、敵はのたうちまわって苦しむと言われます。

イギリスでは、この木の枝と葉で冠をつくり、頭にのせると、幸運がやってくると信じられている。

アダムとイヴがエデンの園を追放され

たとき、神はふたりを憐れんで、はしばみの杖で水を打てば、新しい動物が創造できるようにしたと言われています。

★花占い

平和的で冷静な人。仲裁役にぴったりです。あなたにあこがれてる人は多いけれど、あなたは相手を観察し、もの足りない思いがしています。恋に燃えるためには、冷静さを捨ててしまう覚悟が必要。

この日生まれの著名人
マテオ・リッチ (1552) オニール (1888) 桂小金治 (1926)
中沢けい (1959) 姫乃樹リカ (1971)

この日生まれの大切な人

Name

Name

もみ
Fir
花ことば・高尚

マツ科
原産地：北半球

　クリスマスの木は、なぜ「モミの木」なのか？　ドイツの山岳地方には、お祭りのとき、モミの木の枝に花や卵やぴかぴかの飾りをつけて、歌をうたいながら踊り回る習慣があります。木のまわりを取り囲むのは、小鬼たちが逃げださないよう、木の枝に封じこめる意味から。すると、小鬼たちは村人のために、できるだけのよいことをするのだといいます。

　これが、クリスマスツリーの起源。この小鬼たちが、サンタクロースになったのだという説もある。

　北国では、モミの木は森の王様。森の精のふるさと。人々の畏敬の念は、いまだに純粋であるらしい。

　「もみの木」は家の中がモメるから、庭に植えないようにという日本とは大違い。

★花占い

　高潔な人格の持ち主。清らかな生涯を送る人です。相思相愛の夫婦として、人々のお手本にもなるでしょう。社会的な責任も高く、リーダーシップを求められます。努力を怠ってはダメ。人と同じことしかしないのでは、幸せも中くらいです。

この日生まれの著名人
園佳也子(1934) 室田日出男(1937) 小川真由美(1939) 坂田利夫(1941)
荻島真一(1946) 氷室京介(1960) 谷村有美(1967)

この日生まれの大切な人
_____
Name
_____
Name
_____

パセリ
Parsley
花ことば・勝利

セリ科
原産地：ヨーロッパ

　恋愛中にパセリを切るのは不吉とされているのを、ご存じですか。

　庭のパセリを移植すると、悪魔が庭を支配するとも言われています。

　昔、ギリシャの一隊が戦いに行く途中、道でパセリを積んだ何頭かのロバに出会っただけで、総くずれになったという。パセリの不吉のひとつです。

　ギリシャ神話によると、パルナッソスの木陰に集められたパセリは、花輪に編まれ、ギリシャの四大競技祭のうちネメア競技とイストミア競技の勝利者たちの頭を飾ったといいます。その起源は大力無双のヘラクレスが、最初に冠をかぶったことによるらしい。

★花占い

　理由をつけてはすぐ集まり、友達と騒ぐのが大好きなあなた。陽気でオープンな性格です。とにかくお祭好き。お祝い会などは先頭を切って段どりなどしてしまいます。明るくて楽しいことが多いため、人の協力を得られやすく、何ごとも成就してしまいます。

この日生まれの著名人
宮沢喜一（1919）佐藤友美（1941）三田佳子（1941）
寺泉憲（1947）シガニー・ウィーバー（1948）

この日生まれの大切な人

Name

Name

10 月

9

ういきょう
Fennel
花ことば・賞讃

セリ科
原産地：南ヨーロッパ

「ういきょうの種子をまくのは、悲しみの種子をまくことだ」と言われるのは、この葉をいぶすと、妖怪変化が集まるなどの効果があり、魔法使いのお気に入りだからです。

「ういきょうを見て、摘まないものは馬鹿だ」と言われるのは、健胃、駆風、去痰などの効力のある薬草なので。

昔の人は、蛇が視力をよくするために食べる草と考えていた。

他にも、魚の香りを回復させるなど、いろいろありますが、今はリキュール、ベルモットなどのお酒、菓子、そして石けんなどにも用いられています。

★花占い

強固な意志で力強く生きている人。博愛主義者でもあります。あなたの行動は讃美の的となっていることでしょう。しかし、憂いに満ちた表情をときおり見せるのは、ちょっと背のびしているような面があるからです。愛する人を得たとき、きっと自然にふるまえるようになります。

この日生まれの著名人
セルバンテス (1547) 大佛次郎 (1897) 春日八郎 (1924)
ジョン・レノン (1940) 水前寺清子 (1945) 内田あかり (1947)
加藤博一 (1951) 山根麻衣 (1958) 大乃国 (1962)

この日生まれの大切な人

Name

Name

メロン

Melon

花ことば・飽食

ユリ科
原産地：アフリカ

　昔、イタリア・トスカナ地方の王妃に三つ子が生まれたとき、小姑の姉妹が王に「三つ子は人じゃない。ネコとヘビとナナフシだ」と告げ口しました。王は、妻を魔女として、牢に入れ、子供は殺すよう命じた。ところが臣下は殺すことができず、自分で育てたのです。

　あるとき臣下の家に大変おいしそうなメロンができたので、王に献上することになった。王がメロンを切ると、なんと種子が宝石！「不思議だ。メロンに宝石がつくれるのか」と王が呼んだ。するとそばにいた侍女が「人間の女が、ネコとヘビとナナフシを生むよりたやすいことです」と申し立て、王を説得。妻は釈放され、子供たちは迎えられ、小姑たちは公衆のさらし者にされた——という伝説。

★花占い

　泉のごとく湧き出てくる豊かな発想。天性であり、また生まれ育った環境のおかげ。人間の限りない欲望に対して、あなたが持っている豊かな企画力で対応すると、物ごとはすべてうまくおさまります。そういう秘めた力を持っているのです。あなたの愛と発想で、人々を幸せにして下さい。

この日生まれの著名人
カヴェンディッシュ（1731）　G・ヴェルディ（1813）　ジャコメッティ（1901）
羽仁進（1928）　野坂昭如（1930）　風見しんご（1962）　TOSHI〔X〕（1965）　リュー・ツー・イー（1965）

この日生まれの大切な人

Name

Name

みそはぎ
Lythrum
花ことば・愛の悲しみ

ミソハギ科
原産地：ヨーロッパ

「禊萩」と書きます。祭事などに用いられるため、その関係の呼び名が豊富。「盆花」「精霊花」「霊屋草」など。

秋の七草のひとつの萩とは、関係ありません。

日本では仏花として、旧暦のお盆のころに咲く花です。水辺や湿地によく育ち、とくに田のあぜなどに見る多年草ですが、庭にもよく生えるので、地方では、栽培しているところもあります。

よく乾燥させると、下痢どめにもなります。

★花占い

夢にまで、涙があふれてしまうあなた。純真な愛情の持ち主です。憂愁の面影を宿している人。いつまでたっても、そのような恋の繰り返しはいけません。幸せになるには、建設的になる必要が。もう少し強気になって、現状を打破するよう心がけましょう。

この日生まれの著名人
F・モーリアック（1885）榎本健一（1904）清水健太郎（1952）
麻丘めぐみ（1955）荒木久美（1965）

この日生まれの大切な人

Name

Name

10 月

12

こけもも
Bilberry
花ことば・反抗心

ツツジ科
原産地：北半球の寒帯

北半球の寒い地方に広く分布している。

寒帯のハイマツの下や湿原に生える常緑の低い木。大きいものでも、15センチくらいしかない。

果実は、赤く熟し、ジャムや果実酒に、葉は「こけもも葉」と呼ばれ、生薬とされています。

日本では、別名「フレップ」。これはアイヌ語が語源です。

この日生まれの人、こけもものジャムを食べると、幸せがやってきます。

★花占い

悔んでみても仕方のない恋と、さっぱ

り忘れられる人。失恋してもくじけないあなたに脱帽します。愛する人が、あなたのくじけない心を見つけたとき、愛は花開くことでしょう。社会の荒波を乗り切るふたりの生活は、くじけちゃならないことばかり。あなたなら、幸せを勝ちとることができます。

この日生まれの著名人
三浦雄一郎 (1932) 佐々木信也 (1933) 江原真二郎 (1936) 鹿賀丈史 (1950)
いまみちともたか〔バービーボーイズ〕(1959) 真田広之 (1960)

この日生まれの大切な人

Name

Name

10 月

13

しもつけ草
Spipea
花ことば・整然とした愛

バラ科
原産地：東アジア

　小さなピンクの花がたくさん咲きます。

　日本では、北海道をのぞいて、1000メートルを越える全国の山地に咲き、その群生するみごとさは、まさに「高原の女王」。

　19世紀の前半、葉や花から鎮静作用を持つ物質が抽出され、「SPIRAEA」からスピール酸と名づけられた。これが、アスピリンの原料である。この花は、しもつけ草の近種ですが、昔、ヨーロッパでは、近種を含めてこう呼んでいた。

★花占い

　一生懸命努力したことが、水泡に帰すような経験を持ちやすい人。むだをきらっているのに、です。整然とした美しさや、整然とした考えにとらわれすぎて、心のゆとりがなくなりがちです。完璧をねらってもムリ。むだな部分もあってこそ、成功するのです。相思相愛とはむだだらけの愛。そう思ったほうが楽しいですよ。

この日生まれの著名人
小林多喜二 (1903) イブ・モンタン (1921) マーガレット・サッチャー (1925)
石井光三 (1931) アート・ガーファンクル (1942) 樋口久子 (1945) 大和田獏 (1950)
ジョン・ローン (1952) 森昌子 (1958) 橋爪淳 (1960)

この日生まれの大切な人
_____
Name
_____
Name
_____

10 月

14

菊(白)
Chrysanthemum
花ことば・真実

キク科
原産地：アジア

「春蘭、秋菊、ともに廃すべからず」

　春の蘭、秋の菊はどちらも花の姿、匂いが優れていて、とても優劣がつけにくいことをさしている。

　中国の伝説にこんなのがあります。娘の部屋に毎夜遅く通ってくる男の素姓を知りたくて、母があとをつけた。男は川の中へ入っていき、「あの娘が菊酒を飲まなければ、俺の子供を宿すだろう」としゃべっている。驚いた母が、娘にさっそく菊酒を飲ませたところ、娘は間もなく死んだ蛇の子を生んだということです。菊には魔物を取りのぞく不思議な力があ

る、と信じられてきました。

★花占い

　高潔で純情なあなた。気品にあふれています。しかし、ときとして、下品で野暮なもうひとりの自分を見せる。そこがかわいいのだけど、重なれば危険信号。なにかひとつ打ちこめる趣味を持ってはいかがでしょう。ストレスがあなたをそうさせるのです。明るくてノーブルなイメージをこわさないように。

この日生まれの著名人
D・アイゼンハワー(1890)　トニー谷(1917)　ロジャー・ムーア(1927)
クリフ・リチャード(1940)　白石冬美(1941)　渡辺香津美(1953)

この日生まれの大切な人

Name

Name

10 月

15

めぼうき
Sweet Basil
花ことば・よい望み

シソ科
原産地：インド

イタリアでは、「小さな愛」と呼ばれ、これを身につけていると、「私はあなたが好き」という意志表示になります。

ルーマニアでは、娘が男性をつかまえて夫にしようとするとき、この小枝を自分の手から、その男性に直接受けとらせると、愛を勝ちとるといわれています。

モルダヴィアでは、意中の男性が、その小枝を受けとれば、彼の放浪はそのときに終わりを告げ、娘のものとなってしまう。

また純潔をためす植物。身持ちの悪い男性にふれると、すぐしおれてしまうと

いう話もある。

日本では、目の中のごみをぬぐう効果があるという由来から、「めぼうき」の名があります。

★花占い

よい望みとは、多くの人々が持っている。個人的なものではありません。多くの人々の願望を実現させようとする努力が、あなたに求められているといえます。広く指導者になれる人。愛する人も、そんなあなたをきっと尊敬するでしょう。

この日生まれの著名人
ニーチェ (1844) ワイルド (1856) ガルブレイス (1908)
アイアコッカ (1924) 渡部昇一 (1930) 蜷川幸雄 (1935) 江波杏子 (1942)
リチャード・カーペンター (1946) 清水国明 (1950) 山川豊 (1958)

この日生まれの大切な人

Name

Name

16

こけバラ
Moss Rose
花ことば・無邪気

バラ科
原産地：アジア

モス・ローズの伝説。ひとりの天使が、一本のばらの木の下で眠るまでは、他のばらと何も変わるところはありませんでした。天使は、そのばらの木が、日陰とよい香りをくれたので、お礼をあげようとささやきました。ばらの木は「できれば慎ましさを失わないままで、人々の甘い言葉が聞けたら幸せです」とこたえた。

天使が、その木にふれると、茎と蕾が苔につつまれ、まるで衣を着ているように柔かくなったというのです。モス・ローズの花びらやがくに緑の毛がはえ、まるで苔むしたようにみえるのは、そのためなのです。

★花占い

無邪気なあなた。友達も、そんな陽気な人ばかりです。愛する人は、多くの人々の幸せを願う平和主義者。そんな出会いは、多くの友人に支えられるはず。友人を大切にしましょうね。

この日生まれの著名人
二階堂進（1909）大山のぶ代（1936）阿川泰子（1951）
黄璧洵（1956）林寛子（1959）

この日生まれの大切な人

Name

Name

17

ぶどう
Grape
花ことば・信頼

ブドウ科
原産地：西アジア

ギリシャ神話です。酒の神ディオニューソスがぶどうの木をたずさえて、エーゲ海諸島に、その植え方、ジュースの作り方を教えてまわったそうです。その旅の途中、海賊に襲われたディオニューソスをぶどうの木が守ったという話。

次にイスラエルの伝説。エジプトからユダヤの民をひきいてカナンの地に戻るモーゼが、斥候を出して、様子をさぐらせた。斥候はエシコル（一粒のぶどうの意味）の谷で、大きなぶどうを見つけた。それは、よく肥えた豊かな土地の証拠です。一房のぶどうを二人がかりでかつぐ

ほど、とてつもなく大きなぶどうだったと言われます。

★花占い

不幸な人にやさしくできるあなた。「いつでも相談にのってあげる」というあなたの姿勢が人々に伝わり、信頼されているのです。あなたのやさしさは、人に真似できるものではありません。恋愛は、不得手。でも人のことばかりでなく、自分を大切にして。本当に愛する人には積極的に。

この日生まれの著名人
アーサー・ミラー (*1915*) モンゴメリー・クリフト (*1920*) 岸田森 (*1939*)
もたいまさこ (*1952*) 門あさ美 (*1955*) 賀来千香子 (*1961*) Mr.ちん〔B21スペシャル〕(*1963*)

この日生まれの大切な人

Name

Name

つるこけもも

Cranberry

花ことば・心痛のなぐさめ

ツツジ科
原産地：北半球の寒帯

アメリカの感謝祭で食べられる七面鳥料理には、このクランベリーソースが欠かせないとされています。欧米では、クランベリージャムもまた、朝の食卓のレギュラー選手。

花が咲くとき、茎がつるのように曲がるので、この名前。また、花の形が鶴に似ているから、の説もある。

日本では、高山の湿地帯、みずごけの中に多く咲いている。常緑の低い木です。

クランベリーソースは、この日生まれの人に幸運をもたらすでしょう。

★花占い

どんな苦労もあなたと会えば吹き飛んでしまう。不思議な魅力のある人。そんなあなたは、人から甘えられるタイプです。愛されることも多い。相手がなぜ言いよるのか、よく見ぬくようにしないと、大切な出会いを逃してしまうことに。パートナーはどんな人か、基準をしっかり持つようにして。

この日生まれの著名人

チャック・ベリー (1926) 郷ひろみ (1955) マルチナ・ナブラチロワ (1956)
山本和範 (1957) 石井めぐみ (1958) 井上悦子 (1964) 湯江健幸 (1967)

この日生まれの大切な人

Name

Name

ほうせんか(紅)
Balsam
花ことば・私に触れないで

ツリフネソウ科
原産地：熱帯アジア

昔、オリュンポスの宮殿で、ある美しい女神が、盗みの疑いで取り調べられた。結局は、意地の悪い神のいたずらとわかり、疑いははれたけれど、潔癖な女神にとっては疑われること自体が、大きな侮辱。くやしさと恥ずかしさから、自ら求めて「鳳仙花」の花になったということです。

実が熟すと、そっと触れただけで、種がはじけ散る。それは女神が、自分の心をひらき、今も無実を訴えているのだとか。

別名が「TOUCH-ME-NOT」。種子が飛びちる元気さから「Jumping Betty」おてんばベティの名もあります。

★花占い

ほがらかで、快活な性格。短気ですぐ投げ出してしまうのが欠点です。好き嫌いがはっきり。きらいな人には、少し冷淡ですね。でも、わがままが許されるのは、子供のうちだけ。持ちまえの明るさで、苦手な人もあなたのファンにしてしまいましょう。

この日生まれの著名人
円山雅也(1926) 林家木久蔵(1937) 戸張捷(1945) 岡田可愛(1948)
野沢秀行〔SAS〕(1954) ラサール石井〔コント赤信号〕(1955) 野村真美(1964)
松田洋治(1967) 立花理佐(1971)

この日生まれの大切な人

Name

Name

10 月

麻
Indian Hemp
花ことば・運命

クワ科
原産地：中央アジア

　未来の夫にめぐりあいたいと思うとき、ヨーロッパでは、麻の種でおまじないをするようです。

　自分の魅力が充分に発揮できるベスト・コンディションの夜、教会のまわりを麻の種子をふりまきながら、走り回るのです。「私は麻の種をまく。私は麻の種をまいた。私のいちばん愛する人。どうぞ、あとから刈り取って下さい」これが呪文。

　そして走りながら、肩ごしにふり返ると、一人の男の幻が見える。大きな鎌をふりまわしながら、まかれた種から生えてきた麻を、次々と刈り取り、追いかけてくるのだそうです。これが、未来の夫。ちょっとしたホラーですね。

★花占い

　気にいらないことも「すべて運命だ」とあきらめる人。自分自身を納得させるのが上手なのですね。世渡り上手かもしれません。しかし、愛する人と共に生きていく場合は、それでは通用しないのです。運命は、ふたりで築きあげていくもの。時には、あきらめの悪い人になりましょう。

この日生まれの著名人
A・ランボー (1854) 坂口安吾 (1906) 石津謙介 (1911) 皇后美智子 (1934)
中島常幸 (1954) 大石第二朗 (1958)　山口智子 (1964) KATSUMI (1965) 吉沢秋絵 (1968)

この日生まれの大切な人

Name

Name

10 月

(21)

あざみ
Thistle
花ことば・独立

キク科
原産地：ヨーロッパ

　カール大帝は、戦いの最中に疫病が発生したのにうろたえ、神に助けを祈った。

　天使が舞いおり、大帝に「矢の落ちたところの草を採れ」と言って、矢を放った。その矢があざみに刺さっていたので、それを兵士たちに与えたところ治ったと言われる。

　「雷草」とも呼ばれる。雷神トールがあざみや、あざみを身につけている人間を守ってくれているのだとか。この花を魔よけに使っている国もあるという。「祝福されたあざみ」「聖母のあざみ」などと呼ばれるのは、古くからある薬効に対する信仰からでしょう。

★花占い

　あなたが独立する計画を持っているなら、成功します。必ず計画どおりに行くことでしょう。なぜなら、自分自身を厳しく管理できる人だから。「たまには笑顔がみたいものだ」と人から言われるかもしれません。愛想のわるい人。恋愛の成功に関しては、今のあなたに笑顔もプラスして下さい。

この日生まれの著名人

徳川吉宗 (1684)　A・ノーベル (1833)　江戸川乱歩 (1894)　春日三球 (1933)
白川由美 (1936)　五月みどり (1939)　大場政夫 (1949)　上田昭夫 (1952)　永島敏行 (1956)
渡辺謙 (1959)　今井寿〔BUCK-TICK〕(1965)

この日生まれの大切な人

Name

Name

おもだか
Arrow-Hed
花ことば・信頼

オモダカ科
原産地：ヨーロッパ

　矢型の葉を人の面にたとえ、それが背の高い茎の上にあるので「面高」と呼ばれます。

　水田や湿地に生える多年草で、朝ひらき、夕方にしぼむ一日花なのです。

　昔から愛されている花で、平安時代には、蒔絵の紋様にも描かれました。源平の武士たちの武具や衣服にも「面高」が、よく登場します。

　江戸時代、この花の産地は尾張藩。天保の改革の水野忠邦は、出身者です。

「おもだかは、まず根もとから枯れはじめ」

　水野の失策をからかった川柳。彼の家紋も、「面高」なのです。

★花占い

　愛する気持ちに疑いやためらいが少しでもあったら、その人とは別れるべきです。誠実なあなただからこそ、妥協してはいけません。あなたの本能は正しい。不自然な相手の行動を見逃がすことはできない人。自分の直感を信じたほうが、結果的に幸せにつながります。

この日生まれの著名人
リスト（1811）草笛光子（1933）カトリーヌ・ドヌーブ（1943）
松金よね子（1949）タケカワユキヒデ（1952）三田村邦彦（1953）高木豊（1958）
室井滋（1960）石橋貴明〔とんねるず〕（1961）

この日生まれの大切な人
_____
Name
_____
Name
_____

10 月

㉓

ちょうせん朝顔
Thorn Apple
花ことば・愛敬

ナス科
原産地：熱帯アジア

　この花と葉の粉末を、ビールやお酒に
少しわからないように混ぜて恋人に飲ま
せると、恋人はあなたの言いなりになる
といいます。だから別名「妖術師の草」。

　仏教では、諸仏が出現するとき、法悦
のしるしとして、天から降りそそぐ幻想
的な白い花。「曼陀羅華」とも呼ばれてい
ます。

　この草は、もともと男の子と女の子だ
ったそうです。二人は神々の会議場のま
わりをうろつき、「不思議なものを見た」
と母に告げたため、神々の不興をかい、
この植物に変えられてしまったのだとか。

　この花を食べると、自分の見たことを
何でもしゃべり続けると言われるのは、
この子供たちのせいなのでしょう。

★花占い

　にこやかでかわいらしいあなた。お世
辞や八方美人なのではなく、もって生ま
れた性格なのです。だから、いつわりの
笑顔はすぐ見抜いてしまいますね。虚飾
や見かけにまどわされることなく、本当
に信頼できる人を愛するでしょう。

この日生まれの著名人
華岡青州 (1760) 土井晩翠 (1871) 渡辺美佐子 (1932) ペレ (1940)
岸ユキ (1948) 坂口良子 (1955) 渡辺真知子 (1956) 神津カンナ (1958)

この日生まれの大切な人

Name

Name

300

10 月

24

梅
Prunus Mume
花ことば・高潔な心

バラ科
原産地：中国

　平安時代、菅原道真は醍醐天皇廃位を企てた罪で、太宰府に左遷されました。都を去るとき、彼が残した歌は、
「東風吹かば　匂いおこせよ梅の花
　主人なしとて春な忘れそ」
　道真の愛した紅梅殿の梅の小枝が、空高く飛んで、太宰府に根づいたといわれます。かの地は今、梅の名所。
　死後、道真は神とまつられました。それが天満大神。学問の神様として信仰を集めています。

★花占い
　気高く美しい心のあなた。澄み切った青空のような人柄です。ものごとを大局的にとらえる目をもち、判断を間違えることがありません。
　幸運の星の下に生まれたような人。多少の苦労は経験することになるでしょう。でもくじけずにいれば、きっと何もかもが解決していきます。あせらず、自信をもって。

この日生まれの著名人
ジルベール・ベコー (1927)　高松英郎 (1929)　宇津井健 (1931)　渡辺淳一 (1933)
ビル・ワイマン〔Rストーンズ〕(1936)　ケビン・クライン (1947)　夏樹陽子 (1954)
辻発彦 (1958)　春川玲子〔JITTERIN'JINN〕(1968)　キューティー鈴木 (1969)

この日生まれの大切な人

Name

Name

かえで
Aceracede
花ことば・遠慮

カエデ科
原産地：北半球

　金髪の王女が恋をした。お相手は、かえでの笛を吹く羊飼いの青年。

　ある日、王がこの金髪の王女とふたりの黒髪の王女をまえに、かご一杯いちごを摘んできた者に王位を与えると約束した。金髪の王女はあっという間にかご一杯。他の2人は嫉妬して、その王女を殺し、かえでの木の下に埋めてしまったのです。そこに若木が生えたのを、羊飼いの青年が見つけ、その木で笛を作りました。いつものように笛を吹くと、音色がことばになった。「愛しい方!! 私は昔、王の娘。それからかえでに。今は笛」

　羊飼いは驚き、王様に訴えました。王は黒髪の王女2人に、この笛を吹くよう命じました。笛が鳴る。「人殺し!! 私は王の娘、今は笛」。王は事実をさとり、このふたりの王女を追放したという。

　ハンガリーのお話。

★花占い

　ひかえめで自制心のある人。堅実派です。しとやかでつつましい生活態度は、世の中のお手本とも言えるでしょう。金銭的にも恵まれ、貯蓄心も旺盛な人。愛にはなかなか燃えにくく、お見合い向き。遊び感覚も少しは勉強してみましょう。

この日生まれの著名人
シュトラウス子 (1825) ビゼー (1838) 徳富蘆花 (1868) ピカソ (1881)
立木義浩 (1937) 日野皓正 (1942) 山本浩二 (1946) 大和田伸也 (1947) 金沢明子 (1954)
宇都宮隆 [TMネットワーク] (1957) ラッキィ池田 (1959)

この日生まれの大切な人

Name

Name

すいば
Rumex
花ことば・情愛

タデ科
原産地：ヨーロッパ・北半球の温帯

「酸い葉」と書きます。呼び名は「スカンポ」。全国いたるところ、土手や道端、草原、川のほとりなどに生えている野草。若茎や若葉は、料理されます。とくに春から夏の若茎は、ゆでてつけものにすると、美味。

ただし、子供に生で食べさせてはダメ。血液中からカルシウム分を奪うと言われています。

★花占い

明るくさっぱり。深くこだわらない性格です。独特の社交術で、人を強くひきつける。気どらない親しみやすさが、異性の友人をたくさん作る。同性には、ちょっと目ざわりにされるかもしれません。あまりのりすぎず、同性にも気をつけましょう。敵をつくると、恋人ができたとき、じゃまされるかもしれませんよ。

この日生まれの著名人
ミッテラン（1916）山田重雄（1931）
チャック・ウィルソン（1946）北方謙三（1947）小倉久寛（1954）野村義男（1964）
渡辺敦子（プリンセスプリンセス）（1964）井森美幸（1968）HARUMI〔PINK SAPPHIRE〕（1968）

この日生まれの大切な人

Name

Name

野ばら
Briar Rose
花ことば・詩

バラ科
原産地：西アジア

園芸品種のばらには実がないけれど、野ばらは実がある。そこが大きなちがい。野ばらの赤い実は、先のほうがキュンととんがり、刺されるとかゆくなります。子供の遊び道具のひとつ。熟すと甘くておいしい。砂糖づけやら、果実酒にもします。ビタミンCが豊富といわれ体にいい果実。

花びらはサラダにも。葉っぱも味わいよく、肉などにふりかけられることもあります。

野生のばらのもうひとつの英名「EGLANTINE」は、「棘の多い植物」の意味。

★花占い

質素でひかえめなあなた。華美なのは好みません。また観察が鋭く、冷静なわりには、ひとめぼれしやすいタイプです。恋のトリコになると献身的に尽す人です。ただ、愛情表現が乏しく、ありがた迷惑がられることも。愛してしまったときこそ、クールさを保つこと。相手をよく見て、少しずつ近づいたほうが、成功する確率は高いはず。情熱的にふるまうのは、逆効果かもしれません。

この日生まれの著名人
大屋政子(1920) 半村良(1933) 堀内孝雄(1949)
ピーター・ファース(1953) 高嶋政伸(1966) 田中実(1966)

この日生まれの大切な人

Name

Name

むくげ
Rose of Sharon
花ことば・デリケートな美

アオイ科
原産地：南ヨーロッパ・インド

「槿花一朝の夢」とは、むくげの花が一日でしぼんでしまう、花の美しさはほんのわずかの時——との意味。ひいては、栄華もあっという間に亡び去ることをさしています。

万葉集の中で、秋の七草を歌っていますが、そのひとつ「朝貌」は、むくげのこととの説もあります。

古代中国では、美人の代名詞。

短命だけれど、花はつぎつぎ夏から秋にかけて咲き続け、華やか。生け垣などによく植えられています。

★花占い

人をひきつける磁石のようなあなた。あなたに誘われたら、いやといえない雰囲気があります。信念に基いて、ストレートにものを言う。その率直さが迫力となっています。今のままでいて。理屈や理論に負かされてしまっては、あなたらしくありません。自分は正しいのだと信じて下さい。そんなあなたを、恋人はきっと信じて、支えてくれます。

この日生まれの著名人

エラスムス (1466)　クック (1728)　嘉納治五郎 (1860)　蟹江敬三 (1944)
江藤潤 (1951)　立花ハジメ (1951)　和田加奈子 (1961)　ジュリア・ロバーツ (1967)

この日生まれの大切な人

Name

Name

西洋りんご
Crab Apple
花ことば・導かれるままに

バラ科
原産地：ヨーロッパ

別名「欧州りんご」。

果実はカイドウやグミより大きく、普通のりんごよりは小さめ。食べられるけど、りんごにはかないません。どちらかといえば、花と実を観賞する植物です。

「海棠の花の美しさは、佳人に勝る」とも言われ、昔から中国で賞讃されてる。

「海棠の睡り、未だ醒めず」は陽貴妃をさすことば。

絶世の美女を海棠に見たてるのにちなみ、美人を形容する花として、俳句にもよく登場します。

★花占い

すぐびっくりしてしまう人。人に影響されやすいですね。刺激に弱く、一見、すぐ人を信じてしまいそうですが、なかなかどうして。本当に深く信じてしまうわけではありません。チェック機能は働いています。

広く浅く経験をつむタイプ。流れに逆わず、上手に人生をわたっていくことでしょう。恋愛も、下手なようでけっこう上手。最終的に、ベストの出会いがあります。

この日生まれの著名人

ハレー（1656）　井伊直弼（1815）　並河万里（1931）
浜畑賢吉（1942）　リチャード・ドレイファス（1947）　小倉一郎（1951）　志穂美悦子（1955）
中村児太郎（1960）　高嶋政宏（1965）

この日生まれの大切な人

Name

Name

30

ロベリア
Lobelia
花ことば・悪意

キキョウ科
原産地：北アメリカ

正式には「ロベリア・カーディナルス」。緋色の美しい花をひらき、高さは50〜100センチほど。湿地を好む、北アメリカ原産の花です。

「カーディナル」とは「深紅の」という意味。カトリックでは、緋色の服を着る枢機卿をそう呼んでいます。

日本では、湿原で見られる華やかな秋の草。「さわぎきょう」に似てる。

街の花屋などで、鉢植えで見かけるロベリア・エリヌスは、小さな紫の花をつけます。南アフリカ原産。小さな花のひとつひとつが、やはり「ききょう」にそっくりです。

★花占い

卓越した指導力で周囲をまとめあげる人。みんなの総意を的確につかみ、まちがった考え方は強力に排除します。

個性的な見方をする人。愛する人も、あなたと同様、意志のかたまりみたいなタイプ。意見が一致したときは、理想のカップル。しかし反対意見なら、大げんかになりかねません。そんなときは大人として、意見と愛情をうまく分離させましょう。

この日生まれの著名人

ドストエフスキー (1821)　シスレー (1839)　ボナール (1867)　上田敏 (1874)
ルイ・マル (1932)　クロード・ルルーシュ (1937)　大川栄策 (1948)
太平シロー (1956)　ディエゴ・マラドーナ (1960)　平瀬真由美 (1969)

この日生まれの大切な人

Name

Name

10 月

31

カラー(かいう)
Calla
花ことば・熱血

サトイモ科
原産地：南アフリカ

「ナイルの百合」とも呼ばれています。

イギリスでは「CALLA LILY」と呼ばれ、純白のラッパ状の花を咲かせます。まっすぐ伸びた緑の茎と品のある白い花。日本でも人気を集めている花です。

1843年、オランダ船により、渡来しました。それで「オランダ海芋」の名前を持ちます。

この花のすっきりとした姿と香りは、神聖なイメージがある。そのため、婚礼の花。そして、葬式の花。

★花占い

情熱と内気。ふたつの自分が戦っています。愛を神聖なものと考えているため、気持ちが混乱してしまうのです。愛する人には、どんな自分を見せても、それは美しいのです。愛していない人に見せたら、それは淫乱。自分に正直になりましょう。そうすれば、つねに自然でいられます。

この日生まれの著名人

キーツ (1795)　ローランサン (1885)　蒋介石 (1887)　シアヌーク (1922)
渡辺文雄 (1929)　浜木綿子 (1935)　東海林さだお (1937)　加藤健一 (1949)　中村通 (1950)
藤田美保子 (1952)　マルコ・ファンバステン (1964)

この日生まれの大切な人

Name

Name

西洋かりん
Medlar
花ことば・唯一の恋

バラ科
原産地：ヨーロッパ

イギリスで「メドラー」ドイツ語で「メスペル」イタリア語「ネスポラ」フランス語「カムン」、「ニスペレロ」はスペイン語。まるで欧州旅行のよう。それも当然。ヨーロッパ以外ではあまり見かけない果樹です。

良質のシェリー酒は、西洋かりんから作られる。果実もおいしいですよ。花色は、白とピンクで可憐な印象。

明治時代に日本にも渡来したけれど、あまり普及していない落葉性低木。

「かりん」は中国原産の落葉性高木で、またちがいます。

★花占い

あなたは完璧な美しさのある人。心身ともに、それはあなたの不断の努力のあらわれです。いい意味で、見栄っぱりですね。恋愛も小説のようにカッコよく展開するほうです。あなたに愛された人は毎日ワクワク。ドラマチックな一生を送れるでしょう。

この日生まれの著名人
萩原朔太郎(1886)　松井須磨子(1886)　いかりや長介(1931)
大村崑(1931)　ゲーリー・プレーヤー(1935)　服部克久(1936)　アダモ(1943)
今陽子(1951)　阿川佐知子(1953)　田中美佐子(1959)　浜田朱里(1962)

この日生まれの大切な人

Name

Name

11 月

2

ルピナス
Lupinus
花ことば・母性愛

マメ科
原産地：南ヨーロッパ

ギリシャ語の「LUPE」が語源。「悲しみ」という意味があります。

この種子を口にふくむとあまりに苦く、食べた人の顔が思わず、悲しそうにゆがむことから来ているといわれます。

ルピナスから油がとれる。「顔をつるつるにし、皮ふをなめらかに。顔だちのよいところを強調する」と言われるので、女性の間で人気があります。

古代ローマでは、血行がよくなり、表情が陽気に輝くので、恋がうまくいく油——とも言われていました。

★花占い

人々の心にやすらぎを与えるあなた。常に幸福を追い求める、元気のよい人です。年下から好かれる。聖母マリアのように、えこひいきすることなく、誰にもやさしくできる人。恋人は特別扱いしてあげましょう。でないと、やきもちをやかれてしまいます。

この日生まれの著名人

後醍醐天皇 (1288) マリー・アントワネット (1755) ルキノ・ビスコンティ (1906) バート・ランカスター (1913)
三橋達也 (1923) K・ローズウォール (1934) 平田満 (1953) 美木良介 (1957) 大土井裕二 [チェッカーズ] (1962)
中山加奈子 [プリンセスプリンセス] (1964) 野田幹子 (1965) 中垣内祐一 (1967) 佐藤寛之 [光GENJI] (1970)

この日生まれの大切な人

Name

Name

310

ブリオニア

Bryonia

花ことば・拒絶

ウリ科
原産地：アジア

　緑がかった白の花。房状になっています。葉っぱが5枚の丸い大きな形をしてる、つる性植物です。

　ウリ科の植物は、なにしろ身近。きゅうりやメロン、かぼちゃにすいか、へちまや夕顔まで。ブリオニアは身近ではありませんね。

★花占い

　思いこみが激しく、妥協するのがきらいです。わがままな人。もう少し素直になって、人の意見を聞くことも大切。反射的に「いや」というのを減らしてみては。でないと、ひとりぼっちに。愛する人は、あなたをかわいいと思ってる。でも、甘えるのはほどほどにしたほうが、恋は長続きするでしょう。

この日生まれの著名人

武田信玄（1521）　マルロー（1901）　チャールズ・ブロンソン（1921）
手塚治虫（1926）　山口瞳（1926）　西村寿行（1930）　さいとうたかを（1936）
小林旭（1937）　柄本明（1948）　向井亜紀（1964）

この日生まれの大切な人

Name

Name

こたにわたり
Hart's-Tongue Feen
花ことば・真実の慰み

シダ類
原産地：北半球の温帯

　温帯に広く分布。「おおたにわたり」と葉の形がちがうので、この名になりました。

　英名は「雄鹿の舌のような形をしたシダ」という意味。葉が細長く、下のほうが丸い耳型をしているからです。

　南米のアマゾン河上流、フィリピン、インドネシアなどのジャングルに行くと、「しまおおわたり」が、高い木の上のほうに着生しているのが見られます。

★花占い

　心の底から人を慰めることができるあなた。人々に慕われています。プロポーズも数多い人。見る目をつけて、本当に愛してくれる恋人を選びましょう。やさしいために、自分を傷つけてしまう危険性もあります。

この日生まれの著名人

ウィリアム3世(1650)　泉鏡花(1873)　小松方正(1926)　池内淳子(1933)　森瑤子(1940)
西田敏行(1947)　ラルフ・マッチオ(1962)　NOKKO〔レベッカ〕(1963)　PATA〔X〕(1965)

この日生まれの大切な人

Name

Name

11 月

5

松葉菊
Fig Marigold
花ことば・勲功

メセン類
原産地：南アフリカ

　葉が松に、花が菊に似ており、「松葉菊」と名づけられました。

　「FIG MARIGOLD」の名は、マリーゴールドの花に似てるという意味で、日本名と発想が似ています。

　メセン類は「女仙類」と書きます。原色に近いきれいな花。人間のお尻のような形をして、葉も茎もありません。

　近頃は、どの植物園にもこの花があります。ドライフラワーにして、お守りにしてもよいでしょう。

★花占い

　光を受けて花開くように、順応性の高い人。グループ活動もうまくやっていけます。少々のことは何でもできる器用さに、脅威を感じているライバルも多いようです。まわりからおだてられて、大成功に終わる人生。愛する人は、あなたからのアプローチを、今もじっと待っています。

この日生まれの著名人
海音寺潮五郎（1901）　ビビアン・リー（1913）　佐藤愛子（1923）
ポール・サイモン（1942）　天地真理（1951）　Bro.Korn〔バブルガムブラザーズ〕（1955）　山村美智子（1956）
小林明子（1958）　テータム・オニール（1963）

この日生まれの大切な人
_____
Name
_____
Name
_____

313

11 月

6

ふじばかま
Agrimony Eupatoire
花ことば・躊躇

キク科
原産地：ヨーロッパ

　秋の七草のひとつ「藤袴」。「布知波賀万」の字もあります。

　漢名は「香水蘭」。

　昔、中国では、この草をかんざしにしたのだとか。半乾きすると、桜の葉のようなよい香り。それで匂い袋として身につけてもいたらしい。

　日本には、奈良時代に中国から渡来した。名目は薬草。

　糖尿病の予防や治療、利尿剤、皮膚のかゆみ止めなどに効くと言われた。

★花占い

　決断力、判断力にすぐれ、思い切って実行する度量を持っているあなた。いろいろ問題を持ちこんで、解決してもらおうという人が回りにたくさん集まってきます。結婚問題やトラブルなど、内気で迷いやすい人が相談にやってきます。人の世話ができるのは幸せなこと。でも、ときどきはひとりになって、自分の将来のこともゆっくり考えてみてはいかが。

この日生まれの著名人
J・スーザ（1854）　桂米朝（1925）
サリー・フィールド（1946）　松岡修造（1967）

この日生まれの大切な人

Name

Name

11 月

7

マリーゴールド
Marigold
花ことば・別れの悲しみ

キク科
原産地：メキシコ

　ひまわりが「太陽の花」と呼ばれる以前、それはマリーゴールドのニックネームだったのです。

　太陽がのぼると同時に花ひらき、沈むとともに花が閉じる。その華やかさからも、この名がついたのでしょう。

「マリーゴールドは太陽を見ている。

　わが臣民が朕を見ているより熱心に」

　これはチャールズⅠ世が幽閉されたときのことば。

　この花に、発光現象があるという学者もいる。19世紀の心理学者フェヒーナーは、川のほとりを散歩したとき「植物の霊魂が、太陽に向かって花から立ちのぼった」と言っている。その花も、マリーゴールドだったかもしれない。

★花占い

　周囲の人々の中に、あなたにばかりつらく当たる人がいます。それは反発とは限らない。好意の印の場合もあります。あなたの人望を嫉妬してるか、あこがれているか、どちらか。注意してみましょう。あなたをあきらめて去っていってしまっては、もう手遅れです。もしかすると、未来のパートナーかもしれないのに。

この日生まれの著名人

M・キュリー（1867）　上原謙（1909）　高田浩吉（1911）　カミュ（1913）
寺田農（1942）　ジョニ・ミッチェル（1943）　松平定知（1944）　福本豊（1947）
笑福亭笑瓶（1956）　種とも子（1961）　松村雄基（1963）

この日生まれの大切な人

Name

Name

せんのう
Lychnis Flos-Cuculi
花ことば・機智

ナデシコ科
原産地：ヨーロッパ

　5枚の花びらは、ふちにギザギザのあるピンク色や、時には白い花も咲きます。花が終わると、種子がいっぱいつまった、歯形の袋ができます。葉っぱはとんがって槍のよう。

　ヨーロッパでは、牧草地や沼、湿った森に広く生息する。しかし、ここのところ大規模な排水計画のため、だんだん少なくなってきています。少し残念。

★花占い

　清潔で、理知的な美しさを持つあなた。ユーモアも豊富。意識が強く、夢を確実に実現するための努力は、人の何倍も行ないます。恋愛に関しては、経験豊かなほう。そのため、結婚にはかえって慎重。心から納得できるまで待つので、晩婚でしょう。異性のことをよく知っているだけに、結婚はうまくいきます。

この日生まれの著名人
リットン（*1831*）　キャサリン・ヘップバーン（*1909*）　若尾文子（*1933*）
アラン・ドロン（*1935*）　ジェームズ小野田［米米クラブ］（*1959*）　リーフ・ギャレット（*1961*）

この日生まれの大切な人

Name

Name

11月

9

ミルラの花
Myrrh
花ことば・真実

カンラン科
原産地：地中海沿岸

　キプロスの王の娘ミルラは悩みました。父を愛してしまったのです。不道徳な情熱！そして、アラビアの砂漠へ追放されることに。神々はミルラをあわれみ、一本の木に姿を変えた。この木は、一生、後悔の香りを漂わせているという。ミルラの流す涙です。

　こんな伝説を持つミルラの木は、ゴムのような樹脂を持つ香りのよい植物。果実は、小さい卵型をしています。緑の小さな花。棘が多く、葉はまばらです。

　アジアと東アフリカによく見かける。古代エジプト時代は、死体の防腐保存に使われたといいます。

★花占い

　人から頼まれると断わりきれない。好きな人を友達に紹介しては、とられてしまう。お人好しさん。積極的とはいえませんね。気持ちを素直に伝える勇気を持ちましょう。喜びは向うからやってきません。もっとたくましく！！　幸福は、ちょっとくらいずるく立ち回っても、つかみとるようにしましょう。そのくらいの気持ちをもっても、あなたにはちょうどいいのです。

この日生まれの著名人
　ツルゲーネフ（*1818*）　野口英世（*1876*）　ペギー葉山（*1933*）　佐川満男（*1939*）
　ルノー・ベルレー（*1945*）　梅沢富美男（*1950*）　遙くらら（*1955*）　石田えり（*1960*）

この日生まれの大切な人

Name

Name

11 月

(10)

ふよう
Hibiscus Mutabilis
花ことば・繊細な美

アオイ科
原産地：アジア

「芙蓉の貌」といえば、美人のたとえ。「芙蓉峰」は、富士山の美しい姿をさしています。そう言えば、富士銀行は「芙蓉グループ」の所属ですね。

中国に「成都」という街がある。別名「芙蓉の都」。この花が咲く季節には、街中が芙蓉にうもれてしまうのだという。昔、このあたりの王様が、四十里にわたって、芙蓉を植え、城をこの花で飾りたて、栄華を誇ったのだとか。

★花占い

優雅な私生活を送っているあなた。何て魅力的な人、と思われています。口には表わせない微妙な美しさが漂っています。しとやかな恋人と呼ばれそうなその容姿は、不倫の相手としてねらわれがち。しかし、愛する人は自分で選びましょう。流されないよう、気をつけて。

この日生まれの著名人

ルター(1483)　シラ(1759)　リチャード・バートン(1925)　三橋美智也(1930)　ロイ・シャイダー(1932)
山城新伍(1938)　糸井重里(1948)　真木洋子(1948)　芹沢信雄(1959)　原日出子(1959)　川島なお美(1960)
清水宏次朗(1964)　畠田理恵(1970)　小原光代〔Babies〕(1976)　デーモン小暮

この日生まれの大切な人

Name

Name

318

11 月

つばき（白）
Camellia
花ことば・ひかえめな愛

ツバキ科
原産地：日本

　春に「椿」、夏に「榎」、秋に「萩」、冬に「柊」。「椿」という字は、春を代表する花。

　「巨勢山のつらつら椿つらつらに見つつ思うな巨勢の春野を」

　万葉集の有名な歌です。

　椿がヨーロッパに紹介されたのは、17世紀。今では世界各地に、美しい「カメリア・ガーデン」があります。有名なのは、カリフォルニアのハンティントンガーデン。

　暖地性の常緑広葉樹。魔力があると信じられていた。雪のように白く、香りが

ないので、「純潔」のシンボルでもある。

★花占い

　可憐な心を内に秘めたあなた。燃えるような熱愛を理想と考えています。しかし、ひかえめな愛こそ、あなたに似合っている。大げさな愛の告白は、成功しません。相手の気持ちをやさしく理解してあげることから、あなたの愛は始まります。ひかえめでも、激しい恋です。

この日生まれの著名人

乃木希典（1849）　沢村貞子（1908）　小森和子（1909）　辻村ジュサブロー（1933）
とりいかずよし（1946）　吉幾三（1952）　ダンプ松本（1960）　デミ・ムーア（1962）

この日生まれの大切な人
_____

Name
_____

Name
_____

11 月

12

レモン
Lemon
花ことば・心からの思慕

ミカン科
原産地：インド

レモンといえば、ビタミンC。その含有率は、100g中50mgといわれています。

アマゾン河上流を探険したとき、原住民の裸族が食べている果実があった。その果実のビタミンC含有量を調べたところ、100g中に3500〜5000mg。なんと多いこと！「レモンの100倍」と説明すると、どの国の人も一様にびっくりします。それくらい、レモンはポピュラーということでしょう。

★花占い

予期せぬ出会いによって、本当の恋が生まれるでしょう。あなたは自分に正直な人。だからこそ、今までの恋には納得できなかったのです。ピンときたら、それこそ本物です。自分の気持ちをよく探ってみて。

この日生まれの著名人
ロダン（*1840*）　孫文（*1866*）　K・ブッセ（*1872*）　グレース・ケリー（*1929*）
俵孝太郎（*1930*）　花井幸子（*1937*）　石橋正次（*1948*）　由美かおる（*1950*）　具志堅幸司（*1956*）
平忠彦（*1956*）　益田宏美（*1958*）　杉村太郎〔シャインズ〕（*1963*）

この日生まれの大切な人

Name

Name

11 月

13

こうすいぼく
Lemon Vervena
花ことば・忍耐

クマツヅラ科
原産地：ヨーロッパ・アジア

葉からバーベナ油がとれる。

よい香りのする常緑性の低い木です。

クマツヅラ科の植物は、大木もあれば、低木もある、草もあれば、つる性植物もあります。全部で75属約300種が知られている。

現在、ハーブ栽培がさかんですが、レモンの香りのするハーブとして、この「レモンバーベナ」、親戚の「レモンバーム」「レモングラス」など人気があります。

★花占い

こころが広くて、やさしいあなた。知性的な魅力がある人。友達には寛大なのですが、恋人には、かなり厳しいほうです。欠点を見つけると、すぐ、嫌気がさしてしまう。なかなか心を開かないこともあって、恋愛から結婚まで長い時間がかかります。きらめく未来を切り開こうと、可能性に賭けているのでしょう。つらくてもあきらめない限り、きっと幸せがやってきます。

この日生まれの著名人
岸信介 (1896)　大原麗子 (1946)　由紀さおり (1948)
伊勢正三 (1951)　木村拓哉〔SMAP〕(1972)

この日生まれの大切な人

Name

Name

11 月

松
Pine
花ことば・不老長寿

マツ科
原産地：日本・ヨーロッパ

　6月の暑い日、耳をすませて。松の木から小さい破裂音の聞こえることがあります。これは松かさが開いて、種子をはじき出す音。種子には軽いつばさがあり、風にのって飛んでいきます。

　ギリシャ神話で、いちばん醜い神といえば「パーン」。その正体はいろいろ言われていますが、とにかく大変なプレイボーイです。手当たり次第、女神や妖精、娘たちを追いかけ回し、関係を持っていました。

　あるとき、パーンは妖精ピテュスに激しく愛を迫った。ピテュスは困ってしまい、松の木となって、パーンの魔の手から逃れたのです。パーンは彼女を忘れられず、いつも松の枝でつくった冠を頭上に飾っていたという。

★花占い

　向上心の強い性格。押しの強さが、誤解を招きやすいあなたです。相手を立てることに気をつけて。押しの一手では敬遠されるので、ときどき引くことを考えましょう。根は、やさしい人なので、少し気をつければ、できるはずです。ちょっと引く——その余裕があれば、恋人にも今以上に愛されます。

この日生まれの著名人

貝原益軒（1630）　モネ（1840）　力道山（1924）　徳大寺有恒（1939）
阿藤海（1946）　チャールズ皇太子（1948）　小林繁（1952）　中野浩一（1955）　天久美智子（1963）

この日生まれの大切な人

Name
_____

Name
_____

11 月

15

おうごんはぎ
Crown Vetch
花ことば・謙遜

マメ科
原産地：ヨーロッパ

白みがかったピンクの花。さやは細長く、ひとつひとつに種子が包まれています。茎をつつむ細長い葉は、熱を逃がさないよう夜の間、つぼまります。

中世以来、珍重されてきたのは、心臓の薬として。その作用は、有名な植物であるジギタリスに似ていると言われています。わずかな量で劇薬となる、こわい植物です。

ヨーロッパの草原に生えています。

★花占い

あなたの運勢は、すばらしいの一言。何ごとも成功する星のもとに生まれました。その秘訣は、謙虚な物腰、自分をかいかぶらない客観性。また、清潔感のあるのも、人をひきつける要因でしょう。まわりの協力があってこそ、あなたの成功がある。それを忘れないで下さい。

この日生まれの著名人
坂本龍馬(1835)　笹沢佐保(1930)　内藤国雄(1939)　中島啓江(1957)
三浦リカ(1958)　小早川毅彦(1961)

この日生まれの大切な人

Name

Name

11 月

（16）

クリスマス・ローズ
Christmas Rose
花ことば・追憶

キンポウゲ科
原産地：ヨーロッパ

フランスでは、戦時中、敵に姿を見られずに敵陣を突破するのに、クリスマスローズの乾燥した粉をふりまきながら通りすぎたということです。

ギリシャ時代には、「狂気を治療する草」と呼ばれた。

エリザベス女王の時代には、「憂うつを治す薬草」とささやかれたのです。

薬草でもあり、毒薬でもある。

学名の「HELLEBURUS」とは、「殺す食物」の意味。つまり、食べれば死ぬ、ということ。

悪霊を追い出す草とも言われています。

★花占い

あなたの中には、子供と大人が同居している。不思議な人。孤独を愛している。神秘的な魅力があります。直感力にすぐれ、何か相談されると、本能的に解決策が浮かびます。結婚は、大きな夢を持っているので、晩婚型となることが多いでしょう。待ったほうが、よい人と出会えるようです。

この日生まれの著名人
北村透谷（1868）　佐藤英夫（1925）　春川ますみ（1935）　渡辺友子（1944）
来生たかお（1950）　オール巨人（1951）　二谷友里恵（1964）　五十嵐いづみ（1968）

この日生まれの大切な人

Name

Name

324

11 月

17

ふき
Sweet-Scented Tussilago
花ことば・公平

キク科
原産地：ヨーロッパ

「蕗」「富貴」の漢字があります。

大きな葉。柔らかくて、短い毛が生えており、汚れをふくのに便利だから、「ふき」という説も。

ふきのとうの蕾を日陰干しすると「せき止め」になるとか。根は解毒や痰をとるのに役立つと言われています。

食べると、美味。一般的な料理法は、ゆでて皮をむき、煮たり、炒めたりするというもの。葉っぱは、つくだ煮。ほんのり苦みが、大人の味です。

★花占い

人を正しく評価できる。そんな能力の持ち主です。また動きのあるものに縁がある。ふたつ合わせて、スポーツの審判などに最適な人。あなたの判断は、つねに信じられています。相談を受けたときは、誠実に答えてあげて。恋人を見る目も、自分の基準がはっきりしているので、幸福な結婚生活が送れます。

この日生まれの著名人
ユリアヌス(331)　本田宗一郎(1906)　ロック・ハドソン(1925)
青木雨彦(1932)　井上ひさし(1934)　井川比佐志(1936)　山口崇(1936)　内田裕也(1939)
ひさうちみちお(1951)　小野みゆき(1959)　ソフィー・マルソー(1966)

この日生まれの大切な人

Name

Name

11 月

18

やまゆり
Hill Lily
花ことば・荘厳

ユリ科
原産地：北半球

アダムとイヴがエデンの園を追われた
とき、イヴの流した涙が地上に落ちて、
百合の花になったと言われています。

百合は純潔の象徴。花嫁と花婿の頭上
に、この花と小麦の花輪をのせることで、
実り多い人生をと、祝う風習があります。
その白さが、無垢を思わせるのでしょう。
「聖母マリアの花」でもある。

スペインでは、悪魔に魔法をかけられ、
獣の姿に変えられた人間は、百合の花に
助けられ、もとに戻ると、伝えられてい
ます。

★花占い

無垢の美しさを持つあなた。清純な人
と思われています。気品にあふれ、あこ
がれの的。ところがあなた自身は、その
イメージとは違い、甘美な陶酔の世界に
心ひかれがち。もし、そちら側に足を踏
み入れたら、もう戻れなくなります。そ
れだけの覚悟があれば、けっこう。ただ
の好奇心なら、見るのはやめ。真っ直に
堂々と威厳を持って生きることこそ、あ
なたの幸福への道なのです。

この日生まれの著名人
古賀政男（*1904*）　ミッキーマウス（*1928*）　ミニーマウス（*1928*）
森進一（*1947*）　渡辺満里奈（*1970*）

この日生まれの大切な人

Name

Name

19

おとぎり草
Aaron's Beard
花ことば・秘密

オトギリソウ科
原産地：ヨーロッパ

私欲の強い兄が、善良な弟を切り殺したという。そんな伝説から「弟切草」の名がつきました。残酷！

さまざまな、言い伝えがあります。

女の子が枕の下にこの草を敷いて寝ると、未来の夫の姿を見るとか。

子供の欲しい女性が、裸足で庭を歩き、この草を摘むと、願いがかなえられる。

悪霊にとりつかれた者は、この草を摘むだけで呪いが消える。

子供のあごにこの草をおくと、その年は病気にかからないetc。

別名「聖ヨハネの草」。聖ヨハネ祭の前夜、魔女たちはブロッケン山に集まって、年に一度の酒宴を開くと言われています。

★花占い

「あなただけに」と秘密の話が持ち込まれることがよくありますね。ただ、聞いただけなのに、噂の当事者にうらまれたりすることも。

あなたは頼もしいのです。だから、つい相談したくなる。誤解されないよう、話はオープンにする努力をすべきです。敵意は早めにときほぐすこと。秘密の話は、恋人とふたりっきりで。

この日生まれの著名人
トミー・ドーシー（1905）　松崎しげる（1949）
グリニス・オコナー（1956）　安藤優子（1958）　ジョディー・フォスター（1962）
斉藤さおり（1968）　佐倉しおり（1971）

この日生まれの大切な人

Name

Name

11 月

20

うしのしたくさ
Bugloss
花ことば・真実

ムラサキ科
原産地：南ヨーロッパ

「牛の舌草」は、中くらいの毛におおわれて房状になった緻密な花。花びらは、5枚でビロードのような深い青紫。じょうごのような形をしています。茎はとても短い。太陽の光を好みます。根っこはアルカネット染料の素。マホガニー色に、ものをそめる美しい染料です。薬用として、咳止めのシロップにもなります。

★花占い

嘘のあふれる世の中で、とにかく正直な人。「そんなこと夢にも考えてなかった」と、意外な結果に驚くことも多いでしょう。あなたの正義は、無残にも裏切られてしまうのです。

真実は、自分の中だけにしまっておくものではありません。多くの人に、伝えなければならないのです。あなただけでなく、周囲の人々の幸せのためにも。

好きな人にも、自分の気持ちをはっきり伝えて。でないと、不誠実なライバルに、横からとられてしまいますよ。

この日生まれの著名人
尾崎行雄（1859）　市川崑（1915）　レーモン・ルフェーブル（1929）
萬屋錦之介（1932）　浜美枝（1943）　猪瀬直樹（1946）　大石吾朗（1946）　篠塚建次郎（1948）
倉田まり子（1960）　八木さおり（1969）

この日生まれの大切な人

Name

Name

11 月

21

ほたる袋
Campanula
花ことば・誠実

キキョウ科
原産地：ヨーロッパ

　ポーッと光る美しい螢。つかまえて、中に入れるとちょうどいい大きさなので、「螢袋」と名づけられました。

　別名「釣鐘草」「提燈花」。どれも、袋状なのでこの名となっています。

　野原や高原の木かげに咲いている。ひっそりと。優雅で品のある姿。茎の先から、2つ3つの花を垂らして、まさに小さなちょうちんです。

　ヨーロッパでは「カンパヌラ」。鉢植にするなど、愛されています。

★花占い

　忍耐強く、ひかえめなあなた。誠心誠意つくすので、あなたと友達になりたがる人は、いっぱいいるはず。愛には臆病なところがあり、せっかくのチャンスを逃がしてしまうことも。

　恋の冒険もまた、人間を大きくすることにつながります。別の自分に出会えるはずです。

この日生まれの著名人
三原脩(1911)　佐野周二(1912)　谷幹一(1932)
平幹二朗(1933)　ゴールディ・ホーン(1945)　岡本富士太(1946)
五十嵐美貴〔SHOW-YA〕(1962)　古賀稔彦(1967)

この日生まれの大切な人

Name

Name

11 月

22

へびのぼらず
Berberis
花ことば・気むずかしさ

メギ科
原産地：ヨーロッパ

「蛇登らず」変わった名前ですね。

葉の縁に、刺毛状の細かいのこぎり歯があり、枝には鋭い針状の棘がある。こわくて蛇も登れない、というところからこの名がつきました。同時に、鳥もとまれないという意味から、「鳥留らず」の別名も。

葉を煎じると、眼病のときの洗眼に役立つ。茎や根は胃腸に効くといわれます。

この木材は、寄せ木細工の材料。

★花占い

ドラマチックな恋の演出家。いろいろ凝るわりに、成功率が低いようです。思い込みが激しく、気が短いので、相手に気持ちがよく伝わりません。失恋しても、変わり身が早く、サラリと忘れて、傷にならない人。頭脳明析。細かいことに気を使って反発を買いやすい。何かに気がついても、80%にとどめておいて。恋人には尊敬してもらいたい人です。そのためにも、相手をよく見るくせをつけて下さい。金運に恵まれ、人生設計はうまくいくでしょう。

この日生まれの著名人
アンドレ・ジード (1869) ド・ゴール (1890) ロバート・ボーン (1932)
尾藤イサオ (1943) 倍賞美津子 (1946) 中田喜子 (1953)
ジェイミー・リー・カーティス (1958) ボリス・ベッカー (1967) カトリン・クラッペ (1969)

この日生まれの大切な人

Name

Name

11 月

(23)

しだ
Fern
花ことば・誠実

シダ科
原産地：世界中

別名「ヴィーナスの髪」。水の中からすらり立ち上がったときも、まったく濡れていない美しい髪に、そのしなやかな茎が似ているとのことでしょう。

しだは妖精のすみか。

葉と根を焼いて、その灰を混ぜ、ガラスをつくる。それは魔法の力を持つとか。このガラスを指輪にはめこみ、持っていたのはジンギスカン。だから、彼には植物や鳥のことばが理解できたと伝えられます。

ニュージーランドのしだは、食べられるのもあります。国家のシンボルとなっています。

★花占い

つんとすました態度に見える。あなたはそれでときどき損をしますね。人はなぜあなたがそうするのか、ふしぎに思っています。まじめにやさしく見えるときもあるのに。

おそらく何か考えごとをしているとき、つんとして見えるのでしょう。愛する人の前では絶対しないように、気をつけたほうがいいですよ。

この日生まれの著名人
小林桂樹(1923)　田中邦衛(1932)
栗本慎一郎(1941)　フランコ・ネロ(1941)　十朱幸代(1942)　小室等(1943)
坂井利郎(1947)　シーナ〔シーナ＆ロケッツ〕(1954)

この日生まれの大切な人

Name

Name

11月

(24)

がまずみ
Viburnum
花ことば・愛は死より強し

スイカズラ科
原産地：温帯・亜熱帯

秋を表現する生け花の花材として、欠かせない「がまずみ」。その赤くて小さな実をみると、秋の野山がふっと思い浮かびます。食べると、甘ずっぱい。

花が咲くのは、5月の新緑の頃。白くて清純な花ですが、他の華やかさにかくれて、あまり目立たないのが残念です。

その幹はしなって、強いのでよく杖に使われます。別名「神の木」。

猿の好物でもあるらしい。

★花占い

「別れるなら死んだほうがまし」と思いつめてしまう。一方通行の愛に気がつかないことの多い人。現実を無視して、願望を本当だと思いこもうとする傾向が。愛は、お互いの理解の上に成り立つもの。まずは自然に、さりげなく、つき合うところから始めて。わかりあったときこそ、一歩前進です。そのうちに思いが通じ、花ひらく時が来るでしょう。

この日生まれの著名人
ロートレック（*1864*）　清川虹子（*1914*）　加藤治子（*1922*）
蟇目亮（*1948*）　古村比呂（*1966*）

この日生まれの大切な人
_____
Name
_____
Name
_____

25

リュース・コチナス
Rhus Cotinus
花ことば・賢明

ウルシ科
原産地：南ヨーロッパ・中国

秋の山々をいろどる紅葉の代表は、かえでの他に、もうひとつ、うるし。

人間にとっては、プラスとマイナスの両面があります。

漆塗りは日本の美しき伝統。また染料、工芸、薬用として活躍しています。一方、皮膚がひどくかぶれる原凶。中には「あれはうるし」と嘘をつかれただけで、ブツブツができてしまう気の毒な人も。

果皮からロウをとるハゼノキもこの仲間ですが、うるし塗りには使いません。皮膚はかぶれやすく、こちらはマイナスのほうが多い（？）

★花占い

何でも器用にこなしてしまう人。活動的で高いプライドを持っています。人をとらえて離さないおしゃべり上手。話題が豊富なのですね。恋人に関しては自分の理想像がはっきりしているので、めぐりあうまで、時間がかかりそうです。

この日生まれの著名人
カーネギー（1835）　ジェフリー・ハンター（1926）　坂本スミ子（1936）
大地康雄（1951）　結城しのぶ（1953）　岡田彰布（1957）　又野誠治（1960）

この日生まれの大切な人

Name

Name

11 月

(26)

のこぎり草
Yarrow
花ことば・指導

キク科
原産地：北アメリカ

ギリシャ神話の英雄、アキレウス（ア
キレス）が、暗闇の中で戦った。そして
倒したとき、相手が女性戦士だとわかっ
たのです。アキレウスは神々に祈り、彼
女を花に変えてもらいました。それが「の
こぎり草」。その学名は「ＡＣＨＩＬＬＥ
Ａ」。アキレウスから来ています。

葉がギザギザでのこぎりのよう。白と
ピンクの小さな花がたわわに咲いて、よ
い香りです。

歯痛、憂うつ症などに効く。

草地や道ばたなど、比較的どこにでも
見られる植物です。

★花占い

あなたは、自分のことを語らない。「能
あるタカは爪を隠す」を地でいっている
人。知ったかぶりをせず、謙虚な態度は
魅力的。つまり、何でも練習なしで、で
きる実力派。恋愛に関しては、自然に自
分の愛情を表現でき、思いやりのある人。
相手からは結婚を望まれますが、環境の
ちがいで、なかなかうまくいきません。
結局は、お見合いで決めるほうが、スム
ーズにいく場合もあります。

この日生まれの著名人
スタイン（*1862*）　ロバート・グーレ（*1933*）
カルーセル麻紀（*1942*）　下条アトム（*1946*）

この日生まれの大切な人

Name

Name

ぬるで

Phus

花ことば・信仰

ウルシ科
原産地：南アメリカ・アジア

「白膠木」と書いて、ぬるで。木に傷をつけると、白い漆液が出る。これを「塗る」ので、この名がついたようです。

秋の「ぬるでもみじ」は、絶妙の美しさ。葉や枝に、「ぬるでのみみふし」という小さな昆虫が寄生する。その産卵の刺激で、葉は袋状の虫こぶだらけに。

これを採集して乾燥したものを、五倍子と呼びます。多量のタンニンを含んで、染料になります。

別名「ふしのき」とも。枝や葉が、ななめや横に出て、かっこうはあまりよくありません。

★花占い

あなたは、神の存在を信じ、神と共に生きているような人。現実には無宗教でも、目に見えない良識を重んじています。清らかで愛らしく、思いやりがある人。誰かが間違ったとしたら、身をていしても反対する勇気があります。あなたのような人に、不良の恋人ができることもよくあります。相手があなたを大事にしてくれるかどうか、よく考えて。本当に信頼できなければ、悲しいけれど、あきらめましょう。素晴しいパートナーが、いつか現われます。

この日生まれの著名人

松下幸之助 (1894)　ブルース・リー (1940)

ジミ・ヘンドリックス (1942)　村田兆治 (1949)　金沢碧 (1953)　中井貴恵 (1957)

小室哲哉〔TMネットワーク〕(1958)　杉田かおる (1964)

この日生まれの大切な人

Name

Name

えぞ菊
China Aster
花ことば・追想

キク科
原産地：ヨーロッパ・中国

プロの庭師に認めてもらえなかった悲しい花。洗練とは、ほど遠く、装飾性もないため、つい最近まで、軽んじられてきたようです。

だけど、狂犬病にかまれたとき、この草で作った軟膏が効く。また供花用の花として、墓地や仏壇を飾っています。

ほんとうは、もっと明るい花なんですが。少し見直してあげて下さい。次々と新しい品種があらわれ、脚光を浴びるようになりました。これから、イメージが変わるかもしれない花。

★花占い

楽しいにつけ、悲しいにつけ、うれしいにつけ、思い起こすのは、なつかしい友人の面影。そんな追想にひたりがちなあなたは、慕情のかたまりみたいな人です。そんなあなたは優雅なものごしの人。だけども、未来にも目を向けて。もっとステキな思い出を、これからいっぱい作って下さい。あなたを片すみからじっと見つめている人に気がつきませんか。

この日生まれの著名人
井上馨（1835） 宇野千代（1897） 向田邦子（1929）
里見浩太朗（1936） 渡辺篤史（1947） あべ静江（1951） 大貫妙子（1953） 松平健（1953）
広岡瞬（1958） 安田成美（1966） 原田知世（1967） 蓮舫（1967）

この日生まれの大切な人

Name

Name

11 月

(29)

バッカリス
Baccharis
花ことば・開拓

キク科
原産地：北アメリカ

ひなぎくの一種です。花は、ひかえめで、あまり目立たない地味な植物。

原産は、アメリカ・カリフォルニア州の太平洋沿岸です。

沿岸の、そして湿地。乾燥した場所にも時折繁殖します。陽に当たる土手をおおう草。なかなか手に入りにくい貴重な植物です。

密集した波のように見える。明るい緑色の敷物状の植物で、高さは6フィートか、それ以上にも育ちます。

細いギザギザの葉っぱが、細かく生えている。綿のような種子を実らせ、風に吹かれると、あたりに散る草。

★花占い

明るくて、なにごとにもくじけない、好奇心旺盛なあなた。自らの理想に向かって、人生をつき進んでいます。

協調性があり、集団をひっぱっていく力を持っており、意見に耳をよく傾ける。困難があってこそ、自分を高めていける人。こわがらずに冒険しましょう。結婚はあまりしたくないのが本心。理想も高く、したとしても晩婚かも。

この日生まれの著名人
ドニゼッティ (1797) オールコット (1832) 西太后 (1835) M・トウェイン (1835)
田中絹代 (1909) 長谷川慶太郎 (1927) 勝新太郎 (1931) 舛添要一 (1948) 小林麻美 (1953) 定岡正二 (1956)
尾崎豊 (1965) ジョン・ナイト [New Kids On The Block] (1968)

この日生まれの大切な人

Name

Name

337

11 月

30

枯れ葉・枯れ草
Dry Grasses
花ことば・新春を待つ

原産地：世界中

「烈風、枯葉を掃う」

　激しい風が、枯れ葉を吹き飛ばすように、劣勢の敵軍を打ち負かすことをいうことわざです。

　枯れ葉や枯れ草は、去りゆく華やかな季節に別れを告げるシグナル。

　厳しい冬の訪れを知らせる前ぶれでもあります。しかし、その先には、輝く春が。もう少し待ちましょう。

　枯れ草や枯れ葉は悲しいけれど、来年もまた豊かに葉が茂るための約束。

　葉は枯れおちてこそ、新しい生命が誕生するのです。

　ちらちらと、美しい落葉を楽しんで。

★花占い

　あなたは、臨機応変に対応することが下手なほう。真剣に思いつめる人ですね。恋愛も、自由な発想ができず、即結婚のみを考えるので、ふられやすい。しかし、財産に恵まれるので、結局は幸せになります。結婚してから、人が変わったように、柔軟な発想を持つようになるでしょう。

この日生まれの著名人

スウィフト (1667) チャーチル (1874) 林家三平 (1925) 土井たか子 (1928)
江戸家小猫 (1949) 花井愛子 (1956) 杉浦日向子 (1958) 秋篠宮文仁 (1965)

この日生まれの大切な人

Name

Name

12 月

よもぎ菊
Tansy
花ことば・平和

キク科
原産地：ヨーロッパ

ギリシャ神話によると、ユピテルが自らの酌人ガニュメデスに、よもぎ菊を飲んで、永遠の生命を得るよう命じたという話がある。昔は、「アナタシア」と呼ばれた。「不死」を意味することば。英名の「Tansy」も同じ意味です。古代から、魔よけ、災難よけとされ、不思議な力を持つとされている。

日本では、ぜんそくや健胃、貧血、腰痛などに効果がある草といわれています。

弥生の節句は、草もちの材料。端午の節句はしょうぶといっしょにお風呂に入れるなど、行事の重要な脇役です。

★花占い

あなたは人の恋に鈍感なタイプ。これまで何度、恋愛のチャンスを逃がしてきたことでしょう。自分ではそれに気づかず、「もてない」と悩んでる。ぜいたくなこと。もう少し、回りの人をよく見つめれば、素晴しい恋がころがってきますよ。自分に自信をもちましょう。

この日生まれの著名人
沢庵 (1573) 奈良岡朋子 (1929) ウッディ・アレン (1935)
リー・トレビノ (1939) 梨元勝 (1944) 波乃久里子 (1945) 富司純子 (1945) 根津甚八 (1947)
美保純 (1961) 林家こぶ平 (1962) 池田政典 (1966)

この日生まれの大切な人

Name

Name

こけ
Moss
花ことば・母性愛

地衣類
原産地：世界中

昔、ある慈悲深い国王が亡くなり、十字架が立てられました。しばらくして、十字架はこけにおおわれましたが、各地からの参拝者が今も後を絶ちませんでした。あるとき、信心深い男が、十字架の前でころび、腕を折った。連れの男は困って、国王なら治せるかもしれないと思い、十字架のこけを少し取り、男の腕に塗ったという。けがは、たちまち治ったとか。

奇蹟を起こす植物。また妖怪や黒魔術を防ぐお守りとして、北欧神話にも登場します。

★花占い

あなたのやさしさに、甘えてしまう人が多いはずです。そのため、負担になってるのではありませんか。電話がかかってくれば聞かされ役。食事に行っても、相談事ばかりでは、心やすまる暇もありません。あなただって、やさしくしてほしいのに。あまりにも甘えてくる人とは、適当につき合いましょう。あなたのやさしさを包みこんでくれる、信じ合えるパートナーが必ず現われます。そうすれば、ストレスはもう無縁。

この日生まれの著名人
高峰三枝子（1918）山崎努（1936）大地喜和子（1943）ジャンニ・ヴェルサーチ（1946）
夏木ゆたか（1948）山本みどり（1957）木野正人〔CHA-CHA〕（1968）モニカ・セレス（1973）ドラミ（2114）

この日生まれの大切な人

Name

Name

12 月

3

ラベンダー
Lavendar
花ことば・期待

シソ科
原産地：南ヨーロッパ

「Lavendar」の語源は、ラテン語で「洗う」という意味。古代ローマ時代から、その香りが喜ばれ、浴場に浮かべて、愛されてきた植物です。

世界的な生産地は、フランス、イタリア、オーストラリア、アメリカなど。とくにイギリスのラベンダーが極上で、貴婦人たちに楽しまれてきました。

薬草でもある。神経衰弱、痛風などに効くといわれる。

ポプリに使われる重要な花のひとつ。

★花占い

ちょっとわがままな人。相手の事情や環境を考えないで、あれこれ要求するので、結局、けんか別れになることが多い。愛しているなら、お互い許し合えるはずなのに。本当は、相手を信じきれないのでしょう。だから、わがままいって甘えてる。もう少し自分を抑えるようにして。危険なときが過ぎ去れば、後は美しい花園が待っています。

この日生まれの著名人

黒田長政 (1568) 永井荷風 (1879) 池田勇人 (1899) 金大中 (1925) 篠山紀信 (1940)
今いくよ (1947) 松あきら (1947) イルカ (1950) 長州力 (1951) 高岡早紀 (1972)

この日生まれの大切な人

Name

Name

12 月

4

すいば
Rumex
花ことば・情愛

タデ科
原産地：ヨーロッパ・北半球の温帯

「Rumex」の語源は「吸う」。

古代から、のどの渇きをいやすために、この葉を吸ったことに由来している。

タデ科の植物は、形態的には変化に富んだものが多い。砂漠に生えるもの、水中に、また高山に生えるものなど。ふつうは草ですが、なかには、高木になるのもあります。「酸い葉」と書く。別名「スカンポ」。

★花占い

理知的で明るい性格。聖母マリアのような人でしょう。「清く、正しく、美しく」とまるで宝塚のようなあなた。いつも陽の当たる道を歩いていきます。愛する人を得て、輝きは増すばかり。油断して、転落しないよう、ご注意。

この日生まれの著名人
カンディンスキー (1866) ジェラール・フィリップ (1922) 盧泰愚 (1932)
芦屋小雁 (1933) 新克利 (1940) ジェフ・ブリッジス (1949) 三浦浩一 (1953)
セルゲイ・ブブカ (1963) 与田剛 (1965) 永井真理子 (1966) 浅香唯 (1969)

この日生まれの大切な人

Name

Name

12 月

5

アンブローシア

Ambrosia

花ことば・幸せな恋

キク科
原産地：北アメリカ

「Hog-Weed」「Rag-Weed」の別名がある。

公害草として有名。鼻炎、結膜炎、気管支ぜんそくなどの花粉症の原因となるとか。

日本では、1880年に渡来した、この種の「セイダカアワダチソウ」が、いたるところに生息しています。

アメリカでも、同種である「クワモドキ（オオブタクサ）」が、風媒花として、増えつづけ、人類に影響を与えている。

このように人間に害を与えていても、植物の世界では、悪漢というわけではありません。生態系を維持するために、やはり欠かせない植物です。

★花占い

恋の予感がピンときたら、その恋はきっとうまくいきます。本気で愛して。きっと幸運を招くはず。

考え方が理屈っぽいので、ストレートに感情が伝えられないほうです。いっさいの計算は捨てて、一生一度の恋と信じ、つき進みましょう。

この日生まれの著名人
ウォルト・ディズニー（1901）木下恵介（1912）香川京子（1931）リトル・リチャード（1932）
篠田三郎（1948）ドン・ジョンソン（1949）滝田栄（1950）小林幸子（1953）
水沢アキ（1954）川中美幸（1955）観月ありさ（1976）

この日生まれの大切な人

Name

Name

12 月

6

ゆきのした
Saxifraga
花ことば・切実な愛

ユキノシタ科
原産地：北半球・温帯・寒帯

　雪の下に隠されても、枯れないで生き残る草。雪のような花の下に、常緑の葉が見え隠れするところから、名づけられたという説もあります。

　英名の意味は「岩の割れ目」。そこによく生えているから。

　やけどや百日咳、子供のひきつけに効くと言われます。

　また若葉は、てんぷらやおひたしの材料にすると、おいしい。

★花占い

　涙のきらいな気の強い人。でも本当は淋しがりやなのです。愛におぼれることもなく、冷静な観察力を持っています。そのため、さよならの繰り返しですね。妥協しないのが、あなたのよいところ。今のままで必ず、幸運を呼ぶ恋人にめぐりあえます。

この日生まれの著名人
鶴田浩二 (1924) 宍戸錠 (1933) 露木茂 (1940) 車だん吉 (1943)
星由里子 (1943) トム・ハルス (1953) 川岸良兼 (1966)

この日生まれの大切な人

Name

Name

いのもと草
Fern
花ことば・信頼

シダ類
原産地：温帯・熱帯

　細長い葉が、根元からいくつも分かれている常緑性の植物。

　井戸の足もとに生えているので「井の元草」。都会では、石垣の間などに生えています。湿った地域がとくに好きです。

　今や、都会には井戸も石垣もなくなってしまい、すき間もないコンクリートジャングルばかり。「いのもと草」のような植物は、姿を消しつつあるようです。

　淋しいことですね。

　せめて、この日生まれの人くらい、いのもと草の鉢植えなど飾り、大切にしてはいかがでしょうか。

★花占い

　明るくて、愛嬌のあるあなたは、誰からも好かれている。まじめな態度と、自分を飾らない性格が、人々の信頼を得ているのです。

　知的会話を好み、ユニークな発想を持っているので、恋愛論など意見が豊富。愛する人との関係も、友達同志のような雰囲気を望んでいる。

　さわやかな夫婦像となるでしょう。

この日生まれの著名人
西郷隆盛 (1827)　与謝野晶子 (1878)　竹腰美代子 (1930)　森下洋子 (1948)
古舘伊知郎 (1954)　滝本晃司 [たま] (1961)　角田美喜 [SHOW-YA] (1963)
尾美としのり (1965)　香川照之 (1965)　伊藤かずえ (1966)

この日生まれの大切な人

Name

Name

12 月

よし(あし)
Reed
花ことば・深い愛情

イネ科
原産地：温帯・熱帯

　ギリシャ神話によると、一つ目の巨人ポリュペモスは、海の神ガラティアに恋した。あるとき、ポリュペモスは、ガラティアが羊飼いの青年アキスの胸に抱かれているのを見つけた。嫉妬に狂ったポリュペモスは、恋敵アキスに石を投げつけ、殺してしまったのです。血まみれのアキスを見て、ガラティアは深く悲しみ、アキスの血を水に変え、永遠に流れる河にした。血の色が完全に水に変わったとき、アキスの姿が現われたのだ。ガラティアは河辺に立ち、それをじっと見つめている。次第にガラティアの腕は長くのびて

いった。肩からは緑の葉が生え、よしになった——という話があります。

★花占い

　ほめことばに弱く、おだてに乗りやすいあなた。当てにならない人を頼りにする傾向があります。

　外見上は強そうなのに、実際は気の弱い人。愛は深いので、思い込んだら命がけのところがある。人を見る目を養うことが大切。でないと、心は沈むばかり。

　幸せになる資格は充分にあるのですから。

この日生まれの著名人
津田梅子(1864) シベリウス(1865) 嵐寛寿郎(1903) サミー・デイビスJr.(1925)
名古屋章(1930) 杉浦直樹(1931) 藤村俊二(1934) 稲葉賀恵(1939) 桂べかこ(1951) 羽川豊(1957)
長与千種(1964) 和久井映見(1970) 稲垣吾郎〔SMAP〕(1973)

この日生まれの大切な人

Name

Name

12 月

9

菊
Chrysanthemum
花ことば・高潔

キク科
原産地：アジア

「十日の菊」ということわざがあります。

旧暦９月９日の重陽の節句に菊を飾る風習がある。一日遅れた10日に咲く菊は、役に立たないという意味です。

昔、殿中に菊という女中がいた。ある日、殿様の大切にしていた10枚の皿のうち１枚がなくなっているのに気がついた。菊は、全然心当たりがなかったが、殿の怒りを恐れ、責任をとって、井戸に身を投げて死んだ。

死んでもまだ納得がいかず、幽霊となってあらわれた。「１枚、２枚、３枚……」と皿を９枚まで数えたところで、泣き叫ぶということです。

菊は、「亡霊の花」。

★花占い

情熱の嵐が吹き荒れて、激しい愛に襲われる日は、もうすぐ。あなたの人生を大きく変えるものです。明るく朗らかで、誠実なあなたは、誰からも好かれます。あなたの大切にしている人間関係の中から、幸福を運んでくれる人が現われます。

この日生まれの著名人

ミルトン（1608）カーク・ダグラス（1916）佐田啓二（1926）市川猿之助（1939）
山内賢（1943）落合博満（1953）若松親方〔朝潮〕（1955）渡辺裕之（1955）
倉橋ルイ子（1959）滝本尚美（1964）MIKI〔PINK SAPPHIRE〕（1969）

この日生まれの大切な人

Name

Name

つばき(赤)
Camellia
花ことば・高潔な理性

ツバキ科
原産地：日本

1～2月頃、昆虫などの少ない時期に開花する椿。めじろなど野鳥に蜜を吸わせ、花粉をまき散らさせようとする鳥媒花です。

花は、乾燥して腸出血などの救急薬として、滋養、強壮、便通などのための健康茶として、また種子は灯火用、外用薬、つばき油として食用にするなど、私たちにかなり身近な植物。

頭髪用の「椿香油」は、古くからなじみが深い大島の名産。花の美しさもひときわで、魅力いっぱい。

★花占い

完成した愛こそ、あなたの理想です。ところが今は、不足があります。それは、真紅に燃える椿のような情念。愛を高揚させるためには、あなたの努力が必要。喜びを手に入れるには、それだけの準備を惜しまないで。

この日生まれの著名人
寺山修二(1935) 村山実(1936) 呂良煥(1936) 坂本九(1941) 三遊亭円丈(1944)
桂文珍(1948) 佐藤浩市(1960) 有森也実(1967) 荻野目洋子(1968)

この日生まれの大切な人

Name

Name

松葉菊
Fig Marigold
花ことば・愛国心

メセン類
原産地：南アフリカ

花を菊に、葉を松に見たてて「松葉菊」。日本では、鉢植の花として、花屋の店頭によく見かけます。石垣の間に咲いていることも多い。

菊のように細い花びらは、黄金のようにつややか。派手なローズ色で、パッと人目をひく華やかさがあります。

メセン類の花は、すべて、このつやをもち、原色の花を咲かせるのが特色。

南アフリカの砂漠などで見つけると、石ころの中に混じって、まるでわからないのだが、花だけが突然、美しい色で咲き誇ります。

★花占い

家庭を大切にし、友達や親戚も気を使います。地域社会のボランティアにも積極的に参加する人。トラブルがなによりきらいというタイプ。

「みんななかよく」がモットーのあなた。人の苦しむ顔や悲しむ顔を見るのも大きらいです。そのため、手助けを惜しみません。あなたの朗らかさにひかれ、プロポーズは殺到します。幸福な家庭を築けるでしょう。

この日生まれの著名人
東海林太郎(1898) ソルジェニーツィン(1918) ジャン・ルイ・トランティニアン(1930)
山本富士子(1931) 加賀まり子(1943) 前橋汀子(1943) ブレンダ・リー(1944) 谷村新司(1948)
原由子〔SAS〕(1956) 宮崎美子(1958) 森若香織〔GO-BANG'S〕(1963)

この日生まれの大切な人

Name

Name

12 月

わた
Cotton Plant
花ことば・優秀

アオイ科
原産地：アジア・南アメリカ

紀元前2500年頃の古代インダス遺跡で、また古代アンデス遺跡からも発見されている綿。インドのわた作りをギリシャに伝えたのは、紀元前400年頃の歴史家ヘロドトスです。彼によって、地中海沿岸に広まったとされている。

100〜200年頃、ギリシャのイーリスで、わたをヘアーネットにした。やがて十字軍がわたの知識をヨーロッパに伝えたのです。

日本に渡来したのは8世紀、漂着したインド人がわたの種子を持ち込んだと言われています。

★花占い

学生時代も、また社会に出ても、いつも何か主要な役割りを持たされるあなた。あなたがいると、その集団の人々は、心の底から気持ちがあたたまっていく。あなたを愛する人は、ひとりやふたりではありません。でも、平等に扱うのに慣れている人。相思相愛にはなかなか発展しないようです。つまり、理想が高く、本当の自分を理解してくれる人を、あくまで探し続けているのでしょう。あきらめないことが、幸せにつながります。

この日生まれの著名人
フローベル(1821) 福沢諭吉(1834) 小津安二郎(1903) フランク・シナトラ(1915)
秋吉敏子(1929) コニー・フランシス(1938) ディオンヌ・ワーウィック(1941) 舟木一夫(1944)
大森隆志〔SAS〕(1956) 吉村明宏(1957) ジェニファー・コネリー(1970)

この日生まれの大切な人

Name

Name

菊(紫紅)
Chrysanthemum
花ことば・愛

キク科
原産地：アジア

　昔、旧暦の9月9日に宮中で「菊の宴」が開かれたという。

　天皇が観菊会を催し、家臣たちに、菊花酒をふるまうのだとか。そして、無病息災、長寿延命を祝ったのです。

　酒杯に菊の花びらを、パラリと浮かべたのが菊花酒。

　また、菊の宴の前日の晩に、菊の花の上に綿をまるめておいておくと、翌朝には、そこに朝露がしみている。その朝露綿で体をふくと、長生きができると言われています。

　「翁草」「千代見草」「齢草」など、別名はどれも長寿をあらわしています。

★花占い

　明るくてほがらか。世話好きの人情家です。愛に関してはまじめで、好きな人から声をかけられたいほう。

　「心の底から愛しています」などのことばは、自分からは絶対言えません。それくらい、シャイな人。しかし、霊感にしたがって、行動すれば、思い通りになる不思議な力を持っています。その気になったら、あっという間に結婚することになるでしょう。

この日生まれの著名人

ハイネ(1797) 田山花袋(1871) 阪東妻三郎(1901) 清家清(1918) 城達也(1931) 仲代達矢(1932)
みなみらんぼう(1944) 山上たつひこ(1947) ミッキー吉野(1951) 芦川よしみ(1958)
樋口可南子(1958) 岡崎京子(1963) HIDE〔X〕(1964) 織田裕二(1967)

この日生まれの大切な人

Name

Name

松
Pine
花ことば・勇敢

マツ科
原産地：アジア・ヨーロッパ

「花咲かじいさん」の話は知ってますね。意地悪じいさんが、犬に地面を堀らせたところ、見つかったのはガラクタばっかり。じいさんは怒って犬を殺し、松の木の下に埋めたそうです。その後、松の木は犬の霊を宿し、よいじいさんの味方をしました。

聖母マリアが、エジプトへ逃げる途中、松の木の下で休んでいると、ヘロデ王の兵士たちが追ってきた。そのとき、松の木は、枝を地面まで伸ばし、すっぽりとマリアを隠して、兵士から救ったということです。

★花占い

「男は松、女は藤」とよく言われます。男は松の木のようにガッシリと骨太く、女は藤のように優美でたおやかがよいという意味。ちょっと前までの理想像だったのでしょう。現代は、男女にかかわらず、やさしさもたくましさも必要とされるとき。この日生まれのあなたは、勇敢で、りりしさにあふれる人です。卑怯なふるまいが大きらいですね。ときには、人に甘えるようにすると、今以上の人気者に。恋人とは信頼し合うことが、何より幸せへの道です。

この日生まれの著名人
ノストラダムス(1503) リー・レミック(1935)
パティ・デューク・アスティン(1946) 柏木由紀子(1947) 世良公則(1955)
シンシア・ギブ(1963) 高野寛(1964) 田中幸雄(1967)

この日生まれの大切な人

Name

Name

12 月

15

じんちょうげ

Winter Daphne

花ことば・不滅

ジンチョウゲ科
原産地：ヨーロッパ

昔、盧山に住む比丘という僧が、「青々とした木が甘く悩ましく情熱的な香りを放っている」そんな夢を見た。その芳香が忘れられず、深山幽谷を探し求め、歩き続けて、とうとうその木を見つけ出したのです。その名も無い木を持ち帰って育てました。夢で知った香りだから、「睡香」と名づけて。その後、「瑞香」とも呼ばれるようになった。中国の伝説です。

日本では「沈丁花」。「沈香と丁字の香りに似ているから」という説と、「香、沈香の如く、花、丁字に似たり」という説があります。

★花占い

永遠の愛を大切にするあなた。恋人の香りを、いつまでも胸の奥深くしまっておくことでしょう。愛された人にとって、こんな幸せなことはありません。あなたのやさしさが、人生を大きく切り開きます。計算など何もない気高さは、一生変わらないでしょう。あなたを愛する人も、きっと同じようなタイプです。

この日生まれの著名人

ネロ(37)　A・エッフェル(1832)　カロッサ(1878)　谷川俊太郎(1931)
細川俊之(1940)　笠井紀美子(1945)　立松和平(1947)　近藤等則(1948)

この日生まれの大切な人

Name

Name

12 月

(16)

はんの木
Alder
花ことば・荘厳

カバノキ科
原産地：温帯

「榛の木」と書く。

高さ20メートル以上にもなる落葉高木で、田んぼのあぜに植え、稲かけに利用しているのをよく見かける。

砂防用やワサビ田の庇陰樹。真っ直に伸びる性質が、保護林に向いているのです。

平坦な湿地に多い樹木です。

樹皮はタンニンの原料となり、材木は建築材、器具、えんぴつなどに利用されている。

果実や樹皮は、美しい黄色をつくり出す染料です。

★花占い

純粋にまっとうな人生を歩もうとしているあなた。邪悪な道へ誘いこもうと、手ぐすね引いている人たちがいます。あなたの妖しい魅力にまいり、つい誘いたくなるのです。甘い顔を見せると大変。自分に厳しく、毅然とした態度を貫くことです。これで、誘惑者は退散。つねに自分を正確に見つめるよう心がければ、心から愛してくれる人にめぐりあえるでしょう。

この日生まれの著名人

尾崎紅葉(1867)　大木実(1923)　山本直純(1932)　望月三起也(1938)　石倉三郎(1946)
森田健作(1949)　山下真司(1951)　おさむ(1952)　安西マリア(1953)　松山千春(1955)
ガダルカナルたか(1956)　織作峰子(1960)　桂木文(1960)

この日生まれの大切な人

Name

Name

さくららん
Honey - Plant
花ことば・同感

カガイモ科
原産地：熱帯アジア

花の形が、桜に似てる。

多肉質の葉は蘭に似ており、この名がつきました。でも桜とも蘭とも関係はありません。

2〜3mあるつるから、ピンクの小さな花がほぼ円形状に咲いてる。その様子がマリのように見えるので「毬蘭」とも呼ばれ、よい香りがします。

日本では、温室栽培が中心。

この誕生花をもつあなたは、さくららんをおし花にしてお守りにすると、よいことがあるかもしれません。

★花占い

あなたの美しい感性を大切にしてほしいものです。まるで彫刻ほりでもするかのように、ひとつひとつのことをていねいに仕上げていける人。愛する人のためなら、少々の犠牲も惜しみません。パートナーも、同じようなタイプ。ふたりにとって、愛とはまさに世界を共有することです。愛の本質がわかっているのですね。

この日生まれの著名人

ベートーベン (1770)　おおば比呂司 (1921)　トミー・スティール (1936)
キース・リチャーズ〔Rストーンズ〕(1943)　マリリン・ハセット (1947)　夏目雅子 (1957)
池山隆寛 (1965)　芹沢直美 (1965)　有森裕子 (1966)　西村知美 (1970)　牧瀬里穂 (1971)

この日生まれの大切な人

Name

Name

12 月

セージ
Sage
花ことば・家庭の徳

シソ科
原産地：南ヨーロッパ

　オークの木の洞に住む妖精セージは、人間の王に恋をした。王もセージのしとやかな美しさに魅了され、愛を告白したのです。灼熱の恋は、妖精の命と引き換えとなる運命。王の腕にしっかりと抱きしめられたセージは、一瞬の幸せののち、命がつき、王は悲しみのうちに去っていったという。北欧のお話です。

　セージには、さまざまな力があると信じられている。精神を高揚させ、寿命をのばし、悲しみを柔らげるといわれる。

　ハーブの中でも人気者。その葉を乾して、家庭薬にしたり、香草として料理に使ったり。ソーセージやチーズの欠かせない香料です。

★花占い

　貞節を重んじ、人間としての正しい道にこだわって生きているあなた。知性豊かな理想主義者と言えましょう。

　家庭を大切にし、知性的な面を持っている人。創造力豊かです。

　愛する人と、信じる道を歩いて下さい。少しくらい遠回りでも、結局はそのほうが、目的を達しやすいのです。幸せは、困難を乗り越えたときこそ、実感できるでしょう。

この日生まれの著名人
タイ・カップ（1886）　池田理代子（1947）　スティーブン・スピルバーグ（1947）
布施明（1947）　福永洋一（1948）　伍代夏子（1961）　東海辰弥（1964）

この日生まれの大切な人

Name

Name

19

スノーフレーク
Snow Flake
花ことば・美

ヒガンバナ科
原産地：ヨーロッパ

学名を「LEUCOJUM　VERNUM」といいます。

スノードロップ属の一種で、葉のつけ根から、2〜3本の短い茎を伸ばし、先端に小さな花を咲かせます。はかなげな、純白の花びら。まるで雪片。

ヨーロッパでは、春を告げる草。その一面に咲き乱れ出るようすは、まるで、シュトラウスのワルツを聞いているよう。まさに「歓び」そのものです。

この種子には、アリを引きつける物質が内蔵されているという。種子を運び、新しい土地に根づかせる——それはこの昆虫の役目。

★花占い

誠実で礼儀正しく、努力家のあなた。社会への貢献度は、抜群です。小さいときから人望が厚く、人に尽くすタイプでした。あなたに愛される人は幸せです。純粋、無垢の愛情をささげられ、心ゆくまで奉仕されるのですから。

この日生まれの著名人
ブレジネフ (1906)　エディット・ピアフ (1915)　楠本憲吉 (1922)　木元教子 (1932)
鈴々舎馬風 (1939)　岡本麗 (1951)　ジェニファー・ビールズ (1963)
國實唯理 (1970)　アリッサ・ミラノ (1972)

この日生まれの大切な人

Name

Name

パイナップル
Pineapple
花ことば・完全無欠

パイナップル科
原産地：熱帯アメリカ

「PINE」は松、「APPLE」は果実。だから、「松の実」。それがいつの間にか、巨大な松ぼっくりに似た、パイナップルを指すことばになりました。

発見したのは、コロンブスの第二次探険隊。西インド諸島で発見し、ヨーロッパに伝わり、17世紀ごろから、栽培が始まったと言われています。

学名「アナナス」。その花は、熱帯特有のすばらしい色彩を持っています。

葉っぱから繊維をとり、編んだり、織物にしたりされていることは、あまり知られていないようです。

★花占い

あまりにもパーフェクト。勉強家で知識も豊か、センス抜群です。社交家で、会話も上手。人気者のわりには、親友が少ないようです。どこか心をひらいてないからですね。プライドが高すぎるのかもしれません。愛する人に関しては、大変に理想が高く、候補者が現われても、たいていは不合格。納得できる人と出会えるのに、かなり時間がかかるでしょう。結婚後に、異性問題の悩みが出てきそう。そのときは、どちらにするにしても、早めにはっきり決断を。

この日生まれの著名人
北里柴三郎（1852） 黒沢久雄（1945） ジェニー・アガター（1952）
野田秀樹（1955） 中山竹通（1959）

この日生まれの大切な人

Name

Name

㉑

はっか
Mint
花ことば・徳

シソ科
原産地：アジア東部

　どんなに温厚な人も「薄荷」の根をかむと気が荒くなり、けんかっ早くなるといいます。アリストテレスは「疑問集」の中で、ハッカは人の体を冷やし、争うことがばからしくなるので、戦争中は食べても植えてもいけないと語っているようです。

　人間に飲ませて、ものが、みな二重に見えるようにしてしまう魔女の毒薬。

　恐ろしい毒をもつサソリに刺されたとき、その傷を治すのもハッカと言われています。

★花占い

　あたたかなフィーリングで、人々を包みこむような雰囲気の持ち主。誰からも慕われるほうですね。幸せな星のもとに生まれています。両親の育て方にも感謝しましょう。人には好かれるのに、愛する人とは縁が薄いという悲劇もあります。恋愛は、素質だけではできません。もっと積極的に、頭をつかって、標的に接近して下さい。

この日生まれの著名人

スターリン（1879）　松本清張（1909）　佐藤慶（1928）　ジェーン・フォンダ（1937）
夏樹静子（1938）　汀夏子（1945）　神田正輝（1950）　牧村三枝子（1953）　片岡鶴太郎（1954）
関口和之〔SAS〕（1955）　フローレンス・ジョイナー（1959）　日野美歌（1962）　本木雅弘（1965）

　この日生まれの大切な人

Name

Name

12 月

(22)

ひゃくにち草
Zinnia
花ことば・幸福

キク科
原産地：メキシコ

メキシコの皇帝モンテズマは、庭師を領土のすみずみまで派遣し、ひゃくにち草や、ダリア、ひまわりなど珍しい植物を採集して、みごとな庭園をつくったという。インド人がメキシコに侵入して、ど肝をぬかれたという話があります。

ひゃくにち草は、18世紀になって、ヨーロッパに広まった。

ブラジルでは、魔よけの花。幸福を呼ぶ花。有名なリオのカーニバルなどのお祭りのときに、パレードに向けて投げる花です。

「百日草」と書き、「浦島草」の別名もある。英語では「YOUTH&AGE」。どの名も、花が長く咲くことから連想された名前です。

★花占い

友情に厚いあなたは、それだけ人に慕われています。年代とともに、友人は変化していきますが、遠く別れた友を思いやる心は、人一倍強いといえそうです。友情の薄らぎが心配なのです。淋しがりやなのでしょう。「ひとり」は好きではないほう。恋愛のチャンスも多い人ですね。双方の友人にかこまれた、友達感覚の家庭を築くことでしょう。

この日生まれの著名人
東郷平八郎 (1847)　プッチーニ (1858)　ジョージ・ロイ・ヒル (1926)
村上弘明 (1956)　国生さゆり (1966)

この日生まれの大切な人

Name

Name

23

プラタナス
Platanus
花ことば・天才

スズカケノキ科
原産地：アジア

　街路樹として、なじみが深いプラタナス。別名、「すずかけの木」です。

　山伏が着用する麻の衣の「篠かけ」と呼ばれる部分に、鈴の玉がついている。これに、プラタナスの実が似ており、この名がつけられました。

　日陰の木として、古今東西に愛されている。

　古代ギリシャでは、プラトンやアリストテレスも、プラタナスの木陰で講義をしたと言われています。

★花占い

　あなただけに天から与えられた恵み。

これを人は天才と呼ぶでしょう。なみはずれた天才的な手腕を発揮するあなたを、人々は慕っています。愛する人とも当たり前のように出会い、すばらしい恋が育まれていくことでしょう。

　何も言うことがない幸福な人生。ただし、恵まれすぎて、油断すると、とんでもないところで、足をすくわれるかもしれませんよ。

この日生まれの著名人
ファーブル(1823)　平成天皇(1933)　水森亜士(1939)　笑福亭鶴瓶(1951)
庄野真代(1954)　松岡英明(1967)　コリー・ハイム(1971)

この日生まれの大切な人

Name

Name

12 月

(24)

やどり木
Loranthaceae
花ことば・忍耐強い

ヤドリギ科
原産地：世界中

クリスマスの日、やどり木の下で誰かと会ったら、キスしていいのです。うれしい場合も、そうでない場合もあるでしょうけど。このドキドキする風習は、北欧から伝わってきました。

「宿木」「寄生林」の名のとおり、寄生植物の代表。冬でも枯れないだけでなく、大地に根を持たないところから、不思議な力を持つとされます。魔よけとも言われる。脳卒中、けいれん、結核にも効くという。

聖なる木、オークにからみついた「やどり木」は、特に珍重されています。地面には絶対ふれさせず、少なくとも自分の足より低いところに置かないようにすると、幸福、安全をもたらすと言われています。

厳しい寒さと雪に追われる森の精霊達にとって、避難場所とも言われています。

★花占い

がまん強く耐え忍んで心を動かさないあなた。孤高の人という印象です。困難にうち勝つ力があります。

栄光を手にする確率は高く、人々に尊敬される生涯を手に入れる。愛する人を得たとき、喜びとやわらかさが心にプラスされ、「ばら色の人生」となるでしょう。

この日生まれの著名人
ジョン王(1167) 阿川弘之(1920) 平尾昌晃(1937) 生島ヒロシ(1950)
伊藤銀次(1950) 白都真理(1958) 長野智子(1962) NADJA(1964)

この日生まれの大切な人

Name

Name

12 月

(25)

そよご
Holly
花ことば・先見の明

モチノキ科
原産地：ヨーロッパ

　常緑で、木いっぱいに葉が茂り、風に
そよぐと、そよそよと金属音を立てるか
ら、この名がついたと言われています。

　秋に、真赤な果実。りんごを小さくし
たような実を、葉の間につける姿が美し
く、庭園の木として好まれています。

　まるでりんごの木のミニチュアのよう。
生け花の材料として、喜ばれています。

　葉からは、オレンジ色の染料をとり、
木はソロバンの珠や、櫛などに利用され
ています。

★花占い

　計画を持って、対処するあなたは、先
見の明のある人。成功への道がよく見と
おせるのです。あなたの将来は、輝かし
いでしょう。それを信じて、本当にした
いことに、挑戦してはどうでしょうか。
あとで後悔しないように。パートナーも
チャレンジ精神のある人を選んで。

この日生まれの著名人
ニュートン(1643)　ユトリロ(1883)　尾崎一雄(1899)　夏八木勲(1940)
シシー・スペーシク(1949)　角川博(1953)

この日生まれの大切な人

Name

Name

363

クリスマス・ローズ
Christmas Rose
花ことば・追憶

キンポウゲ科
原産地：ヨーロッパ

キリスト生誕の地、ベツレヘムに関係の深い花です。この地に住む羊番の少女が、星にみちびかれるまま、みどりご誕生の場へひきよせられた。その顔を拝したとき、神々しさと威厳にうたれて、少女は胸がいっぱいになりました。お祝いをと思ったのだけど、何も持っていません。悲しく帰途につきました。そのとき、突然、天使があらわれた。一面に純白のクリスマスローズを咲かせてくれたのです。少女は喜んで花を摘み、ふたたび村のほうへ走っていきました。

神の御子は、かわいいもみじのような手を、少女の摘んだ花のほうへ差しのべ、にっこりほほえんだということです。

★花占い

星の王子さまが現われるのを信じているあなた。純粋な人ですね。相手の胸のうちをサッと察知し、やさしい慰めのことばを口にできる人。現実的ではありません。神秘的な魅力があります。恋愛に関しては、人から敬遠されやすい。あまりに夢の中に住んでいるのです。子供と大人の間を行ったり来たりできる。結婚するより、今のままが幸せかもしれませんよ。

この日生まれの著名人
徳川家康(1542)　岡倉天心(1862)　菊池寛(1888)　毛沢東(1893)
リチャード・ウィドマーク(1914)　音無美紀子(1949)　松本惠二(1949)　原田美枝子(1958)
堤大二郎(1961)　仁村徹(1961)

この日生まれの大切な人

Name

Name

27

梅
Prunus Mume
花ことば・澄んだ心

バラ科
原産地：中国

梅の言い伝えはいろいろ伝わっています。中国の木だけど、とても身近。

この花の不思議な力によって、遠く離れている恋人とめぐり合えるかもしれない。そう歌ったのは、万葉集。

梅の花が咲きほころべば、その年は豊作と言われている。農民は、梅で、作物占いをしてきました。

「梅は、その日の難逃れ」のことわざも。毎朝、梅干をひとつ食べると、その日一日災難を逃れるとか。梅干が朝食につきものだったのは、こんな言われがあるからです。

★花占い

高潔な心を持っているあなた。決して軽はずみな行動はしない人でしょう。文化の香りを漂わせている。芸術に造詣が深く、社会問題にも深く関心を持っています。そのため「おかたい」と思われることもありますが、気にすることはありません。あなたに深い信頼と共感を持つ人々は少なくないのですから。その謙虚さが人望を集めるのです。恋人は、あなたと同じタイプの人か、または別の分野でも、何かに夢中になっているような人だと、うまくいくでしょう。

この日生まれの著名人
ケプラー (1571) 松平定信 (1758)
マレーネ・ディートリッヒ (1901) 岡部冬彦 (1922) 加藤登紀子 (1943)
奈美悦子 (1950) 藤井尚之 [チェッカーズ] (1964)

この日生まれの大切な人

Name

Name

ざくろ(花)
Pomegranate
花ことば・円熟の美

ザクロ科
原産地：南ヨーロッパ

昔、ギリシャにシーディという美しい娘がいた。母は病弱で、長くわずらった末、死んでしまった。死後、父親が娘を襲おうとするのです。シーディは困り果て、何とか逃げていましたが、あまりのしつこさに耐えられなくなった。
そして、とうとう母の墓前で自殺をしてしまうのです。かわいそうなシーディ！ひどい父親！

それを見た神々は、彼女をしのんで、その魂をざくろの木に宿らせ、父を空飛ぶとんびに変えた。ざくろの木は今でも、その枝に、とんびを止まらせないのだと

いう。そんな民話があります。

ざくろは寄生虫駆除や、口内のただれに薬効があるそうです。

★花占い

地球上にあるものすべて、目に見えるもの、見えないものすべてに、美はあるのです。その美を発見できないあなたは、それを見る目がまだできていないからではないでしょうか。あなたは、まだ完璧ではない。愛する人を得て、大きく花ひらくことでしょう。相思相愛の幸せの中から、ふたりだけの極上の美の世界が、出現するのです。

この日生まれの著名人
石原裕次郎 (1934)　マギー・スミス (1934)
渡哲也 (1941)　藤波辰己 (1953)

この日生まれの大切な人

Name

Name

ほおずき
Winter Cherry
花ことば・自然美

ナス科
原産地：北アメリカ・アジア

ほおずき市は、夏の風物詩。

先のとんがった紙のような袋の中に、赤く熟れたほおずきの実。真赤な玉をもみほぐしながら、中につまった種を苦労して出し、ほおずきを鳴らすという遊びがあります。

別名「燈籠草」。

北アメリカには種類が多く、「地面のサクランボ」「皮だらけのトマト」「紙袋に包まれたサクランボ」などの呼び名があります。

ほおずきの根や茎は、利尿や咳止め、解熱に用いられます。

★花占い

孤独を愛し、ひかえめなあなた。作られた美をきらい、あくまでも自然の輝くような美しさにあこがれを持っています。

愛する人も、野性的な人を好む。気どった人や、ブランドばかり気にする人は嫌いです。人を見ぬく力は抜群。恋愛に関しては、慎重な行動をとるほうです。そのままで、うまくいくことでしょう。

この日生まれの著名人
ポンパドゥール(1721)　ジョン・ボイト(1938)　浜田省吾(1952)
早乙女愛(1958)　岸本加世子(1960)　鶴見辰吾(1964)　加勢大周(1969)

この日生まれの大切な人

Name

Name

30

ろうばい
Carolina Allspice
花ことば・慈愛

ロウバイ科
原産地：アジア

「臘梅」と書きます。別名「唐梅」「黄梅花」。

花がろう細工に似た美しさを持っているのと、梅の花と同時に咲き、香りもよく似ているため、この名がつきました。

花が臘月、つまり陰暦の12月に咲くから、との説もあります。

日本には、17世紀頃、中国より渡来しました。椿、水仙、南天とともに、冬を代表する花のひとつです。

★花占い

現実を直視するタイプ。自分の恵まれた環境に感謝しながら、慈愛を持って人に接することができます。犠牲的精神を発揮し、奉仕活動のリーダー的存在になることでしょう。ロマンティストで、愛する人とも宿命的な出会いをします。

人をすぐ信用するため、悲劇の主人公となる可能性も。でもその経験はあなたの人格を高め、より素晴らしい出会いへと導いてくれることでしょう。

この日生まれの著名人
キプリング (1865)　ゴンザレス三上 [GONTITI] (1953)
山本潤子 [ハイファイセット] (1959)　ベン・ジョンソン (1961)　崎谷健次郎 (1962)
ソフィー・ウォード (1964)　元木大介 (1971)

この日生まれの大切な人

Name

Name

31

ひのき
Chamaecyparis
花ことば・不滅

ヒノキ科
原産地：アジア

古代、この木をすり合わせて火をおこしたことから、「火の木」とも呼ばれます。

日本人の生活には、昔から関係が深い木。主要な造林樹として、特有の高い芳香と光沢のある優雅な白い木肌で、尊ばれてきています。

その神聖なイメージから、神社をはじめ、宮殿や豪族の家などの建築材として、使われてきました。

イエス・キリストを貼りつけにした十字架は、オリーブ、杉の木、そして、ひのきの3種の幹を合わせ持った、一本の木によって作られたと言われています。

★花占い

しんぼう強く、着実に事を成しとげていく人。本当に強い人です。目的に向かって進んでいくあなたの姿勢は、人々に勇気をふるいおこさせます。火と燃える愛を呼びよせるほど、激しい情熱の持ち主。相手は最初その気でなくとも、あっという間に巻き込まれてしまいます。まるで、山火事。そうして生まれたその愛は、一生あなたの中で燃え続けることでしょう。

この日生まれの著名人
林芙美子（1903）ジョン・デンバー（1943）ビートきよし（1949）
高樹澪（1960）俵万智（1962）小錦（1963）秋山エリカ（1964）江口洋介（1968）
ジョー・マッキンタイヤー〔New Kids On The Block〕（1972）

この日生まれの大切な人

Name

Name

花の不思議とおまじない

LEGEND OF FLOWERS

　花には、魔力があるのです。古今東西から集めた、さまざまな言い伝えたち。信じるか信じないかはご自由。はじめに紹介するのは、なにより気になる恋占い。

好きな人と結婚できる？

　「むらさきべんけい草」の枝を二本、地面に。一本を自分、もう一本を愛する人に見たてます。どちらかが枯れたら、悲しいけれど、その恋は成り立ちません。二本とも、ずんずんと、大きくなっていくようなら…めでたくふたりは結婚できます。

あなたの結婚は何年先でしょうか。

　目をとじて、一握りの草を抜きます。その中にまじっている「ひなぎく」の花は何本？結婚が何年先かをしめしています。

友達の中で、誰がいちばん早く結婚するでしょうか。

　「せいようとりねこ」をつるで束ねたのを、友達全員が、それぞれ焚火に入れます。最初にほどけたつる束の持ち主が、いちばん早くウェディング。コングラッチュレイション！

未来の夫の夢を見る。

　「おとぎり草」を、枕の下に敷いて寝ると、未来の夫の夢を見ます。もうひとつ。「セント・ジョンズ・ワート」の草を、寝室に吊るして眠っていても同じ効果が。

未来の夫はどんな顔？

　夢でなく、実際に見たい人は、どうぞ。真夜中、「あさ」の種をまきながら、教会の回りを歩く。肩越しに気配を感じたら、振り向いて、未来の夫の顔が見えます。（ちょっとし

た、ホラーのよう）

こわくてもかまわない、というあなたに、もうひとつ。

部屋の中の電気を消し、ローソクの灯をともす。鏡の前にすわり、「りんご」を食べながら、髪の毛にくしを入れると──未来の夫の幻が、鏡に映るのです。

好きな人がたくさんいる、浮気ムスメ。結婚するのは、誰とでしょうか？

いくつもの種子に、見込みのありそうな恋人のイニシャルを書き、それを濡らして、額に張りつけます。一番長く、くっついていた種子が、あなたのお相手です。

では、結婚する相手は今、どこに住んでいるのか？

「ながは草」の花穂を、葉のサヤから抜き取り、そこから流れる液汁がどちらへ流れるか。その方向をたどると、結婚相手の住んでいる

場所がわかります。

パートナーの体つきと、お金持ち度まで、占えてしまう。

キャベツ畑に出かけてみましょう。目をつぶって、株を引き抜く。そのキャベツが、大きいか小さいか、ほっそりか太ってるか、それが相手の体つきなのです。そして、そこについている土のつき具合が、お金持ち度。たくさんついているとよいですね。

ふたりの愛は、いつまで続く？

ふたりの名前をつけた「クルミ」を、それぞれ火の中にくべる。ふたつとも一緒に燃えたら、ふたりの愛は永遠のものでしょう。もし、どちらかが先に燃えだしてしまったら……悲しいけれど、愛ははかない。

恋人の気持ち……
本気？

「ゆり」のつぼみを一つ選び、雨が降ったあと、花の色を調べます。黄色であれば、不実。赤であれば、誠実です。

こんなのもありますよ。

「たんぽぽ」の綿毛をふーっとひと吹き。残った綿毛が多いほど、恋人はあなたを愛しています。

次はおまじない。

愛する人と結ばれるために、ぜひ挑戦してみましょう。

早く結婚したい人へ。

女性が、「なし」の木か「りんご」の木に、木片を3回投げ、枝に引っかかれば、結婚はもうすぐ。3回ともかからなければ、もうし

ばらく待って。

その2。水をひたした皿に、2枚の「きづた」の葉を入れておき、翌朝それがお互い寄りそっていたら、結婚はすぐそこ。

してはいけないこともあります。

恋愛中に、庭の「パセリ」を切り取ることは、不吉です。

変わらぬ愛を
永遠にする。

恋人から「ジャスミン」の花を受け取ったら、それを髪の毛と一緒に編み込みます。して、愛は永遠のものに。

恋人を、好きな時間、
自分のものにする。

「ちょうせん朝顔」の種子をつぶして、少量、お酒に混ぜて飲ませると、自分の望む間、相手はフラフラ。もう、こちらの言いなり、思

うまま。くれぐれも悪用しないで。

　疑い深いあなたには、こんなおまじないが
あります。

恋人の浮気を防ぐ。

「ヘンルーダ」の草を食べさせると、浮気は
しなくなるのです。

きらいな相手に、媚薬を飲まされたとき、効き目をなくすには——。

「すいれん」を身につけていると、媚薬を飲
まされてしまっても、変な気持になったり
しません。危険を感じてる人、覚えといて。

　次は、切実なおまじないです。

病気にかからない。

「ぜにあおい」を朝、摘むと、その日一日、
病気から守ってくれる。

虫やねずみが寄りつかない。

　復活祭の朝、聖母マリアの像の後に、一枚
の「やし」の葉を置き、鐘の音とともに、「骨の
ないすべての動物いなくなれ」と唱えるので
す。そうすると、一年間、虫もねずみも寄り
つきません。

裁判に負けない。

「マンドラゴン」の根を、人形の形に彫り、
それを洋服の中に持っていると、裁判に負け
ないよう、守ってくれます。

　ちょっと悪い人用のおまじないもあります。

錠をはずしてしまう。

　ドロボー志願の方へ。「へびのした」と呼ば
れるシダの葉を、鍵穴に差し込むと、錠がカ

チリとはずれます。

上級編。
金庫を開けるには。

　手に傷をつけ、「くまつづら」の葉をあてると、不思議な力が生まれてきます。その手で金庫を……。

暴力コース。
遠くにいる人をぶつには。

「西洋はしばみ」の枝を持って、自分の部屋で、相手の名前を唱えながら、自分の前後左右を打つと、遠くにいる相手が、痛みにのたうちまわるのです。

もっとこわいおまじない。相手を傷つけ、
ついには殺してしまう……。

　布や粘土で、その人の人形を作り、「さぼてん」の針で、ピッとつき刺すと、一瞬、相手の意識が遠のいていく。
女性の味方のおまじないもあります。

若さを保つ秘訣。

　ローズマリー、セージ、ういきょう、マルメロを混ぜて飲む。望むだけの間、今の若さを保たせてくれる。

自分の未来は
どんなふう？

　ワイン、ジン、ラム、水、酢をグラスに注ぎ、「ローズマリー」の小枝を浸して、枕もとに置きます。その晩に見る夢が、あなたの未来の予言です。もうひとつ。「くまつづら」の草を入れたお風呂に入る。その晩、見る夢も、未来。

　変わり種では、こんなのもあります。
　おまじないというより…もうマジック。

透明人間になる。

「とりかぶと」で作った帽子をかぶると、見えなくなるのだ！

地中の財宝を
発見する。

「しだ」の胞子を空中に投げると、財宝が隠されている場所に落ちる。

幽霊に質問する。

「西洋やどり木」の小枝を持って、幽霊の出てきそうな空家に行ってみると、たずねごとに何でも答えてくれます。もちろん、その答えは正確。あなたにうらみがない限り。

鳥と会話ができる。

「いぶきしだ」の灰を混ぜて作った、ガラスの指輪をはめると、鳥とおしゃべりができる

そうです。

最後に、
魔女を見抜くには。

「アジアンタム」「えにしだ」「ヘンルーダ」「西洋きんみずひき」の束を持って、人ごみをじっと見ると、魔女だけが、くっきりと際だって見える。宅急便屋のキキが隠れていても、すぐに見つかります。もしも、自分が魔女だったとしたら……ステキなんですが。どうでしょうか。

カラダにいい
花のくすり
MEDICINAL FLOWERS

　見て楽しむだけでは、つまらない。花はくすりになるのです。カラダにいい花たち。昔の人は、こうして病気を治したのです。たとえば、こんなふう（くわしくは、漢方薬局で聞いてください）。

★あさがお
　便秘を治すツヨイ味方。種を乾燥してくだき、そのまま飲んでしまう。効果が大きいので、1回1グラムどまりにして。

★たんぽぽ
　もうひとつ、下剤を紹介しましょうか。早春、花が咲くまえに葉っぱをサラダにして食べましょう。西洋タンポポより、日本タンポポのが、よく効く。がくがキュッとしまって花にくっついてるのが、日本タンポポです。胃かいようの人は、生の葉をガムのように嚙んで食べます。ホロ苦くて、けっこういける。肝臓病には、青汁ジュースを。

★桜
　日本の花の女王も、くすりの効果があるのです。市販もされてる花びらの塩づけ。お湯に浮かせて飲むと、二日酔いや頭痛がぴたりと治る。

★すみれ
　美しい花が、ぞくぞくと登場。すみれの濃い紫を、お湯に浮かせたり、お吸いものにしたてたり。これが、高血圧に効くのだから、うれしくなります。春のノボセも治してしまう。打ち身にも、すみれ。濃く煮出した汁に布をひたし、痛いところに貼ると、すーっとハレがひいていく。

★ひまわり
　種がおいしい。炒って食べます。いつもこの種を食べていると、心臓の冠状動脈硬化を防ぐ。黄色の花びらも、活躍します。お酒に

ひたしてぐいと飲めば、ストレス解消に効く
のです。ついでに葉っぱや茎も混ぜると、頭
痛を治し、解熱作用も。ひまわりは万能薬で
す。花をさかさづりにして干し、煮詰めた液
を飲んだりすると、カゼや胃かいようまで治
してしまう。

★あんず

　あざやかなピンク色。春の美少女、あんず
も、大した威力を発揮する植物。役に立つの
は、その種です。ぜんそくの発作から、救っ
てくれる。「あ、あぶない」と感じたら、あん
ずの種を干したのを、嚙みながら飲みこんで。
ハチミツを溶いたお湯で飲むと、もっと効き
目が高くなります。大人は5粒。子供は3粒
が限度。それから、あんずの種は、ガンを防
ぐという説もあります。

★くちなし

　のど風邪をひいてしまったら、くちなしの
実がいちばん。陰干ししたのを20個ほど、や
かん一杯の水で煮こみます。トロ火で一時間。
濃い茶色の液体をごくりと飲めば、のどの痛
みがあっという間に消えていきます。重いへ
んとう腺炎や、口内の荒れにもよく効く。し
ばらく、この液でうがいを続ければ、もう安
心です。身近にくちなしがなければ、漢方の
薬局でも手に入ります。

★ゼラニウム

　鉢植でポピュラーなゼラニウム。花がたく
さん咲きます。花の部分を摘んでおいて、日
干しにして、紅茶や水割りに浮かべてもいい。
優雅だし、過労を防ぎます。葉を茎とともに
煮込んで飲めば、血尿が止まる。腎臓に止血
作用が働くからです。干して粉にし、傷に塗
ると、早く治ります。

★ほうせんか

蝶々のような花がかわいいほうせんか。魚の骨がのどにささったとき、種をくだいて粉にしたものを飲むと、すぐとれる。煎じ汁を毒虫にさされたとき塗ると、治りが早いと言われます。

★りんどう

苦味のある健胃薬。漢方薬の中でも有名です。あの美しい紫の花が、それほど苦いなんて意外な気がします。根っこを洗って日に干し、煎じて、5gほど服用します。

★きつねのまご

くちびるを思わせる、淡い藤色の花。根ごと引き抜いて、そのまま陰干しに。煎じて飲めば、気分が落ちつく。いわば精神安定剤。きざんで酒に浸たして飲めば、不眠も治してくれる。道ばたでよく見かける雑草です。

★すいかずら

こちらも雑草。夏カゼの特効薬です。葉を干して煮つめたエキスをぐいと飲む。汗がだらだら流れて、熱がすーっとひいていきます。4時間後にもう一度飲んで。濃い液を少しだけ飲むのが秘訣です。液を煮出した葉っぱのほうも捨てないで。お風呂に入れれば、肌が美しくなる。ニキビあともきれいにしますよ。

★松

日本の植物の王様ともいえる松。「不老長寿の妙薬」なのです。葉に含まれてるオキシルパルチミン酸が若返りに効く。松葉をよく洗って、ジューサーにかけるか、すり鉢ですり、液体をフキンでしぼるだけ。これを飲むと、白髪を防ぐ。覚えておきたい不思議ですね。

松葉を焼酎にひたして、1カ月おくと、効果抜群の健康酒のできあがり。赤松、五葉松が特に効くとか。神経痛、血圧の安定などに

お役立ち。

★さぼてん

　原産地メキシコでは「医者の木」とも呼ばれるさぼてん。そのおろし汁を、さかずき１杯飲むと、吐き気のする胃痛も治してしまう。食後１日３回が目安とのこと。子供のぜんそくには、サボテンケーキですって。葉をハチミツ漬けにして、一カ月ほどすると、おいしいケーキになるのです。苦しいセキが止まり、続けるうちに、体質も改善します。直射日光にあて、干し菓子にすると、もっと美味という。ぜんそくでなくても、試してみて。便秘が治ります。

★アロエ

　薬用として、最高に有名な植物なのが、アロエ。ローマ時代からなくてはならない薬草だったとか。葉っぱを食べると、乗り物酔いに効く。大根おろしに、一枚分のしぼり汁を加えて飲むと、二日酔いにも、胃痛にも効くようです。ニキビ、虫さされには汁をすりこんでおくだけでいい。水虫や、傷あとには、表皮をはいだゼリー部分を貼りつけ、テープで止めておくと治ります。

I N D E X

●参考文献

Bible plants at kew—— F.N.Hepper
The Burn's Birthday Book—— Gibson, James
California Native Trees & Shrubs—— Linz & Dourley
Desart Wild Flowers—— Edmund C. Jaeger
Plant & People Relations Data Book—— Y. Takii
The Queen's Hidden Garden—— David Bellamy
Royal Botanic Garden's, Kew Annual Report
Shakespear's Birthday Book—— Dunbar, M.F.D.
Shakespear's Flowers—— Jessica Kerr
The Tennyson's Birthday Book—— Shakespeare, E.
Webster's Unabridged Dictionary
Western Garden Book—— Lame
Wild Flowers—— Philip A. Muny
Wild Flowers—— Milt Mcauley
Wild Flowers—— Octopus Books
Wild Flower Finder's Calendar—— David Lang

朝日園芸百科（全30巻）（朝日新聞社）
朝日百科世界の植物（全12巻）（朝日新聞社）
ギリシャ神話（上・下）呉茂一著（新潮社）
広辞苑　新村出編（岩波書店）
植物と神話（正・続）近藤米吉編著（雪華社）
植物の故事ことわざ事典　故事ことわざ研究会　（アロー出版社）
世界の植物研究施設、植物園データブック　瀧井康勝編著　（販売元・丸善）
花の西洋史　A.M.コーツ著（白幡洋三郎、節子訳）（八坂書房）
花々との出会い　A.アンダーソン著（竹田雅子訳）（八坂書房）
花の文化史　春山行夫著（講談社）

現代人名情報事典　（平凡社）
日本重要人物辞典　（教育社）
芸能・タレント名辞典　（日外アソシエーツ）
スポーツ人名辞典　（日外アソシエーツ）
ポピュラー・スター事典　（水星社）
知она蔵1990（朝日新聞社）
三六五日事典　（社会思想社）
きょうの歴史　365日の事典　辻野功編著　（明石書店）
スクリーン　（近代映画社）
ギターブック　（CBSソニー出版）
ミュージックライフ　（シンコーミュージック）
アイドル大百科　（ゲイブンシャ）
プロ野球選手写真名鑑　（日刊スポーツ社）

本書を執筆するにあたり、上記他、数多くの資料を参考にさせていただきました。
ここに謝意を表します。

植物と人間のかかわり方について、私なりの疑問を持ち、はや20年となる。

その間、ヨーロッパやアメリカをはじめ、世界各国の大学や植物園、植物研究施設などを訪ね、

さまざまな研究者の話を聞いてきた。

海外出張は60回を越え、なかには、アンデスやアマゾンなど、

殆んど日本人の行かない秘境を、珍種の植物を求めて歩き回った。

また、植物にまつわる神話や伝説、口伝などにも興味を持ち、

機会あるごとに古本や情報を収集してきた。

そんな折、瀬戸信昭氏（日本ヴォーグ社常務取締役）の熱心な誘いを受け、

一気に書き上げたのがこの本である。

萩原喬司氏、小野田三実氏、岩田裕子氏、

またイラストの山本久美子氏の多大な御助力を心から感謝する次第である。

著者紹介　　瀧井康勝（たきい　やすかつ）

宮城県岩沼市出身、1969年植物と人間の関係を追求する㈱日本の草花（現・四季草合せ）を設立。

また、生活に役立つ世界の植物情報を収集し、

企業向けに提供する植物文化センターを設立、現在に至る。

著書に「世界の植物研究施設・植物園データブック」（英語版・全2巻）（販売元・丸善）、

「遊べるおもしろ花の万博」（日本ヴォーグ社）がある。

366日　誕生花の本

発行日　1990年11月30日　第1刷発行
　　　　1992年3月30日　第11刷発行

著者　瀧井康勝

発行人　瀬戸忠信　編集人　瀬戸信昭

発行所　株式会社　日本ヴォーグ社

〒162-91 東京都新宿区市谷本村町3-23

TEL. 販売03（5261）5081　編集03（5261）5083

振替　東京7-9877

印刷所　凸版印刷株式会社